S0-AXI-868

El Viaje Increíble

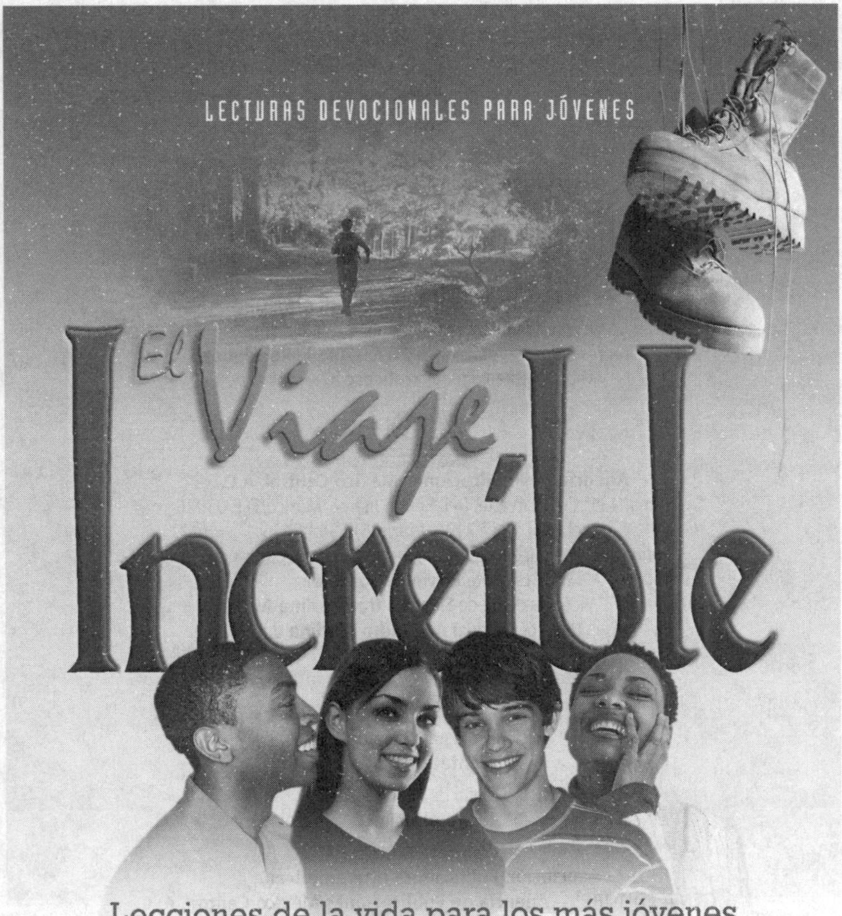

LECTURAS DEVOCIONALES PARA JÓVENES

El Viaje Increíble

Lecciones de la vida para los más jóvenes y sus familias

Renee Coffee

Título de la obra original
The Incredible Journey
Copyright© 2005 by Renee Coffee

Asociación Publicadora Interamericana
2905 NW 87 Ave. Doral, Florida 33172, EE. UU.
tel. 305 599 0037 – fax 305 592 8999
mail@iadpa.org – www.iadpa.org
Presidente **Pablo Perla**
Vicepresidenta de Finanzas **Elizabeth Christian**
Vicepresidente de Producción **Daniel Medina**
Vicepresidenta de Atención al Cliente **Ana L. Rodríguez**
Vicepresidente Editorial **Francesc X. Gelabert**

Agencia de Publicaciones México Central, A.C.
Uxmal 431, Col. Narvarte, Del. Benito Juárez, México, D.F. 03020
tel. (55) 5687 2100 – fax (55) 5543 9446
informacion@gemaeditores.com.mx – www.gemaeditores.com.mx
Presidente **Erwin A. González**
Vicepresidente de Finanzas **Irán Molina A.**
Director Editorial **Alejandro Medina V.**

Traducción
Daniel Bosch

Edición y diagramación del texto
Cantábriga, SC

Diseño de la portada
Ideyo Alomía L.

Impreso por
Stilo Impresores Ltda.
Calle 166 No. 20-60 tel. (571) 6703927 Bogotá, Colombia.
Impreso en Bogotá, Colombia. *Printed in* Bogotá, Colombia.

ISBN 10: 1-57554-660-4
ISBN 13: 978-1-57554-660-5

En esta traducción, si no hay indicación en otro sentido, se emplea la versión *Dios Habla Hoy* (DHH) de la Biblia. Cuando la fraseología lo aconseja, se recurre a la Nueva Versión Internacional (NVI) o la revisión de la Reina-Valera de 1995 (RV95), indicándose en cada caso cuál de las dos se escoge

1ª edición: agosto de 2008

Sobre la autora

Renee Coffee se ha dedicado a la docencia durante más de treinta años, tanto en la enseñanza primaria como en la secundaria. También es superintendente adjunta del Departamento de Educación de la Asociación de Míchigan de los Adventistas del Séptimo Día.

Como escritora profesional ha confeccionado materias curriculares para *Cornerstone Connections* (*Jóvenes*) y *Collegiate Quarterly* (*El Universitario*). También ha publicado en más de una docena de revistas, incluidas *Guide*, *Insight*, *Listen*, *Signs*, *Vibrant Life* y *Adventist Education*. La *Review and Herald* publicó su primer libro devocional para jóvenes en 1993.

Dedicatoria

Dedico este libro a mi esposo,
Tom Coffee, el hombre más inteligente
y perspicaz que conozco.
Envejece junto a mí;
lo mejor está por venir.

Para ti que vas a leer este libro

Arthur Blessitt tiene el récord mundial del viaje más largo. Todo empezó en 1969, cuando Arthur sintió que Dios quería que fuera por todo el mundo llevando una cruz para recordar a las personas el amor de Jesús por ellas.

Construyó la cruz, le puso una rueda en la base y se dirigió a Hollywood, California, en un viaje que duró 33 años. Hacia el final de su caminata, Arthur había viajado 57,740 kilómetros a pie por 284 naciones.

A menudo, cuando llegaba a una ciudad, Arthur se detenía en una iglesia local y preguntaba si podría dejar la cruz ahí durante la noche. Curiosamente, más de la mitad de las iglesias no se lo permitieron. Sin embargo, en los bares y clubes nocturnos siempre era bienvenida.

Durante el viaje, la cruz fue extraviada por una compañía aérea durante un mes, arrojada por la borda desde un barco y robada cinco veces. Al propio Arthur lo encarcelaron, apedrearon, golpearon, estrangularon y lo arrestaron 24 veces; además de perseguirlo un elefante y atacarlo un cocodrilo y un babuino.

La caminata de Arthur podría entrar en el *Libro Guinness de los récords* pero no es nada en comparación con el mayor viaje de todos los tiempos. Los que han dado su vida a Jesús se han enrolado en el viaje más increíble. Este viaje es la búsqueda de la verdad y el gran amor de Dios.

Arthur acabó su viaje exactamente donde lo empezó. Pero nuestro increíble viaje nos llevará fuera de este mundo, a través del universo y hacia el cielo, donde estaremos con Dios para siempre. Únete a mí y hagamos una etapa de este viaje juntos.

Reneè Coffee

En todas las páginas de este libro se reproduce una conocida obra del gran pintor cristiano Harry Anderson, titulada *People Walking Towards Heaven* (El pueblo caminando hacia el cielo), que ilustra la marcha del pueblo de Dios de la tierra a las moradas celestiales. En la realización de este cuadro —reproducido parcialmente con permiso de la Review and Herald Publishing Association, Maryland, EE. UU.— el artista sigue muy de cerca el relato de la primera visión que recibió la señorita Ellen Gould Harmon (Ellen [Elena] G. [de] White, después de su matrimonio con James [Jaime] White). Ella vio una escalinata que atravesaba un abismo por donde ascendían todos los creyentes en el viaje más increíble de todos. Si quieres conocer más detalles, encontrarás la visión relatada por ella misma en el libro *Primeros escritos*, páginas 78-81.— N. de E.

Un anticipo del cielo

El lobo y el cordero comerán juntos, el león comerá pasto, como el buey.

ISAÍAS 65: 25

UN TREN GOLPEÓ A GRIZ, un osezno gris de los bosques de Montana. Una tribu india americana lo encontró inconsciente y lo envió a un centro de rehabilitación para animales de Oregón.

Durante semanas, el personal curó las heridas del osito. Cuando se hubo recuperado lo suficiente para abandonar el centro, sus cuidadores se dieron cuenta de que era demasiado manso para sobrevivir en el bosque. Así que Griz se quedó y llegó a pesar trescientos kilos.

Una mañana, mientras Griz se zampaba un bidón lleno de fruta, verdura, pollo y venado, un gatito muy flaco se escurrió en la jaula. Dave, el director del centro, observaba al gatito y la reacción de Griz.

«Oh, no», pensó Dave, «Griz se comerá al gatito». No había manera de rescatar a tiempo al gatito; así que esperó.

Griz metió la cabeza en el bidón, sacó un ala de pollo y la puso en el suelo, junto al gatito. El gatito se abalanzó sobre la comida y se la zampó. Entonces, Griz sacó más comida del bidón y se la dio. Más tarde, en ese mismo día, el gatito se encaramó a pecho del oso y se dio una siesta.

A partir de entonces el oso y el gatito se convirtieron en los mejores amigos. Compartieron la comida de Griz y jugaban juntos. El gatito, que se llamaba Cat, se escondía tras los árboles de la zona del oso. Cuando Griz se le acercaba, Cat saltaba y se colgaba de la nariz de Griz. A los visitantes les encantaba ver cómo Griz llevaba a Cat en la boca o le daba un paseo a hombros.

Griz y Cat son tan solo un anticipo de cómo será la tierra nueva. Cuando Adán y Eva desobedecieron a Dios, el miedo y el odio sustituyeron a la paz. ¿Verdad que será maravilloso que los leones y los corderos, los osos y los gatitos —y las personas— puedan volver a ser amigos?

Una visión del otro lado

Protéjanse con toda la armadura que Dios les ha dado, para que puedan estar firmes contra los engaños del diablo.
Efesios 6: 11

CUANDO EL DR. PAGE COOK estudiaba en la facultad de medicina, se convirtió al adventismo. Emocionado con la fe que había descubierto, empezó a dar estudios bíblicos a Mitch, otro estudiante de medicina.

Semana tras semana se reunían para estudiar las profecías y otras importantes verdades de la Biblia. Pero una tarde, cuando estaban a mitad del estudio, Mitch empezó a burlarse de la Biblia. Su cambio de actitud tomó a Page por sorpresa. Mitch siempre había estado ansioso por estudiar la Palabra de Dios.

Como las cosas no mejoraban, Page decidió acabar el estudio y regresar a casa. Entonces vio algo detrás de la silla de Mitch.

«Me di cuenta de que se me mostraba el origen de la falta de respeto de Mitch por la Biblia. Detrás de él había uno de los ángeles de Satanás. Aquel ángel malo se inclinaba sobre Mitch y abría su boca. De ella salía algo que se parecía a la miel y, cuando alcanzaba la cabeza de Mitch, este hacía otro comentario sarcástico sobre la Biblia.

»Mientras miraba lo que sucedía, el mal espíritu se volvió hacia mí. Cuando nuestras miradas se cruzaron se dio cuenta de que yo podía verlo. Dio un salto de sorpresa, pero entonces se encogió de hombros como quien dice: "¿Y a mí qué?"»

Nos hablan de Satanás y sus ángeles, pero muy pocos los veremos en acción. La experiencia de Page nos recuerda que Satanás es tan real hoy como en los tiempos de la Biblia. Sabe que le queda poco tiempo y trabaja sin cesar para conseguir que cuando llegue su hora se lleve con él a tantos de nosotros como sea posible.

No debemos temer a Satanás. Si cada día nos ponemos en manos de Dios, él nos protegerá y nos ayudará.

El ejército invisible de Dios

Él mandará que sus ángeles te cuiden por dondequiera que vayas.

SALMO 91: 11

CUANDO BILL BRENNAN era un muchacho, su familia solía asistir a la iglesia adventista de su localidad. Pero cuando fue adulto se unió a una iglesia que guardaba el domingo.

Años más tarde, unos amigos adventistas, Erika y Edmund Grentz, invitaron a Bill para que asistiera con ellos a la iglesia. Aceptó la invitación. Durante su tercera visita sucedió algo extraordinario.

Esa mañana hablaba el director de los Conquistadores de la Asociación de Míchigan, el pastor Ferry Dodge. El pastor local, Delmar Austin, estaba sentado detrás de él en el estrado.

Mientras Bill escuchaba el sermón, el aire se enturbió y la temperatura descendió unos cuantos grados. Bill miró a través de la neblina sin poder creer lo que estaba viendo en el estrado.

«Alrededor del pastor Austin había tres ángeles», explicó. «Uno estaba sentado a su izquierda y otro a su derecha. El tercero estaba en pie detrás de ellos y parecía ser el jefe.

»Iban vestidos con túnicas blancas y sus enormes alas atravesaban el podio en que se sentaba el pastor Austin. No podía ver sus caras, pero recuerdo que el cabello les llegaba a los hombros».

Bill estaba tan emocionado de ver los ángeles que se volvió para ver la reacción de los demás. Pero el resto de la congregación solo escuchaba el sermón, sin apercibirse de lo que Bill había visto. Bill volvió a mirar hacia el pastor Austin, pero los ángeles habían desaparecido.

Aunque no podamos verlos, nuestros ángeles siempre están con nosotros. Dios los envía para protegernos de los ataques de Satanás y alentarnos para hacer lo correcto. Quizá no podamos verlos como los vio Bill, pero son muy reales. La próxima vez que te sientas solo, recuerda que un poderoso guerrero está junto a ti.

Hacer lo imposible

Dios los ama a ustedes y los ha escogido para que pertenezcan al pueblo santo. Revístanse de sentimientos de compasión, bondad, humildad, mansedumbre y paciencia. Sopórtense unos a otros, y perdónense si alguno tiene una queja contra otro. Así como el Señor los perdonó, perdonen también ustedes.
COLOSENSES 3: 12-13

CUANDO EN NUESTRO FANTÁSTICO VIAJE hacia el cielo andamos con Jesús, él quiere hacer algo más que salvarnos de la muerte eterna. Quiere liberarnos del poder del pecado y transformar nuestro carácter para que nos parezcamos más a él.

No nacemos con las cualidades que se mencionan en el versículo de hoy. Pablo lo sabía. Por eso nos dijo que nos "revistamos" con esos rasgos de carácter. Debemos adquirirlos en algún lugar fuera de nosotros mismos para que puedan sustituir el egoísmo, la crueldad y el orgullo con que nacemos. Pero, ¿cómo podemos borrar nuestra naturaleza malvada y parecernos más a Jesús?

El Dr. Frederick Meyer, un cristiano devoto que vivió a principio del siglo XX, aprendió el secreto mientras hablaba a un grupo de alumnos revoltosos. El Dr. Meyer había intentado mostrarse paciente con los niños, pero estaban acabando con sus nervios. En el momento en que estaba a punto de perder la compostura, oró: «*Tu paciencia, Señor*». Instantáneamente, su enfado desapareció.

A partir de ese momento, cada vez que tenía miedo, oraba: «*Tu valor, Señor*». Cuando se sorprendía criticando a los demás, oraba: «*Tu amor, Señor*». Cuando le faltaban fuerzas oraba: «*Tu fuerza, Señor*».

Aunque el Dr. Meyer no tenía ningún poder por sí mismo, sabía dónde acudir en busca de ayuda. Y cada vez Dios le daba lo que necesitaba, siempre que lo pidiese.

Jesús es la fuente de toda salvación. En él encontramos todo cuanto necesitamos. Basta con que se lo pidamos.

Placeres desgraciados

Hay gran alegría en tu presencia; hay dicha eterna junto a ti.

SALMO 16: 11

EL PASTOR MORRIS VENDEN y su hermano llegaron a Alemania cuando se acercaba el final de un magnífico viaje por Europa. Juntaron todo el dinero que tenían y empezaron a buscar la mejor cena que sus escasas monedas pudiesen comprar. Estaban a punto de hacer su cena de despedida en una cafetería cuando, de repente, anduvieron un poco más allá en la calle. En el escaparate de la pastelería vieron algo que les hizo olvidar la saludable comida de la cafetería.

Dentro de la tienda había bandejas y más bandejas llenas a rebosar de deliciosos pasteles, tortas, *strudel* y otros dulces. Vieron unas galletitas decoradas y pastelillos rellenos de crema y rociados con chocolate.

Les faltó tiempo para sacar el dinero. Los hermanos dieron al dependiente sus últimos marcos alemanes, tomaron sus pasteles favoritos y salieron de la tienda. Fueron al parque, se sentaron en un banco y empezaron el festín de delicias azucaradas.

Los primeros mordiscos fueron puro placer. Pero después de que cada uno de ellos hubo hecho los honores a la mitad de una bolsa todo tenía el mismo sabor.

No quisieron que la comida se echara a perder y se terminaron el contenido de sus respectivas bolsas. Las horas que siguieron compartieron el malestar.

Lo que empezó siendo un placer terminó siendo una desgracia. Así sucede también con el pecado.

Que nadie te engañe. El pecado da placer. Pero nunca es duradero. Una vez que se acaba, se instala la desgracia. Y la miseria siempre dura mucho más que el placer original.

Vive la vida no por el placer, sino para complacer a Dios. Cuando lo hagas sabrás cómo es de real.

Él tiene las respuestas

Tú, Señor, con gran despliegue de poder creaste el cielo y la tierra. Nada hay imposible para ti.
Jeremías 32: 17

DURANTE LA SEGUNDA GUERRA MUNDIAL, un avión americano agotó el combustible y tuvo que aterrizar en una isla que estaba en manos del ejército enemigo. La situación era comprometida; los hombres sabían que era cuestión de tiempo que los encontrasen y los matasen o los arrojasen a un campo de prisioneros.

El único que creía que era posible escapar era el capellán que iba a bordo cuando el avión descendía. Acudió a Dios en oración y le pidió que hiciera un milagro y los rescatase de esa situación tan desesperada. Los otros aviadores respetaban al capellán por sus creencias, pero no pensaban que con la oración consiguiese nada provechoso.

A la mañana siguiente, antes de que saliera el sol, uno de los soldados se despertó con la clara impresión de que podía andar por el límite de la playa. Se levantó y empezó a caminar.

Mientras andaba vio algo en la distancia. Era algo que flotaba en el agua, cerca de la orilla. Cruzó corriendo la arena y pudo identificar el objeto misterioso. Era un bidón de doscientos litros. Después de observar las palabras pintadas en el exterior, se apresuró a regresar junto a los demás, gritando todo el rato.

«¡Estamos salvados!», exclamaba. Y, ciertamente, lo estaban. El bidón contenía doscientos litros de combustible para aviación, lo que necesitaban para escapar.

Todos se pusieron manos a la obra e hicieron rodar el bidón por la playa hacia el avión. Después de llenar el depósito, saltaron a bordo. Usaron la orilla como pista de despegue y pronto estuvieron en el aire con destino a la base más cercana.

No hay ningún problema demasiado desesperado para que Dios no pueda resolverlo.

«Antes que ellos me llamen»

Antes que ellos me llamen, yo les responderé; antes que terminen de hablar, yo los escucharé.
Isaías 65: 24

LA HISTORIA DE AYER sobre los aviadores que fueron rescatados de la isla es mucho más espectacular cuando se saben los acontecimientos que tuvieron lugar antes de que empezasen su desdichada misión. Unas semanas antes, los japoneses atacaron una barcaza que llevaba un gran cargamento de combustible para las fuerzas aliadas. Después de recibir varios impactos, la barcaza empezó a hundirse.

Para mantenerla a flote, los marineros arrojaron por la borda todo el peso extra. Muchos bidones de doscientos litros llenos de combustible fueron a parar al océano y nunca se recuperaron.

Todos, es cierto; excepto uno. Empezó un viaje de más de mil seiscientos kilómetros y pasó junto a veinticinco islas antes de ser arrojado a la orilla y entregado a unos aviadores ansiosos que habían perdido toda esperanza de ser rescatados.

Cuando te sientas tentado a pensar que no hay nadie que pueda ayudarte en la vida, recuerda la historia de la tripulación en la isla controlada por el enemigo. Antes de que se les agotara el combustible, antes de que el avión hiciese el aterrizaje de emergencia, antes incluso de que el capellán orara pidiendo que los librara, Dios había puesto en marcha la cadena de acontecimientos que daría como resultado su espectacular rescate.

No importa a qué te enfrentes hoy. Dios tiene una respuesta para tu problema. Antes incluso de que te llegaras a dar cuenta de que tenías un problema Dios ya tenía la solución.

Todo cuanto necesitamos es ponernos a su cuidado. Cuando confiamos en él para que se ocupe de nosotros, ninguna situación es demasiado grave, ninguna crisis es demasiado complicada. Todo cuanto podemos hacer es tener fe. El resto es asunto suyo.

Deportes miserables

Júntate con sabios y obtendrás sabiduría;
júntate con necios y te echarás a perder.
Proverbios 13: 20

HACIA EL AÑO 1894 el béisbol profesional empezaba a convertirse en pasatiempo nacional de los Estados Unidos. El equipo campeón del mundo fueron los Baltimore Orioles.

El equipo de Baltimore jugaba en Boston contra los Red Sox. Cuando los Orioles estaban a punto de batear en la tercera entrada, el legendario tercera base de Baltimore John McGraw se lio a puñetazos con el tercera base de los Boston.

Uno tras otro, los jugadores de ambos equipos saltaron de sus banquillos y se unieron a la reyerta. Los aficionados, que no querían quedarse al margen, se enfrentaron unos a otros y en poco tiempo los puños de tres mil quinientos espectadores estaban cruzando el aire en las graderías.

En medio de la confusión, los aficionados que se sentaban en las localidades de 25 centavos sintieron un extraño calor debajo de ellos. Saltando de sus asientos, descubrieron que alguien había pegado fuego al estadio.

Cuando los bomberos consiguieron apagar el incendio, las llamas habían destruido 170 edificios, causando daños materiales por valor de 300,000 dólares de la época y dejando sin casa a 2000 personas. Todo por un partido de béisbol.

Hay algo en las multitudes que empuja a las personas a hacer cosas que jamás harían si estuvieran solas. Tienen menos miedo de las consecuencias cuando saben que alguien más está ahí para compartir la culpa. Quizá esa sea una de las razones por las que tantos jóvenes invitan a sus amigos para que se les unan en sus malas acciones.

No dejes que la multitud influya sobre tus decisiones. Piensa por ti mismo y aprende a estar del lado de lo que es correcto sin importarte lo que hagan otras personas.

Falsas esperanzas

Mantengámonos firmes, sin dudar, en la esperanza de la fe que profesamos, porque Dios cumplirá la promesa que nos ha hecho.

Hebreos 10: 23

EN UN MENSAJE QUE ENCONTRÉ en mi buzón de correo electrónico, un alto funcionario del gobierno prometía pagarme 800 dólares si le hacía un favor. Quería sacar su dinero de Nigeria y necesitaba el número de mi cuenta en el banco para hacerlo. Borré el mensaje. Por desgracia, una mujer que vivía en un pueblo vecino no lo hizo. Creyó la fantástica promesa y perdió los 30,000 dólares que tenía en su cuenta de ahorro.

Estafar el dinero de otras personas es la tercera industria de Nigeria. Con cartas como la que recibí, hay gente que ha perdido cien millones de dólares. Esas personas querían una vida mejor, pero pusieron sus esperanzas en cosas equivocadas y acabaron peor que antes.

Cuando la gente va a un casino de apuestas, espera divertirse y ganar montones de dinero. Cuando toma drogas o se emborracha, la gente espera dejar atrás los problemas y sentirse mejor. Cuando la gente sigue una dieta de adelgazamiento, espera perder su exceso de peso en una semana.

¿Por qué las personas ponen sus esperanzas en cosas que durante años les han arruinado la vida y la salud? Saben que las apuestas es una de las maneras más rápidas de perder dinero. Saben que el alcohol y las drogas destruyen millones de vidas y que las dietas de adelgazamiento suelen hacer que las personas pesen aún más que antes. Saben todo eso, pero piensan que con ellos será diferente. Que no serán como los demás. Porque son más listos. Pero finalmente descubren que hacer lo equivocado siempre acaba mal. Y se unen a las filas de los estafados.

Las palabras de un antiguo himno nos recuerdan que debemos poner nuestra esperanza en «la sangre y la justicia de Jesús». Cuando nuestras esperanzas de felicidad y cumplimiento se centren en Jesús nunca seremos defraudados. Jesús siempre cumple sus promesas.

10 ENERO

Complacer a Dios

Honra a Dios y cumple sus mandamientos, porque eso es el todo del hombre.
ECLESIASTÉS 12: 13

A TODOS NOS GUSTA recibir la aprobación de los demás. Cuando nos ponemos ropa nueva nos aseguramos de que a los amigos les guste su estilo. Vemos los mismos programas de televisión para tener algo de qué hablar al día siguiente en la escuela. Y escuchamos la misma música que escuchan nuestros amigos, aun cuando no nos guste.

Querer agradar a todo el mundo tiene dos problemas. El primero es que lo que un amigo quiera que hagamos nos aleja de otro. Por ejemplo, si dos amigos te invitaran a cenar en sábado, no podrías tenerlos contentos a los dos. El segundo problema es que algunos amigos querrán que hagas algo que está mal, como ayudarlos a hacer trampas en un examen. Si ansías intensamente su aprobación, te sentirás tentado a ser su cómplice.

Cuanto más vivas, más amigos y conocidos tendrás. ¿Cómo podrás tenerlos a todos contentos y conseguir la aprobación de todos ellos? No puedes. Nadie puede.

Un famoso malabarista solía mantener al público en vilo haciendo girar unos platos chinos sobre unas varillas. Empezaba haciendo girar uno, luego otro, luego otro, luego otro... Así hasta cincuenta a la vez. Pero entonces uno empezaba a ir más despacio y se tambaleaba. Corría por el escenario y movía de nuevo la varilla a un lado y a otro hasta que el plato volvía a girar firmemente. Eso funcionaba durante un tiempo. Pero el malabarista no podía seguir adelante con el truco y finalmente todos los platos iban a parar al suelo.

Lo mismo sucede cuando quieres complacer a todo el mundo. No puedes.

Cuando vivimos para agradar a Dios no nos preocupamos por si somos más o menos populares. Hemos puesto los ojos en él. La paz que viene de hacer lo correcto siempre es mejor que la aprobación del mundo.

Chocar contra la pared

Dichoso el hombre que soporta la prueba con fortaleza.

Santiago 1: 12

JAMÁS OLVIDARÉ AQUELLOS PECES TONTOS. Los científicos habían puesto seis lucios en un gran acuario. Tenían mucho espacio para nadar y muchos foxinos para comer.

Al cabo de pocos días, los científicos empezaron la segunda fase del experimento. Introdujeron un cristal en medio del acuario y separaron los foxinos de los lucios.

Los lucios no podían ver el cristal y así, cuando perseguían a un foxino, chocaban con la "pared" de cristal y salían rebotados. Daban la vuelta al acuario y se dirigían de nuevo al cristal. ¡Boing! El mismo resultado.

Después de rebotar varias veces contra el cristal, algo cambió en sus pequeños cerebros de pez. «Oye, chico, esto no funciona», debieron pensar. Y dejaron de perseguir a los foxinos.

Y ahora el experimento se pone interesante. Cuando los científicos vieron que los lucios habían abandonado, retiraron la pared de cristal. ¿Qué crees que sucedió? Cuesta de creer, pero los lucios acabaron muriendo de hambre. Después de haberse hecho daño unas cuantas veces en el hocico, los lucios acabaron por creer que las cosas ya no cambiarían nunca más.

He conocido a gente que piensa lo mismo. Son personas que se equivocan alguna vez cuando tocan una música especial en la iglesia y ya no quieren tocar en público nunca más. Suspenden un examen de matemáticas y deciden que no saben matemáticas; al fin y al cabo, sus papás tampoco eran unas lumbreras en matemáticas. No consiguen entrar en el equipo de fútbol y ya no lo intentan nunca más.

La vida está llena de problemas. No podemos evitarlos, pero podemos hacer el esfuerzo por superarlos. No solo eso, sino que Dios puede extraer lecciones de nuestros fallos.

La próxima vez que te des de narices, descubre qué estaba mal y vuelve a intentarlo. Las personas que tienen éxito no hacen las cosas perfectamente a la primera. Aprenden a intentarlo una y otra vez hasta que lo consiguen.

Una aspiradora para el cerebro

Por último, hermanos, piensen en todo lo verdadero, en todo lo que es digno de respeto, en todo lo recto, en todo lo puro, en todo lo agradable, en todo lo que tiene buena fama. Piensen en toda clase de virtudes, en todo lo que merece alabanza.
Filipenses 4: 8

MALOS PENSAMIENTOS... Todo el mundo tiene que lidiar con ellos. A veces los invitamos a entrar en el cerebro. Es así cuando escuchamos una música que no debemos o vemos ciertos programas de televisión o videos.

Pero otras veces los malos pensamientos se nos cuelan en la cabeza sin que los invitemos. ¿Deberíamos sentirnos culpables cuando eso ocurre?

Este pasaje te dará muchos ánimos:

> Hay pensamientos y sentimientos sugeridos y fomentados por Satanás que molestan aun a los mejores hombres, pero si no se los alberga, si se los rechaza por odiosos, el alma no se contamina con la culpa.[1]

Quizá Satanás nos envíe algún mal pensamiento, pero si lo rechazamos y no nos aferramos a él no dañará nuestro carácter. ¿Verdad que son buenas noticias?

Una vez Howard, un pastor de jóvenes, compartió con su congregación su manera favorita de hacer frente a los pensamientos inadecuados: «Cuando detecto que un mal pensamiento me ronda por la cabeza, saco mi aspiradora imaginaria para el cerebro. Pongo la boquilla junto al oído y hago que aspire todo lo que no está en su sitio. Luego todos esos pensamientos malos se van derechitos al saco de la basura».

Cuando los malos pensamientos se te cuelen en la cabeza, elimínalos de inmediato. Enciende la "aspiradora para el cerebro" y envíalos al lugar donde deben estar.

---

1. *Mente, carácter y personalidad*, t. 2, p. 447.

De pie y erguidos

Pasa el huracán y el malvado desaparece, pero el justo permanece para siempre.
PROVERBIOS 10: 25

LA TORRE INCLINADA DE PISA es una de las atracciones turísticas más populares de Italia. La construcción del edificio que, de hecho, es un campanario, empezó en 1173.

Antes de que se terminara el tercer piso, el edificio empezó a hundirse, lo que hizo que se inclinara hacia un lado. Ralentizaron la construcción y, finalmente, la detuvieron. El octavo y último piso no se terminó hasta casi doscientos años más tarde, en 1360.

Desde entonces, la gente llegó desde todo el mundo para ver esa torre tan extraña. Pero en 1990, el municipio decidió cerrarla a los turistas. La torre se inclinaba unos cuatro metros hacia la derecha y algunos creían que era demasiado peligroso. ¿Cuánto más se podría inclinar antes de derrumbarse?

Durante los siguientes once años los ingenieros trabajaron para encontrar la manera de enderezar la torre. Después de gastarse 27 millones de dólares, fueron capaces de reducir la inclinación en unos cuarenta centímetros. Todavía está desplazada de la vertical unos tres metros y medio, pero los ingenieros piensan que vuelve a ser segura para los turistas.

El problema de la torre inclinada de Pisa no es la mala calidad de los materiales o una falta de habilidad de los constructores. El problema está en los cimientos. La torre se construyó en el lecho arenoso de un río seco y todo el dinero del mundo no volverá la arena en roca.

Podemos ser muy inteligentes y hábiles en todo lo que hagamos, pero si construimos nuestra vida sobre unos cimientos distintos a Jesús, tendremos problemas. ¿Recuerdas la parábola que habla de un hombre sabio y otro necio cuyas casas tuvieron que soportar una terrible inundación? Cuando llegaron las lluvias la casa del hombre necio se derrumbó porque la había construido sobre arenas movedizas. Pero la casa del hombre sabio, la que había construido sobre la roca, se mantuvo firme.

Cuando vivimos para agradar a Dios podemos resistir en pie y erguidos cualquier dificultad que se nos cruce en el camino. Cuando ponemos los cimientos en Cristo somos invencibles.

Buena fama

Vale más tener buena fama y reputación, que abundancia de oro y plata.
Proverbios 22: 1

LA PROFESORA DE VIOLÍN Kathie Lichtenwalter tenía dos violines. Uno era nuevo y el otro se lo había comprado cuando todavía estaba en el conservatorio. Cuando se compró el violín nuevo, guardó el viejo en un estuche y se olvidó de él.

Hace unos años, Kathie decidió vender el violín viejo y dar la mitad del dinero para el proyecto de construcción de una nueva iglesia. El propietario de la tienda de música le ofreció mil dólares por el instrumento. Pero Kathie quería una segunda opinión y se lo llevó al lutier, un constructor de violines, Scott Tribby.

Scott observó cuidadosamente el violín. Estaba especialmente interesado en la etiqueta que había en su interior. Los lutieres emplean etiquetas para firmar sus obras. Pero no todas las etiquetas son auténticas. Los comerciantes tramposos utilizan etiquetas falsificadas y engañan a las personas para que piensen que su instrumento de cuerda es obra de un maestro.

«Antes de hacerle nada al violín, llévelo a Chicago para que se lo valoren», dijo. «Si es lo que pienso que es, su violín es muy valioso».

Resultó que Scott tenía razón. El violín estaba valorado en 45,000 dólares.

Scott podría haber dicho a Kathie que su violín no era muy valioso. Podría haberle ofrecido 2,000 dólares por él y luego revenderlo. Prefirió la buena fama antes que aprovechar una oportunidad de enriquecerse.

Las personas están dispuestas a vender su integridad por mucho menos. Mienten para evitar meterse en líos. Copian en los exámenes para obtener una nota mejor. Ríen de un chiste subido de tono para que sus amigos los acepten. Pero sus ganancias son solo temporales. Lo que pierden nunca será recuperado. Cuando te sientas tentado a hacer algo malo, escoge hacer lo que es correcto y mantén intacta tu integridad.

El poder de uno

El Rey les contestará: «Les aseguro que todo lo que hicieron por uno de estos hermanos míos más humildes, por mí mismo lo hicieron».

MATEO 25: 40

CUANDO LA MAMÁ DE ASHLEY llegó a la reunión entre padres y alumnos supe que estaría contenta con el informe de su hija. «No me sorprende que las clases le den tan buen resultado», dijo la Sra. Wilcox. «Cada noche se pasa horas haciendo los deberes y estudiando para los exámenes».

Hablamos durante unos minutos más y la Sra. Wilcox se levantó para irse. «Por cierto, hay algo de lo que quería hablarle», añadió. «Muchas veces Ashley llega a casa disgustada por el modo en que los otros niños tratan a Bonnie».

Bonnie era una de esas niñas que parecen no encajar en la clase. Jamás oí que nadie se burlara de ella, pero sospechaba que sucedía.

«Ashley se siente muy mal cuando los otros niños se ríen de Bonnie», dijo la Sra. Wilcox. «Estoy contenta de que Bonnie tenga a alguien a su lado», respondí. «Espero que Ashley la defienda. A veces, una sola persona puede cambiar la actitud de todo un grupo».

En clase de lengua inglesa leemos un poema de Edgard Everett Hale que habla de la responsabilidad que tenemos de poner nuestro granito de arena para que el mundo sea un lugar mejor.

Tan solo soy uno
pero aun así soy uno.
No puedo hacerlo todo,
pero aun así puedo hacer algo.
Puesto que no puedo hacerlo todo,
no renunciaré a hacer ese algo que puedo hacer.

¿Hay alguien en tu vida que hoy pueda defenderte?

Ir con la multitud

Sentiré una profunda alegría al oírte hablar como es debido.
PROVERBIOS 23: 16

DESPUÉS DE ESCUCHAR que algunos alumnos habían sido crueles con Bonnie empecé a prestar más atención a lo que sucedía entre las clases. Me había quedado en la parte trasera del aula, archivando algunos documentos. Los alumnos regresaban de la cocina con sus almuerzos. Como no estaba en mi mesa, pensaron que yo había salido de la sala.

—¿Han visto el vestido que llevaba Bonnie hoy? —preguntó Cindy a las chicas que la rodeaban.

—Seguro que se lo compraron en las rebajas de la temporada pasada —comentó Lisa.

—¡Y esos zapatos! ¡Son horribles! Seguro que eran de su abuela —se burló Keesha.

«Ashley, aquí tienes una oportunidad de oro para defender a Bonnie», pensé. «Di algo, por favor».

Ashley se incorporó y mirando a Keesha dijo: «No eran los zapatos de su abuela. Bonnie tiene los pies tan grandes que seguro que eran los zapatos de su padre».

Las chicas rieron con gusto mientras se me rompía el corazón.

Aunque Ashley se sentía mal por Bonnie, cuando se presentó la ocasión de defenderla o seguir la corriente, Ashley escogió la salida más fácil.

Como Ashley, quizá queramos hacer lo correcto. Pero nos faltan las fuerzas para hacerlo. El mal siempre es la elección más sencilla... a corto plazo.

No seremos capaces de escoger el bien en lugar del mal a menos que Jesús nos dé la fuerza. No intentes hacerlo por ti mismo. Fracasarás. Pero si se lo pides a Dios, él te dará el valor para decir y hacer lo correcto.

El gran engaño

Pero en todo esto salimos más que vencedores por medio de aquel que nos amó.
Romanos 8: 37

CUANDO EN 328 A.C. Alejandro Magno cruzaba la India, se le ocurrió un plan muy astuto para intimidar al ejército enemigo. Ordenó a sus artesanos que fabricasen una armadura especial. Tenía que ser como las que llevaban los soldados, pero mucho mayor.

Seguro que los artesanos se rascaron la cabeza cuando vieron las órdenes. No había nadie en el ejército que necesitase una armadura tan grande. Pero no discutieron. Hicieron lo que se les pedía.

Cuando entregaron las grandes piezas, Alejandro no se las dio a sus soldados. Las llevó al campo de batalla y las esparció aquí y allá para que el enemigo las descubriera.

Tan pronto como las tropas enemigas descubrieron la armadura empezaron a imaginarse cómo debían ser de grandes los hombres de Alejandro. No había manera de defenderse de tales gigantes. Quedaron totalmente desmoralizados. El resto, dicen, es historia.

¿Satanás te está engañando de manera parecida? ¿Ha hecho que pienses que es mucho más poderoso de lo que en realidad es?

Satanás es un ser muy inteligente. Dispone de muchas habilidades que nosotros no tenemos. Si nos enfrentásemos a él en un combate sin la ayuda de nadie más, nos derrotaría sin dificultad. Pero no estamos solos en el combate contra el mal.

Cuando nos volvemos a Dios en busca de ayuda tenemos acceso a su infinito poder. Junto a él podemos resistir los ataques de Satanás. Podemos decir no a cualquier tentación que nos envíe.

No importa cuán grande sea Satanás. Dios es mayor. No importa la fuerza que tenga. Dios es más fuerte. Estás en el bando ganador. No lo olvides nunca.

Repulsivamente delicioso

Mi paladar se niega a probarla; ¡esa comida me enferma!
Job 6: 7, NVI

LOS HABITANTES DE SINGAPUR han dado al durián el título de reina de las frutas. Este fruto lleno de espinas y de la medida de una pelota de fútbol es uno de los frutos más caros que se pueden comprar.

Pero si alguien te regalase un durián no le darías las gracias por su generosidad. Probablemente sacarías la nariz por la ventana porque el durián es el alimento más apestoso del mundo. Es tan apestoso que su olor se ha comparado con el del queso en descomposición, el pescado pasado y los zapatos sin lavar.

Cuesta creer que las personas disfruten comiendo algo tan desagradable. Pero a los habitantes de Singapur les encantan los durianes. Aunque los durianes están prohibidos en los taxis, los autobuses, los metros y los aviones, los singapurenses comen de esos asquerosos frutos por un valor de treinta millones de dólares al año. El propietario de un restaurante especializado en durianes de Singapur cuenta que factura toneladas del fruto a clientes de todo el mundo. «Tengo un cliente que se gasta más de 8,000 dólares al año en durianes», dijo.

Sin embargo, incluso los fanáticos del durián admiten que lleva tiempo aprender a apreciar esa fruta tan horrible. Es preciso educar el gusto. Sucede lo mismo con el pecado. Al principio, el mal puede ser desagradable, pero cuanto más nos dejamos llevar por él, menos repulsivo se vuelve y, finalmente, lo encontramos agradable.

Robert B. Thurber escribió un poema que expresa muy bien esta idea:

El durián en horrores está contenido
para detestarlo basta haberlo olido.
Si comes mucho ya no molesta;
primero ascos, luego rendido, y al final es una fiesta.

La mejor manera de evitar que el pecado acabe gustándonos es no pegar mordisco.

No es culpa mía

Vale más obedecerlo y prestarle atención que ofrecerle sacrificios y grasa de carneros.

1 Samuel 15: 22

L*OS DELINCUENTES MÁS TONTOS DEL MUNDO* es una lista de las peores excusas que jamás se han dado para cometer un delito:

- «En realidad no corría demasiado. Acababa de lavar el auto y lo estaba secando».
- «Tuve que robar el auto para venir al juzgado».
- «Alguien se entretuvo en esparcir mis huellas dactilares por el vecindario».
- «Nadie podía identificarme en aquel auto robado porque me había puesto un pasamontañas y los cristales estaban coloreados».
- «Yo no pude robar esa casa. Estaba robando otras dos calles más abajo».

Excusas y más excusas. A todos nos gustan. Estamos convencidos de que una buena excusa nos sacará de cualquier lío en que nos hayamos metido.

Saúl pensó lo mismo cuando Samuel lo pilló cuando sacó un rey vencido y todo un rebaño de animales del campo de batalla.

Cuando Dios envió por primera vez a Saúl para que luchara contra los amalecitas, le ordenó que destruyera toda la población, incluidos los animales. Pero Saúl no hizo caso de las instrucciones de Dios y siguió sus planes. Salvó al rey Agag y se llevó los mejores animales para reclamarlos como suyos.

En el camino de regreso de la conquista, Saúl se encontró con Samuel. Cuando el profeta lo riñó a causa de su desobediencia, Saúl replicó: «Era una lástima que esos animales tan magníficos se echaran a perder. Me los traje para usarlos como sacrificios».

Samuel no hizo caso de las excusas de Saúl y le dijo que Dios quería lealtad, no una devoción fingida. Ese día Dios apartó a Saúl del reino.

Cuando cometas un error, no temas reconocerlo. Las personas te respetarán por ello y será menos probable que lo vuelvas a cometer.

Fuerza mental

Si a alguno de ustedes le falta sabiduría, pídasela a Dios, y él se la dará; pues Dios da a todos sin limitación y sin hacer reproche alguno.
SANTIAGO 1: 5

HACE YA UNOS AÑOS, el Dr. Elden Chalmers, psicólogo, enseñaba en el Seminario de la Universidad Andrews. Cuando empezó el nuevo curso, un estudiante graduado a quien llamaremos Justin, se acercó al Dr. Chalmers para que le permitiera entrar en el seminario.

—Quiero ser pastor —dijo Justin—. Pero no soy un buen estudiante. El año pasado le escuché en la iglesia. Dijo que la gente puede aumentar su inteligencia. ¿Podría decirme cómo?

El Dr. Chalmers respondió que estaría encantado de ayudarlo, pero quería saber algo más de Justin. Justin admitió en el instituto y en la universidad apenas sí había superado el cincuenta por ciento de promedio. Sabía que si no era capaz de mejorar mucho, jamás superaría los estudios del seminario.

El Dr. Chalmers sugirió que Justin hiciera una prueba de coeficiente intelectual. Una prueba de coeficiente intelectual mide la capacidad de las personas para aprender. Después de que Justin hubo acabado la prueba, el Dr. Chalmers la puntuó. La prueba mostró que Justin estaba por debajo de la inteligencia media. La puntuación media es de 100. Justin había obtenido un 90.

—Muy bien —dijo el Dr. Chalmers—. Este será el plan de acción. Quiero que estudies la Biblia a diario. Inténtalo buscando primero textos que hablen de distintos temas como el amor, el perdón y la confianza. También vas a memorizar versículos de la Biblia. Pásate por mi despacho en unas semanas y veremos cómo van los progresos.

—¿Eso es todo? —preguntó Justin.

—Sí. Eso es todo.

Justin saló del despacho del Dr. Chalmers impaciente para empezar el experimento. ¿El estudio de la Biblia podría aumentar su coeficiente de inteligencia y hacerlo más inteligente? No podía esperar a descubrirlo.

La fuente de la sabiduría

Pues el Señor es quien da la sabiduría;
la ciencia y el conocimiento brotan de sus labios.
Proverbios 2: 6

JUSTIN DESCUBRIÓ que estudiar la Biblia era mucho más divertido de lo que había creído que era. Agradecía los ánimos y el consejo que le había dado Elden Chalmers, pero al cabo de pocas semanas decidió que las visitas ya no eran necesarias. Había desarrollado un plan de estudios bíblicos y sabía qué tenía que hacer.

Seis meses después, en marzo, después de que Justin empezara el programa de estudios, el Dr. Chalmers lo llamó a su despacho.

—¿Por qué no hacemos otra prueba de inteligencia para ver cómo progresas?

Justin volvió a pasar la prueba. Los resultados fueron espectaculares. En seis meses su coeficiente intelectual había pasado de 90 a 120, un aumento del 33%.

El coeficiente de inteligencia de una persona no cambia mucho a lo largo del tiempo. Pero Justin demostró que, con Dios, puede haber milagros.

El estudio de la Biblia no solo aumentó el coeficiente intelectual de Justin. También descubrió que aprender le era mucho más fácil.

Se inscribió en una clase que solo estaba abierta a los mejores estudiantes del seminario. Al final del trimestre obtuvo la mejor nota de la clase.

Justin continuó estudiando la Biblia durante los siguientes nueve trimestres de su formación. Justo antes de su graduación, el Dr. Chalmers le sugirió una última prueba de inteligencia. El coeficiente de Justin había subido a 131.

La Biblia no es un libro viejo y aburrido que llevas a la iglesia una vez a la semana. Es la Palabra dinámica de Dios.

¿Por qué no empiezas a estudiarla por ti mismo? Jamás sabrás qué puede hacer la Biblia por ti a menos que la conviertas en una parte de tu vida.

Fuerza mental *plus*

Piensen en las cosas del cielo, no en las de la tierra.
COLOSENSES 3: 2

DESPUÉS DE QUE EL DR. CHALMERS me hablara de Justin, quise descubrir por qué el estudio de la Biblia tiene tal efecto en la inteligencia de una persona. Sabía que el mejor lugar para encontrar información eran los escritos de Elena G. de White, quien había dado una visión especial para compartir con los que esperan la segunda venida de Jesús. Esto es lo que descubrí:

«La mente de todos aquellos que estudien la Palabra de Dios, se ampliará».[1] (Fíjate en quién se aplica esta promesa).

«La mente se agrandará si fuere empleada en descubrir la relación de los temas de la Biblia, comparando escritura con escritura y las cosas espirituales con lo espiritual».[2] (Esto es justo lo que el Dr. Chalmers dijo a Justin que hiciera).

«Es una ley de la mente que esta se estreche o amplíe según las dimensiones de las cosas con que llega a familiarizarse».[3] (La mayor mente del universo inspiró la Biblia; no es de extrañar que nos aumente la inteligencia).

«No se le dan nuevos poderes mentales, pero la oscuridad que por la ignorancia y el pecado ha nublado el entendimiento se ha desvanecido».[4] (El estudio de la Biblia no añade más células al cerebro. Solo lo ayuda a trabajar con más eficiencia).

«Ninguno necesita ser ignorante a menos que escoja serlo».[5] (¡Sin comentarios!).

«Mucho más que cualquier otro estudio, su influencia está calculada para aumentar los poderes de comprensión y dotar a cada facultad con un poder nuevo».[6] (Dios quiere aguzar todas las facultades de tu mente, no solo tu inteligencia).

En nuestro increíble viaje hacia el cielo no hay mejor guía que la Biblia. No te pierdas lo que tiene almacenado para ti.

---

1. *Mente, carácter y personalidad*, t. 1, p. 100.
2. *Ibíd*., p. 104.
3. *Ibíd*., p. 104.
4. *Ibíd*., p. 101.
5. *Ibíd*., p. 108.
6. *Ibíd*., pp. 100, 101.

No me pongan una valla

Atiende bien, hijo mío, y aprende; procura seguir el buen camino.

PROVERBIOS 23: 19

DAVE SPONSELLER NO QUERÍA que Benny, su perro, vagabundeara entre el tráfico. Por eso puso una valla alrededor de su jardín.

Un día una terrible ventisca sacudió la ciudad. A la mañana siguiente Dave, de manera rutinaria, abrió la puerta trasera para que Benny pudiera salir. Dave no se dio cuenta de que la nieve se había acumulado hasta tal altura que a Benny no le habría costado nada saltar por encima de la valla y salir corriendo. Por suerte, Benny había aprendido a quedarse en la parte de dentro de la valla, con independencia de su altura o longitud.

Los padres suelen usar vallas de un tipo distinto para proteger a sus hijos. No son barreras físicas, sino invisibles. Están hechas de normas, instrucciones y, sí, también, castigos.

Para que no te hicieras daño, cuando eras más pequeño mamá y papá no te dejaron tocar una estufa caliente, jugar con cerillas o meter unas llaves dentro de un enchufe. Ahora que ya eres mayor, sus preocupaciones son distintas. No te dejan comer helado tres veces al día, fumar o navegar por Internet. Te hacen ir a dormir a una hora razonable, te ordenan que ordenes tu cuarto y vigilan qué ves en la televisión. Los papás no quieren que te aburras. Las restricciones están ahí para que puedas disfrutar al máximo de la vida.

Algún día vivirás en tu casa, solo. Tus papás no te dirán qué debes hacer ni te pondrán normas. Será cosa tuya decidir cómo vivir tu vida. Pero es de esperar que cuando la valla se venga abajo y tú vivas solo, las normas se habrán convertido en una parte tan importante de tu vida que las respetarás sin siquiera pensarlo.

En lugar de lamentarte porque tus papás cumplen con su tarea, agradéceles que se ocupen de ti. Lo hacen porque te aman.

Tan solo era una broma

Dejen de ser imprudentes, y vivirán; condúzcanse como gente inteligente.
PROVERBIOS 9: 6

EL VERANO PASADO Cathy y Dave Weirick llevaron a su familia a un parque de atracciones cercano para pasar un día de diversión. Por la noche, antes de regresar a casa quiso montar una vez más en los autos miniatura. Dave, que se había quedado junto a la atracción, tomó el refresco que Cathy había dejado, se la bebió y arrojó el vaso en una de las papeleras.

Cuando Cathy regresó junto a él, toda la familia se subió a la furgoneta y se dirigieron a casa. Apenas habían salido cuando Dave hizo que el vehículo saliera de la carretera.

—Lo siento —dijo—, me distraje.

Unos minutos más tarde, Dave volvió a salirse de la carretera y esta vez chocó contra un buzón de correos.

Tan pronto como llegaron a casa, Cathy llamó al teléfono de emergencias. Cuando llegó la ambulancia, Dave estaba inconsciente. El médico de la ambulancia le puso una mascarilla de oxígeno y un suero intravenoso.

—¿Sabe si bebió demasiado alcohol? —preguntó.

Cathy explicó que Dave no bebía alcohol.

Los médicos hicieron un análisis de sangre para determinar qué había hecho que Dave se pusiera tan enfermo. Cuando supieron los resultados, descubrieron que había una gran cantidad de un medicamento que Dave jamás había tomado.

Parece ser que en el parque de atracciones alguien había puesto el medicamento en el vaso de Cathy antes de que Dave bebiese el refresco. La persona responsable debió pensar que sería divertido ver a alguien bajo los efectos de la droga.

La mayoría de las bromas pesadas están pensadas para hacer daño a las personas y a veces pueden acabar en una catástrofe. No quieras gastar bromas a nadie si hay alguna posibilidad de que esa persona salga lastimada, por remota que sea. Diviértete, pero nunca a expensas de nadie.

Esclavo del dinero

El que ama el dinero, siempre quiere más; el que ama las riquezas, nunca cree tener bastante. Esto es también vana ilusión.

ECLESIASTÉS 5: 10

CUANDO EL PADRE DE HETTY GREEN murió en 1864, le dejó en herencia un millón de dólares en dinero contante y sonante y otros cuatro millones en propiedades e inversiones. Hetty tuvo miedo de perder esa fortuna y se obsesionó.

Estaba convencida de que los enemigos de su padre y su tía lo habían envenenado. Por eso creía que ella misma también estaba en peligro y caviló planes insensatos para protegerse.

Cambiaba de ruta para ir a la ciudad y se escondía en los portales para despistar a sus enemigos. Se rumoreaba que nunca deshacía la cama y dormía debajo, sobre el suelo. De esa manera, si alguien entraba en la casa para robar, pensaría que había salido de la ciudad.

Hetty era tan tacaña que cada día se ponía el mismo vestido y apenas lo lavaba. No quería gastar dinero en jabón. Comía copos de avena fríos porque no quería gastar combustible para calentarlos. Cuando su hijo sufrió heridas en un accidente de trineo, no quiso pagar su tratamiento médico. La pierna del muchacho se infectó y tuvieron que amputársela.

En 1916, Hetty sufrió una embolia mientras discutía con la dependienta por el precio de la leche. "La Bruja de Wall Street", que así es como la llamaban, murió y dejó una fortuna valorada en casi cien millones de dólares.

La historia de Hetty Green es trágica. En lugar de usar su dinero para hacer que las vidas de los demás mejorasen, se convirtió en su esclava. Podría haber construido hospitales, bibliotecas o iglesias. Podría haber ayudado a los estudiantes que prometían con becas de estudios o proporcionar atención médica a miles de personas pobres. Pero solo se ayudó a sí misma, para acumular más y más dinero.

Salomón, el autor del versículo de hoy, fue uno de los hombres más ricos que jamás hayan vivido. La experiencia le enseñó que el dinero está sobrevalorado.

Para ser feliz no necesitas los millones de Hetty. Pon a Dios en primer lugar y serás capaz de controlar tu dinero sin que este te controle a ti.

Imita al profesional

Ustedes, como hijos amados de Dios, procuren imitarlo.
Efesios 5: 1

HACE UNOS AÑOS, David Hartman, quien fuera presentador del programa de televisión *Good Morning America* (Buenos días, América), invitó a un monitor de tenis a su programa para hablar del deporte. David, que también jugaba al tenis, quería que le enseñara algunos trucos para mejorar su técnica.

—Tengo muchos problemas con el revés —admitió.

Para resaltar su pregunta, hizo un par de movimientos que no fueron muy buenos.

—¿Cuál es su jugador de tenis favorito? —preguntó el monitor.

David mencionó a un profesional famoso.

—Bien. Si él fuera a hacer un revés, ¿cómo lo haría?

—Probablemente así —dijo David al tiempo que movía su raqueta de manera casi perfecta.

El público irrumpió en aplausos. David estaba atónito.

—No lo puedo creer —dijo—. Jamás en la vida había hecho eso yo.

¿Dónde estaba la diferencia? Cuando David mostró primero su revés al monitor, le mostró cómo jugaba al tenis David Hartman. Pero cuando su mente estaba concentrada en un jugador profesional de tenis y no en sí mismo, copió la técnica del profesional.

De este ejemplo podemos sacar una importante lección; juegues o no al tenis. La próxima vez que te enfrentes a un problema, no decidas cómo lo resolverías tú mismo. En lugar de eso, piensa: «¿Cómo respondería Jesús?»

Imagínate a Jesús en tu misma situación; y luego imítalo. Nunca te equivocarás cuando copies al mayor campeón de todos los tiempos.

Vive el momento

Más bien sírvanse los unos a los otros con amor.
Gálatas 5: 13

—NO PUEDO ESPERAR a graduarme —dijo Ben un día en clase, durante una discusión sobre temas generales—. Voy a buscar un buen empleo, ganaré montones de dinero y me compraré un magnífico auto descapotable.

—Yo no —replicó Anita—. A mí no me atraen esas cosas. Yo quiero enamorarme de un hombre atractivo y casarme.

El sueño de Jordan era distinto.

—A mí denme intimidad y mi propio apartamento.

Si alguien te preguntara si ahora eres feliz en la vida, tú probablemente dirías: «Sí, claro. Pero la vida sería fantástica si...» Probablemente acabarías la frase diciendo: «si estuviera de vacaciones en verano», «si mi hermano se fuera a la universidad» o «si mis papás dejasen de pelearse». La mayoría de nosotros no estamos completamente felices con las cosas tal y como están ahora. Por eso miramos hacia el futuro con la esperanza de que cuando lleguemos a él nuestros problemas desaparezcan y todo sea perfecto.

Pero la vida siempre tiene altos y bajos. Ben se comprará su auto, pero espera a que alguien choque contra él. Seguramente Anita se enamorará de alguien; ¿y si esa persona no está interesada en ella? Es muy probable que Jordan consiga un apartamento, pero mamá no estará ahí para lavar la ropa ni cocinar sus platos favoritos para la cena.

Después de descubrir que nunca tendremos la felicidad completa en la tierra quizá nos empecemos a preguntar: «¿Y no hay nada más?» Un famoso psicólogo resumió la vida en tres palabras: «Vivir es complicado». Y tiene razón. Pero cuando seguimos el ejemplo de Jesús y buscamos la manera de iluminar la vida de los demás, podemos hacer que el día sea estupendo, pase lo que pase alrededor.

28 E N E R O

Buenas intenciones

En este día pongo al cielo y a la tierra por testigos contra ustedes, de que les he dado a elegir entre la vida y la muerte, y entre la bendición y la maldición. Escojan, pues, la vida, para que vivan ustedes y sus descendientes.
DEUTERONOMIO 30: 19

MI PROFESORA DE QUINTO CURSO, Wilma Atkinson, decía un dicho que jamás he olvidado: «El infierno está lleno de buenas intenciones». La mayoría de las personas que serán destruidas con Satanás y sus ángeles habrán rechazado a Dios. Para ellas la senda ancha y fácil que llevaba a la destrucción era la única vía por la que querían andar.

Pero habrá otro grupo de personas que se perderán aunque en realidad querían hacer lo correcto. Sabían que la senda ancha era el camino equivocado. Quisieron entregar su vida a Jesús, pero se obstinaron en alejarse de él.

—Algún día me uniré a la iglesia, pero no ahora. No quiero perderme los bailes y las fiestas de la escuela.

—Sé que el sábado es el día correcto de adoración. Pero perdería el empleo si no trabajase en sábado.

—La religión es buena para los niños y la gente mayor. Cuando haya vivido la vida me haré cristiano. Ahora quiero vivir un poco.

Seguro que las personas tienen buenas intenciones. Pero las buenas intenciones no bastan para apartarnos del camino hacia la destrucción. Si no van acompañadas de las acciones correctas, las buenas intenciones harán que sigamos en la dirección equivocada.

Cuanto más esperes a pedir a Jesús que entre en tu vida, más difícil será tomar esa decisión. La investigación demuestra que muy pocas personas aceptan a Jesús después de haber cumplido los dieciocho años.

Si no aceptaste a Jesús como tu Salvador, hazlo hoy. No lo demores. Haz que tus buenas intenciones e pongan en marcha y empieza tu propio viaje increíble.

El poder de la alabanza

Sabemos que Dios dispone todas las cosas para el bien de quienes lo aman, a los cuales él ha llamado de acuerdo con su propósito.

Romanos 8: 28

CUANDO EN LA VIDA TE SUCEDA ALGO BUENO, da gracias a Dios por ello. Y si sucede algo malo, agradéceselo también.

Suena extraño, ¿verdad? Resulta fácil decir: «Gracias, Dios, por ayudarme a conseguir una buena nota en el examen de matemáticas» o «Gracias, Dios, por las vacaciones en la playa».

Pero cuando sucede algo malo, nos olvidamos de Dios y nos enfadamos o asustamos. ¿No sería mejor volvernos a Dios porque nos prometió que todas las cosas serían para nuestro bien si lo amamos?

Un verano, mi esposo Tom y yo nos estábamos divirtiendo mucho en un mercadillo de objetos de segunda mano. Yo buscaba instrumentos de banda para mis alumnos y me había fijado en una trompeta que costaba solo 50 dólares. Tom me dio un billete de 100 dólares. Pagué al vendedor y le di los 50 dólares que el hombre me dio de vuelta... O eso creía. Diez minutos más tarde me di cuenta de que le había dado el dinero a un perfecto extraño que estaba detrás de mí.

Estaba muy disgustada conmigo misma. Pero luego recordé el versículo de hoy. Y oré: «Gracias, Señor, porque sacarás algo provechoso de un error». Y estuve alabando a Dios hasta que el enfado se desvaneció. Incluso llegué a pedir que la persona a quien le había dado los 50 dólares lo considerara una bendición. Al final fui capaz de dejar mi error en manos de Dios y de disfrutar el resto de la tarde.

Cuando cruzamos el aparcamiento en dirección a nuestra furgoneta, sentí que tenía que mirar hacia abajo. Había algo verde que estaba sobre la suciedad. No, no era mi billete de 50 dólares, sino que era un billete de 20 dólares doblado. Sentí que Dios me lo había puesto en el camino para animar mi fe. Dos años después, encontramos un billete de 50 dólares en una acera. Al final acabamos con 20 dólares más. Dios puede hacer que nuestros errores, incluso los más graves, se vuelvan en bendiciones si ponemos nuestra confianza en él.

30 ENERO

Una experiencia que cambia la vida

Con mis labios daré al Señor gracias infinitas;
¡lo alabaré en medio de mucha gente!
SALMO 109: 30

HACE UNOS AÑOS, la famosa presentadora de televisión Oprah Winfrey llevó un invitado a su programa que daba mucha importancia a dar las gracias. Sarah describió cómo cambió su vida por estar agradecida. Finalmente retó al público para que hiciera un esfuerzo decidido por sustituir las quejas con el reconocimiento.

Unos meses más tarde, Oprah conducía un nuevo programa sobre el mismo tema. Después de la emisión del mismo programa, había recibido centenares de cartas de personas que habían aceptado el reto de gratitud y habían descubierto que era una experiencia que les cambió la vida.

Nuestra respuesta natural a los problemas es quejarnos cuando algo no va bien. Pero cuando elimines los pensamientos negativos y los sustituyas con la gratitud empezarás a ver muchas de las bendiciones que habías pasado por alto.

Para ayudarte a adquirir el hábito de alabar a Dios por todas las cosas vamos a hacer que el agradecimiento sea una parte regular de nuestro viaje juntos. El último día de cada mes tendrás la oportunidad de hacer una lista de aquellas cosas por las que estás agradecido. Espero que no te saltes esas páginas porque no contienen historias. Tengo la impresión de que cuando pongas en práctica el agradecimiento empezarás a crear unas historias magníficas y emocionantes sobre el modo en que Dios da la vuelta a las situaciones negativas para que sean experiencias positivas.

En esa misma página también escribirás peticiones especiales para solicitar en oración lo que querrías presentar a Jesús. Esa segunda lista también puede ser una gran ayuda a la hora de construir la fe si cada mes te tomas el tiempo necesario.

Mañana será nuestro primer *Día de gratitud*. Empieza ahora a pensar en qué bendiciones quieres poner en tu lista.

Un día de gratitud

Bendeciré al Señor a todas horas; mis labios siempre lo alabarán.

Salmo 34: 1

HOY ES EL DÍA en que empezamos a poner en práctica la acción de gracias. Espero que la experiencia sea tan estimulante para ti que sigas haciéndolo toda la vida.

Debajo del primer apartado escribe una lista de veinte cosas por las que estás agradecido. Si nunca antes hiciste algo parecido, puede que sea algo difícil. (Aquí tienes algunas ideas para empezar: la electricidad, la hierba, el sueño, la comida, la casa…) Prueba a conseguir una lista de al menos veinte cosas. Treinta sería fantástico.

Debajo del segundo apartado escribe algunas peticiones especiales. Luego da gracias a Dios por las bendiciones que pusiste en la primera lista y alábalo por el modo en que responderá a tus peticiones especiales.

Gracias, Señor, por:

Peticiones especiales:

No te rindas

Así que, si el Hijo los hace libres, ustedes serán verdaderamente libres.
JUAN 8: 36

A FINES DEL SIGLO XIX, Winston trabajaba como reportero para el *Morning Post* de Londres. Mientras cubría la información de la guerra de los bóeres, en Sudáfrica, fue capturado y enviado a la prisión. Durante tres semanas Winston intentó hablar con las autoridades para que lo liberaran, ya que no era soldado. Pero no le hicieron caso; así que, él y dos amigos suyos decidieron fugarse.

La noche que habían planeado escapar, Winston, arrastrándose por el suelo, salió al patio de la prisión. Después de comprobar que no había moros en la costa, trepó a un saliente y consiguió encaramarse a un muro de tres metros de alto. Dos veces se levantó para volver a agacharse. A la tercera fue la vencida y consiguió saltar al otro lado.

Se escondió detrás de algunos matorrales y esperó que se le unieran sus amigos. Pasó una hora antes de que oyera a alguien al otro lado del muro.

—Winston, tus amigos no pueden salir. ¿Puedes volver a entrar?

Volver a la cautividad no era una opción que Winston hubiese considerado; por lo que se fue solo, pidiendo a Dios que lo ayudara y lo guiara. Sus oraciones obtuvieron respuesta. Gracias a una serie de milagros consiguió cruzar las líneas enemigas y llegar a su destino.

Más tarde, durante los oscuros días de la Segunda Guerra Mundial, después de haber llegado a ser Sir Winston Churchill, el primer ministro de Inglaterra, Winston retó a un grupo de estudiantes con las siguientes palabras:

—No se rindan, jamás, jamás. Ni en lo grande ni en lo pequeño. No cedan nunca. Háganlo solo ante las convicciones de honor y el sentido común. No cedan jamás a la fuerza; por invencible que parezca el enemigo.

En los días que se avecinan habrá veces en que el enemigo, Satanás, intentará convencerte de que es imposible escapar a su control. No le hagas caso, no lo escuches. Jesús promete que liberará a todos los que se vuelvan a él. Comprométete cada día a ponerte en sus manos.

Perfecta armonía

Hasta donde dependa de ustedes, hagan cuanto puedan por vivir en paz con todos.
Romanos 12: 18

AYER, AL INICIO DEL ENSAYO de la banda, distribuí una nueva partitura. Empezamos a repasarla y todo el mundo hizo un buen trabajo de lectura a vista hasta que llegamos al compás 34. El sonido era tan desastroso que dejé de dirigir e hice que volvieran a tocar el compás de nuevo. Ninguna mejora.

—Trompetas, me gustaría escuchar su parte. Po-co-a-po-co, por favor —dije.

Tocaron. Ningún problema. Hice lo mismo con los clarinetes y las flautas. Tampoco hubo problemas.

Y llegó el turno de los saxofones contralto. *Ahí* estaba el problema.

—Ustedes dos, ¿tocaron el fa sostenido? —pregunté.

Jon miró a su partitura.

—¿Qué fa sostenido?

—El fa sostenido que va después de la ligadura.

—¡Ah, ESE fa sostenido!

Aunque en la banda hay veinticinco músicos, basta con que una sola persona se equivoque en una nota para mandar al traste la armonía de una canción. Lo mismo sucede en la familia. Una persona es suficiente para alterar la armonía del hogar.

¿Tratas a los miembros de tu familia con amor y respeto? ¿Recoges todas tus cosas y mantienes limpia tu habitación? ¿Colaboras alegremente en las tareas domésticas?

Aprender a relacionarte con los miembros de la familia te ayudará a prepararte para relacionarte con tus compañeros de clase, en el trabajo y con otras personas de tu comunidad. Si la armonía de tu familia está un poco desafinada, asegúrate de que tú no eres la causa del problema.

Tomó nuestro lugar

Se humilló a sí mismo, haciéndose obediente hasta la muerte, hasta la muerte en la cruz.
Filipenses 2: 8

BRIAN McMULLEN vive en Belfast, Irlanda del Norte, un país conocido por las luchas internas y el descontento. Durante seis días, los muchachos habían lanzado petardos al patio del los McMullen. El séptimo día, un petardo pasó por encima de la valla y fue a caer a los pies de Anne Marie, la hijita de dos años de Brian. Las chispas del proyectil atrajeron su atención y la niñita se levantó para tomarlo.

Bruno, el perro de doce años de la familia, sintió el peligro. Se abalanzó hacia la niña, interceptó el petardo y lo agarró con los dientes.

En ese instante, el petardo explotó y se llevó la mitad de la mandíbula de Bruno. Brian llevó corriendo a Bruno a la consulta de un veterinario. Allí el personal médico luchó por salvar la vida del perro. Lo consiguieron y Bruno salió adelante, aunque quedó desfigurado para siempre.

La historia de Bruno es una ilustración de lo que Jesús hizo por nosotros. Cuando Adán y Eva desobedecieron a Dios, la humanidad quedó condenada a la destrucción. Pero Jesús, sin pensar en su propia seguridad, salió al paso y sufrió el castigo que debería haber sido para nosotros.

Hoy Jesús vive, pero estará desfigurado por toda la eternidad. Cuando se convirtió en hombre, abandonó su omnipresencia (la capacidad de estar en muchos sitios al mismo tiempo). Su aspecto también cambió. Nuestros nuevos cuerpos inmortales serán perfectos. Pero Jesús siempre llevará sus cicatrices. Las cicatrices nos recordarán cuán espantoso puede ser el pecado y cuán grande es el amor de Jesús.

Jamás podremos pagarle lo que ha hecho; pero podemos darle nuestro amor y nuestra lealtad. Eso es lo que más quiere.

Creer es actuar

Así pasa con la fe: por sí sola, es decir, si no se demuestra con hechos, es una cosa muerta. [...] Ya ven ustedes, pues, que Dios declara justo al hombre también por sus hechos, y no solamente por su fe.

SANTIAGO 2: 17, 24

—CREAN EN EL SEÑOR JESUCRISTO y serán salvos.

El *telepredicador* levantó su mano y con el dedo apuntó a la cámara.

—Si quieren ser salvos, vengan ahora a Jesús. Digan su nombre, porque promete salvar a todos los que creen.

¿Tiene razón o no? Todo depende de cómo definas la palabra 'creer'.

Para algunas personas, creer en Jesús significa decir las palabras correctas y estar bautizado. Para ellas, la salvación es un acontecimiento de una sola vez.

A mí me dijeron que una vez que las personas se salvan ya no se pierden, ni aun cuando no quieran salvarse. Creen que pueden mentir, hacer trampas y robar porque sus acciones no tienen ningún efecto sobre su salvación.

Pero ser un seguidor de Jesús es más que reconocerlo como tu Salvador. Jesús advirtió a sus seguidores que afirmar que se es cristiano no salvará a nadie: «No todos los que me dicen: "Señor, Señor", entrarán en el reino de los cielos, sino solamente los que hacen la voluntad de mi Padre celestial».[1] Cuando regrese, solo se salvarán los que hacen que su fe entre en acción y lo obedecen.

Antes de decidirte a apretar los dientes e intentar obedecer, recuerda que Jesús dijo algo más: «Sin mí no pueden ustedes hacer nada».[2]

La obediencia y la victoria sobre el pecado no serán nunca realidad si vivimos separados de Jesús. Debemos dejar de vivir de manera independiente y dejar que él tome el control. Entonces, podremos decir con Pablo: «Ya no soy yo quien vive, sino que es Cristo quien vive en mí».[3]

1. Mateo 7: 21.
2. Juan 15: 5.
3. Gálatas 2: 20.

Rebeldes sin causa

El rebelde no busca sino el mal.
PROVERBIOS 17: 11, RV95

HACE AÑOS HABÍA UNA CANCIÓN que se titulaba *Mamá me dijo que no me pusiera habichuelas en las orejas*. En la canción la mamá advierte a su hijo para que no se ponga habichuelas en las orejas. De hecho, jamás había tenido la idea de hacer algo así; pero cuanto más pensaba en ello, más ganas tenía de hacerlo. Hacia el final de la canción, se había puesto habichuelas en las orejas y no se las podía sacar.

La canción destaca una debilidad de carácter con la que todos luchamos: la rebeldía, el rechazo a hacer aquello que se espera que hagamos. Quizá haya veces en que desobedecer las normas sea lo correcto. Pero en la mayoría de los casos, la gente no quiere cooperar porque es obstinada y porque la rebeldía es divertida.

Un caso típico: el zoo de Houston, en Texas. Los cuidadores de los caimanes se dieron cuenta de que, por alguna razón, las personas arrojaban monedas al hábitat de los caimanes. Como los caimanes pueden morir si una moneda queda atrapada en su garganta, los responsables del zoo pusieron una señal pidiendo a la gente que no les arrojara monedas.

Cuando la señal ya estuvo en su sitio, el problema, en lugar de mejorar, empeoró. Un día cualquiera puedes ver monedas por toda la zona de delante y dentro de hábitat de los caimanes. De hecho, los caimanes son los animales del zoo a los que se les arrojan más monedas.

Los que se rebelan nunca conocerán los beneficios de la cooperación. De hecho, la cooperación es una parte importante del liderazgo. Si quieres convertirte algún día en un líder, aprende a trabajar con otros para mejorar tu hogar, la escuela, la iglesia y la comunidad. Defiende siempre lo que crees, pero, en la medida de lo posible, juega siempre en equipo.

Y, por favor, no te pongas habichuelas en las orejas.

Luchar con la pereza

De todo esfuerzo se saca provecho; del mucho hablar, solo miseria.

Proverbios 14: 23

EL PEREZOSO es uno de los animales más extraños del mundo. Se pasa el 99 por ciento de la vida cabeza abajo y duerme al menos 15 horas al día. Un perezoso puede vivir toda su vida en un único árbol.

Los perezosos pueden permanecer en un lugar durante horas sin mover un solo músculo. De hecho, son tan lentos de movimientos que, a menudo, sobre el pelo les crecen algas. Y las algas se vuelven tan espesas que el pelaje toma una tonalidad verde azulada.

Los perezosos comen hojas, frutos y brotes. La única razón por la que un perezoso llega a abandonar su árbol es ir en busca de más comida. Si la comida no se encuentra cerca, el animal acabará muriendo de hambre porque se mueve demasiado despacio.

¿Acaso tus papás te tomaron alguna vez por un perezoso? ¿Te limitas a andar de acá para allá en la casa, comiendo y durmiendo, sin contribuir en nada?

La pereza es un hábito difícil de romper porque es agradable... durante un tiempo. Cuando eres perezoso evitas las cosas que no quieres hacer. Sientes que tienes el control de la vida. Pero, al igual que con los otros malos hábitos de la vida, al final siempre acabas pagando un precio.

El precio podría ser suspender las matemáticas porque no estudiaste. Podría ser desafinar durante una música especial porque no ensayaste bastante. O incluso que te despidan de tu trabajo de fin de semana porque el jefe no puede confiar en ti.

Cuando sientas que estás evitando las responsabilidades, no te rindas a la tentación de ser perezoso. Acaba tu trabajo. Tendrás la satisfacción de haber cumplido algo y evitarás las consecuencias de vivir ociosamente.

¿Dónde pusiste la fe?

Tengan fe en Dios.
Marcos 11: 22

ALGUNAS PERSONAS creen que ejercitar la fe es difícil. «En la Biblia hay demasiadas cosas difíciles de entender», se lamentan unos. «¿Y cómo puedo tener fe en Dios si jamás lo he visto? Acaso vive a billones y cuatrillones de kilómetros».

El mejor consejo que puedo darte es que hagas algo que ya haces.

Cada día usas la fe. Y ni siquiera hay que ser religioso para hacerlo. La fe es parte del ser humano.

Toma el teléfono, por ejemplo. Marca un número, acerca el auricular a la oreja y espera que se establezca la llamada. ¿Sabes cómo funciona el teléfono? Quizá no. Pero eso no te impide que tengas "fe" en él y aproveches sus ventajas.

¿Y qué sucede con las computadoras? No necesitas entenderlo todo sobre ellas para usarlas. Quizá no entiendas cómo funciona Internet, pero aún así sabes enviar un correo electrónico, comprar algo en eBay y buscar información para un trabajo escolar.

Como tienes experiencia para usar la fe en las cosas de cada día, todo lo que necesitas es redirigir una parte de tu fe hacia creer en Dios. Si estás desanimado porque algunas de las cosas de la Biblia son difíciles de entender, no permitas que eso te impida practicar la fe. Siempre habrá algo nuevo que descubrir en la Palabra de Dios. Además, cuanto más la estudies, más clara será para ti.

En lo que se refiere al conocimiento de Dios, debemos conformarnos con lo que somos capaces de aprender sobre él. Jamás conseguiremos tener una idea completa de cómo es. Pero nuestra comprensión y nuestra apreciación crecerán a medida que estudiemos la Biblia, oremos y le respondamos con fe.

El anillo mágico

Cuando me encuentro en peligro, tú me mantienes con vida.

SALMO 138: 7

SE CUENTA LA HISTORIA de un antiguo gobernante que envió a su siervo para que encontrara un anillo especial.

—El anillo —dijo el rey— es capaz de hacer que un hombre feliz se entristezca y que un hombre triste se alegre. Tráemelo.

Hadab, el siervo, viajó cientos de kilómetros y visitó montones de personas, pero nadie tenía un anillo así. Finalmente se detuvo en un pueblo situado detrás de una cordillera. Anduvo por todo el pueblo hasta que encontró al orfebre.

—¿Tienes un anillo que hace que un hombre alegre se entristezca y que un hombre triste se alegre? —preguntó.

—Creo que sí— respondió el hombre. Entró en la trastienda y regresó con un aro liso de oro y se lo entregó a Hadab.

—Lee las instrucciones —dijo.

Hadab acercó el anillo a la luz y leyó las palabras que había grabadas: «Esto también pasará».

Hadab había encontrado el anillo especial. Cuando un hombre feliz leyese las palabras, se daría cuenta que la felicidad no dura para siempre y eso lo entristecería. Cuando un hombre triste leyese las palabras, se daría cuenta que su tristeza duraría solo un tiempo y, al saberlo, se alegraría.

¿Alguna vez te has sentido tan deprimido que estuviste tentado de tomar medidas drásticas? Cada día, en los Estados Unidos, 400 jóvenes huyen de casa, 10,000 abandonan la escuela y 11 se suicidan. No hay duda de que no son felices en la vida, pero la manera en que tratan de afrontar sus problemas solo causa más problemas.

Cuando la vida se pone difícil, no hagas nada de lo que luego te puedas arrepentir. Dile a Jesús cómo te sientes. Siempre tiene tiempo para escuchar. Si estás tentado a hacer algo que solo hará que las cosas empeoren, espera un tiempo. Tómate un respiro. Recuerda: «Esto también pasará».

No quieras correr solo

He peleado la buena batalla, he acabado la carrera, he guardado la fe.
2 Timoteo 4: 7, RV95

LAS VEINTICUATRO HORAS AUTOMOVILÍSTICAS DE LE MANS son algo más que una carrera de resistencia. La carrera dura todo un día y el ganador es quien consigue completar más vueltas al circuito.

A diferencia de las Quinientas Millas de Indianápolis, la carrera de Le Mans no se disputa en un circuito ovalado. Los pilotos deben correr por las calles de la ciudad. Como la carrera es tan complicada y tan larga, cada bólido tiene dos pilotos que, por turnos, se van alternando al volante, de modo que pueden descansar.

El equipo de dos pilotos tiene una clara ventaja sobre un piloto solo. Pero en 1952, el piloto francés Pierre Levegh decidió competir solo.

La carrera empezó a las cuatro de la tarde. Levegh condujo por las calles, deteniéndose solo para repostar combustible o cambiar los neumáticos. A la mañana siguiente, muchos bólidos ya habían abandonado la carrera; pero Levegh iba a la cabeza con cuatro vueltas de ventaja.

A las tres de la tarde le quedaba solo una hora para acabar. Por entonces tenía una ventaja de cuarenta kilómetros. Pero entonces fue cuando la presión de un acontecimiento tan agotador empezó a pasarle factura.

La falta de sueño hizo que su pensamiento fuera difuso y sus reacciones se hicieron más lentas. Cuando entraba en una curva planeó reducir a una marcha más corta. Pero, accidentalmente, cambió a otra más larga y el motor del bólido estalló. Por más que lo intentara, no conseguía volver a arrancar.

Mientras retiraban su auto de la pista, Levegh se vino abajo y empezó a llorar. Se había dado cuenta de que la victoria sería para otros. ¡Qué diferente habría sido si Levegh hubiese tenido un compañero!

Cuando se trata de vivir una vida cristiana, nosotros también necesitamos un compañero. Si queremos correr solos, jamás llegaremos a la meta. Pero con Jesús a nuestro lado podemos estar seguros de que obtendremos la vida eterna, el premio que ofrece a todos aquellos que confían en él.

Dios es nuestro refugio

Tú, Señor, eres mi protector, mi lugar de refugio, mi libertador, mi Dios, la roca que me protege.

2 Samuel 22: 2-3

CADA DÍA, cuando me dirigía a la escuela en el auto, veía aquel perro sarnoso. Tenía el pelaje sucio y lleno de nudos. Me daba lástima. Estaba encadenado a una estaca de manera que podía correr en un gran círculo. Pero el césped había desaparecido hacía mucho y solo había suciedad.

En los días de lluvia, el patio se convertía en un enorme lodazal en el que se sentaba de manera que el barro le llegaba hasta las ancas. Si el día era caluroso, el perro no estaba mejor, ya que no tenía ningún refugio en que poder resguardarse del calor.

Como se acercaba el invierno, tenía la esperanza de que sus dueños le comprarían una caseta. Pero no apareció ninguna. Decidí que se la compraría yo. El domingo siguiente encontré una en un mercadillo de segunda mano. Era encantadora, parecía un iglú. Y me la llevé a casa.

—Pensé que podría serle útil al perro —dije al dueño. Este miró la caseta, se encogió de hombros y, no sin reticencia, puso la caseta en el patio.

Cada mañana, cuando pasaba, mantenía la esperanza de ver al perro hecho un ovillo dentro de la caseta. Pero yacía en el polvo. Y llegó el invierno. Y se sentó en la nieve. Hace ya casi un año que compré la caseta. Está en una esquina del patio, ofreciendo un refugio y alivio, pero mi amigo perruno no le hace caso.

Creo que puedo imaginarme, aunque solo un poco, cómo se siente Dios cuando nos ve viviendo aquí en la tierra. Ve nuestra condición miserable y se ofrece a sí mismo como refugio y consuelo. Pero a menudo no queremos su protección. Preferimos las emociones, la excitación y la diversión. Vivimos para nosotros mismos, cuando vivir para Dios nos traería mucha más felicidad y satisfacción.

Demasiado a menudo, las personas pasan por la vida sin hacer caso de Dios. Lo ven como el último recurso. Estoy segura de que Dios se siente feliz cuando finalmente llegan a conocerlo. Pero habría sido mucho mejor si lo hubiesen encontrado cuando eran jóvenes. Podrían haber disfrutado las ventajas de conocerlo, en lugar de vivir en el lodo.

11 FEBRERO

Conéctate al poder

Dios, por su poder, nos ha concedido todo lo que necesitamos para la vida y la devoción, al hacernos conocer a aquel que nos llamó por su propia grandeza y sus obras maravillosas.
2 Pedro 1: 3

AYER, DESPUÉS DE VISITAR ALGUNAS ESCUELAS, al otro lado del Estado, me registré en un hotel para pasar la noche. Cuando encontré mi habitación, colgué la ropa y me senté para trabajar.

Corregía un examen de inglés y algunos trabajos. Después de anotar las calificaciones en mi cuaderno de calificaciones, me di cuenta de que la habitación parecía fría.

El termostato de la pared marcaba 16 grados. No es de extrañar que sintiera frío. Después de subir la temperatura, regresé a la tarea. Pero la habitación no se calentaba. Puse la temperatura aún más alta y esperé que se encendiera la calefacción.

Finalmente llamé a recepción y le dije al hombre que no tenía calefacción.

—Mire debajo del termostato —dijo—. Busque una palanca negra. Compruebe que esté en la posición de 'encendido'.

Colgué y busqué la palanca. Estaba en la posición de 'apagado'. La moví hacia 'encendido' y, en tres minutos, la habitación se había caldeado.

Esta mañana, cuando he pasado junto al termostato, me he acordado de cómo el Espíritu Santo trabaja en nuestras vidas. No importa si el trabajo de arreglar los problemas es duro o no; no lo conseguiremos hasta que accedamos a la fuente de poder, el Espíritu Santo. Es el único que puede ayudarnos a eliminar los malos hábitos y hacer lo correcto.

Hoy te enfrentarás a algunos retos. Puedes escoger hacerlo tú solo. O también puedes escoger acudir a la verdadera fuente de poder. Está esperando a que se lo pidas.

Una visión desde arriba

Hijos, atiendan a los consejos de su padre; pongan atención para que adquieran buen juicio.

Proverbios 4: 1

DURANTE LA GUERRA DE SECESIÓN, Thaddeus Lowe tuvo una idea que ayudó al ejército de la Unión a obtener una ventaja sobre los confederados. Lowe sugirió que las fuerzas de la Unión usaran globos de aire caliente para observar al enemigo. En los globos podían subirse soldados. Desde su punto de vista serían capaces de ver las características del terreno y la situación de los soldados enemigos. Luego podrían transmitir esa información a las tropas que había en tierra.

El general McDowell los probó en la batalla de Falls Church, Virginia. Los globos ascendieron con su carga humana. Cuando hubieron alcanzado una altura de trescientos metros por encima del suelo, vieron la disposición de las tropas enemigas y la situación de la artillería pesada.

Aunque los soldados de la Unión no podían ver dónde estaba exactamente el enemigo, la información que recibieron de los globos los ayudó a saber dónde tenían que apuntar sus cañones. El resultado fue desmoralizador para las tropas del Sur.

Los hombres de los globos fueron capaces de ver cosas que los soldados que estaban en tierra no podían ver. Su inteligencia no era mayor que la de los que estaban en el suelo. Su posición les dio un punto de vista mejor de lo que sucedía.

Los padres son como los hombres de los globos. Pero su perspectiva especial viene de la experiencia, no de la altura.

Cuando nos advierten, comparten lo que han aprendido. Han recogido información durante algunos años y quieren ayudarnos para que aprovechemos las ventajas de la vida. Si haces caso de lo que dicen te evitarás montones de problemas y ganarás la batalla de la vida.

En busca de la felicidad[1]

El camino de los transgresores es duro.
PROVERBIOS 13: 15, RV95

DESDE 1907 HASTA 1931, las muchachas más hermosas de todos los Estados Unidos competían para poder ser una de las coristas del Ziegfeld Follies, espectáculo mundialmente famoso. Un día, seis de las chicas Ziegfeld andaban por la calle cuando una señora mayor y de cara arrugada se les acercó. Vendía crema para el cutis y otros cosméticos. Mientras hablaba con las chicas, sacudió la cabeza con tristeza y dijo: «Hace veinte años yo también era tan hermosa como ustedes, jovencitas».

Las muchachas continuaron andando por la calle, pero no podían sacarse de la cabeza lo que había dicho la mujer. Se prometieron unas a otras que jamás dejarían que su cutis se deteriorara como el de aquella mujer y decidieron que se reunirían exactamente veinte años más tarde para probar que habían cumplido su promesa.

Al cabo de veinte años, Kathryn Lambert, una de aquellas seis muchachas, llegó al lugar de reunión. Pero ninguna de las otras se presentó. Kathryn descubrió más tarde que ella era la única que seguía con vida.

Una se había suicidado 16 años antes. Otra había muerto en Hollywood a los 34 años, después de destruir su salud con una dieta descuidada. La tercera había muerto en un incendio después de que alguien, por accidente, arrojara un cigarrillo en los pliegues de su vestido de noche. La cuarta había muerto durante una reyerta en un club nocturno de Nueva York. Y la quinta había muerto sin un centavo y adicta al alcohol y las drogas.

Todas habían logrado el éxito y la admiración del mundo. A una se la había conocido como "la mujer mejor vestida del cine". Otra fue la protagonista de una popular pieza de teatro. Otra se había casado con un millonario.

Cuando las personas quieren encontrar la felicidad lejos de Dios, siempre acaban perdiendo. No importa cuán hermosas, ricas o famosas sean las personas. Todo cuanto obtengan en la vida es temporal. Quienes ponen a Dios en el centro de sus vidas descubren un gozo que permanece para siempre.

---

1. Adaptación de *Meditations for Moderns*, de Kenneth H. Wood (Washington DC: Review and Herald, 1963), p. 320.

La sorpresa de la montura

Siempre te daré, oh Dios, la décima parte de todo lo que tú me des.

GÉNESIS 28: 22

EL DECIMOCUARTO CUMPLEAÑOS de Amy Light fue hace unas semanas. Su mayor anhelo era una montura para su caballo. Pero la familia de Amy no disponía del dinero extra para comprarla. Cuando una vecina les pagó 75 dólares por ayudarla en el campamento de verano, la Sra. Light decidió que el dinero serviría para comprar la montura de Amy.

El viernes siguiente, por la tarde, la Sra. Light estaba en la casa de subastas local echando un vistazo a los lotes que se iban a subastar. Por supuesto, había dos monturas: una vieja y deslucida y otra preciosa, negra y brillante. Era imposible que pudiese pujar por la negra. Se tendría que conformar con la vieja.

Cuando se sentó en la segunda fila, la Sra. Light recordó que no había pagado el diezmo de los 75 dólares. Pero si lo pagase ahora, ¿tendría suficiente para comprar la silla de montar? Además, ya había usado una parte del dinero para comprar gasolina para el automóvil. Le bastó un momento para decidir qué haría. Pagaría el diezmo. Con silla o sin silla, devolvería a Dios su 10%. Así que apartó 7.50 dólares.

Al final, el subastador levantó la vieja silla de montar. La Sra. Light ganó la puja fácilmente con 25 dólares. Pero antes de entregársela, el subastador le dijo:

—Señora, ¿está segura de que la quiere? Mire, está rota. El otro pujador sabe cómo repararla. ¿Se la podemos vender a él?

La Sra. Light asintió con la cabeza aunque estuvo a punto de llorar.

El subastador empezó la puja por la silla negra. La Sra. Light levantó la mano para pujar y cuando el mazo bajó, el subastador apuntó hacia ella:

—Vendida a la señora de la segunda fila.

La Sra. Light compró la silla de montar por 55 dólares, la cantidad exacta que había quedado después de pagar el diezmo.

Un gran apretón

No te fijes en el vino. ¡Qué rojo se pone y cómo brilla en la copa! ¡Con qué suavidad se resbala!
Proverbios 23: 31

GREG QUERÍA ESTAR A LA MODA. Quería ser sofisticado. Quería destacar en la multitud. Por eso salía de fiesta.

Una noche, después de salir de copas, Greg decidió que regresaría a pie a casa y así se ahorraría el dinero del taxi. Pero cuanto más andaba más cansado se sentía. Mientras arrastraba los pies por la acera, Greg vio a su izquierda una pequeña garita. Se dirigió a ella y se introdujo por la portezuela.

—Si ahora me pego una siestecita, luego estaré mucho mejor —murmuró mientras se dejaba caer sobre un mullido almohadón.

Al cabo de un rato, un fuerte ruido interrumpió el tranquilo descanso de Greg. «¿Qué sucede?», pensó. Cuando quiso mirar alrededor se dio cuenta de que no podía ver nada. Quiso frotarse los ojos pero no podía mover los brazos. De hecho, no podía mover ni un cabello. De nuevo Greg escuchó el ruido y sintió como si lo estrujasen, con tanta fuerza que apenas podía respirar.

«Este lugar apesta como un contenedor de basura», pensó. «Eso es. ¡Estoy en un contenedor de basura!».

Estaba en lo cierto. La garita de Greg se había convertido en un contenedor de basura. Antes de que amaneciera, un camión basurero había recogido la basura, y a Greg. El camión iba de camino hacia el vertedero, donde unas excavadoras esperaban para aplastar las cargas que llegaban.

Cuando el camión llegó al muelle de descarga, Greg gritó hasta sacar el hígado por la boca. Por suerte alguien lo oyó y acudió a rescatarlo.

Al día siguiente, cuando los periódicos explicaban la historia de Greg y la basura, no sintió que estuviese a la moda. Tampoco sintió que fuese sofisticado. Pero sí que había destacado en la multitud, pero eso le causaba mucha vergüenza.

Cuando las personas beben alcohol no pueden pensar con claridad y acaban cometiendo alguna estupidez. No abuses de tu cerebro. Úsalo.

¿Dónde tienes puesta la vista?

Tú, Señor, eres mi fuerza; ¡yo te amo!
SALMO 18: 1

CLASE DE MECANOGRAFÍA. ¡Qué difícil! Hoy lo llamamos picar o teclear, pero hace tiempo a eso se lo llamaba mecanografiar.

Cuando usas una computadora, las faltas de ortografía pueden corregirse en un abrir y cerrar de ojos. Pero cuando mecanografiábamos mal una palabra, teníamos que borrar cada falta con una goma de borrar especial que solía dejar un agujero allí donde había habido un error. Una tortura.

Por eso me entenderás si te digo que me aterrorizaba cometer errores cuando mecanografiaba. Cada vez que empezaba una serie de cinco minutos me decía a mí misma: «No te equivoques. No te equivoques». ¿Adivinas qué sucedía? Me equivocaba. Montones de veces.

En lugar de centrar mi atención en el párrafo que mecanografiaba, me preocupaba por no cometer errores. Y mis actos seguían a mis pensamientos.

Los dirigentes religiosos judíos de la época de Jesús también temían cometer algún error. Pensaban que bastaría con que todo Israel pudiese ser obediente un solo día para que viniese el Mesías y los liberase de los romanos. Por eso se esforzaban por impedir que el pueblo no transgrediese ninguno de los Diez Mandamientos añadiendo sus propias leyes.

Los judíos acabaron amando más la ley que a Aquel que les había dado la Ley. Por eso, cuando vino Jesús y les reprochó sus tradiciones, lo mataron.

Una de las primeras lecciones que Dios quiere que aprendamos en nuestro increíble viaje es esforzarnos por guardar la ley a la perfección no viene acompañado con el amor. Al contrario; cuando amar a Dios sea lo más importante, querremos hacer lo correcto porque amaremos todo cuanto se refiera a Dios, incluida su ley.

Podemos vivir temiendo cometer errores o podemos honrar a nuestro mejor Amigo, a Jesús. ¿Qué prefieres?

17 FEBRERO

Todos son ganadores

Hay en la iglesia diferentes dones,
pero el que los concede es un mismo Espíritu.
1 Corintios 12: 4

CLASE DE NATACIÓN. No está entre mis recuerdos favoritos. El maestro nos había dicho que diéramos unas cuantas brazadas para calentarnos un poco antes de que empezara la clase. Cuando hubimos acabado salimos de la piscina y permanecimos junto al agua a la espera de lo que sucedería después.

—Renee y Jocelyn, ¿me hacen el favor de saltar al agua y nadar de ida y vuelta por la piscina?

Salté al agua y empecé a nadar. Jocelyn hizo lo mismo y nadaba junto a mí.

—Miren cómo Jocelyn se mueve en el agua —dijo el profesor—. Su técnica es la correcta. Ahora miren a Renee. Lo hace todo mal.

Ni que decir cabe que me sentí muy avergonzada.

La natación nunca fue, ni será, una de mis habilidades, pero no pasa nada. Puedo vivir con ello. Mis talentos están en otras áreas como la música o escribir.

Es fácil perder la autoestima cuando piensas que tienes que ser el mejor en todo. Compararte con otros hará que te enorgullezcas o te avergüences. He visto que eso les sucedía a algunos de mis alumnos.

Quieren tener un sobresaliente como Alina, tocar la trompeta como Derrick, dibujar como Tim, esquiar como Brian o jugar al baloncesto como Matt. No se dan cuenta de que ni una sola persona tiene todos los talentos, ni siquiera Alina, Derrick, Tim, Brian o Matt.

Dios ha dado a cada persona al menos un talento. No te preocupes por lo que los demás sean capaces de hacer. Desarrolla tus talentos hasta el máximo según tu capacidad. Úsalos como una bendición para los demás.

Mira, aquí tienes algo en qué pensar. ¿Qué habilidad especial te dio Dios?

Tu verdadera identidad

Dicen conocer a Dios, pero con sus hechos lo niegan.

Tito 1: 16

UNO DE LOS DELITOS más comunes de hoy en día es uno que ha afectado a casi diez millones de personas. No perjudica a nadie de manera física. Pero hace el mismo daño que si lo hiciera.

Es la suplantación de identidad. Es cuando las personas fingen ser quienes no son.

Puede suceder cuando un ladrón roba una cartera o consigue el número de la seguridad social de una persona. Con un poco de información, puede comprar vestidos, autos, viajes... de todo. Luego lo carga todo a la cuenta de la persona a la que está suplantando. Quienes roban la identidad de otros quieren tener todas las ventajas de una tarjeta de crédito, pero no la responsabilidad de pagar lo que han robado.

Algunos cristianos son culpables de un tipo de suplantación de identidad. No de tipo financiero, sino espiritual.

Cuando adoptamos el nombre de cristianos, queremos las ventajas de ser parte de la familia de Dios: la amistad con el Padre, el Hijo y el Espíritu Santo, su guía, su protección, el conocimiento, la seguridad de ser salvos, la vida eterna, la paz y la victoria sobre el pecado. ¿Pero estamos dispuestos a aceptar las responsabilidades que conllevan estas ventajas?

¿Dedicamos tiempo a estudiar la Biblia, orar y hablar a los demás sobre lo que Jesús ha hecho por nosotros? ¿La música que escogemos, los programas de televisión que vemos el modo en que nos vestimos ponen en evidencia que somos cristianos?

Ser cristiano es más que decirlo. Es permitir a Dios que influya en todas las áreas de la vida.

No seas culpable de suplantación de identidad. Pide al Espíritu Santo que viva en ti cada día. Cuando lo haga, descubrirás tu verdadera identidad.

19 FEBRERO

A mi manera o a la de Dios

Pondré mis leyes en su mente y las escribiré en su corazón.
HEBREOS 8: 10

NICKI, MELISSA Y CAROLANN DECKER estaban impacientes por que se acabara la escuela. Solo faltaban cuatro días para las vacaciones de verano. Esa mañana, la mayor de las tres hermanas, Nicki, de diecisiete años, llevaba a sus hermanas al colegio en el automóvil. Pero a unos pocos kilómetros de su casa perdió el control del vehículo y chocó contra un camión. Las tres hermanas murieron al instante. La comunidad en pleno acudió en apoyo de los padres de las muchachas, cuyo único pensamiento de consuelo era que todavía les quedaba Danny, su hijo varón de dieciséis años.

Al cabo de un año y medio, Danny también conducía y le acompañaban tres compañeros de clase de la escuela técnica. Después de haber perdido a sus tres hijas en un accidente de tráfico, los papás de Danny habían puesto todo el énfasis en la importancia de conducir con prudencia. Lo habían advertido de las vías de ferrocarril que cruzaban la carretera cerca de la escuela. Pero esa mañana, los muchachos llegaban tarde y Danny cruzó el paso a nivel a 100 kilómetros por hora.

El deportivo saltó por los aires y voló unos 30 metros antes de tocar el suelo. El vehículo derrapó unos 100 metros y chocó contra un árbol antes de incendiarse. Danny y dos de sus amigos murieron en el acto.

Después de haber perdido a sus tres hermanas en un accidente de automóvil, Danny sabía de primera mano con qué rapidez puede acabar una vida. También había tomado clases de conducción. Había escuchado las estadísticas y visto las películas sobre los peligros de conducir de manera imprudente. Conocía los hechos. Pero aun así condujo demasiado deprisa.

Podemos conocer la ley de Dios. Incluso podemos memorizar los Diez Mandamientos. Pero a menos que escojamos obedecer, no podrán enriquecer nuestra vida ni protegernos del mal.

La mayoría sabemos cómo deberíamos vivir. Pero nuestra naturaleza humana nos empuja a hacer las cosas a nuestra propia manera. Por suerte para nosotros, Jesús puede ayudarnos a hacer lo correcto, aun cuando desobedecer parezca más divertido.

No abandones nunca

Den ánimo y valor a sus corazones todos los que confían en el Señor.

SALMO 31: 24

LA LECCIÓN DE LA ESCUELA SABÁTICA para adultos tenía una curiosa historia sobre unas ratas y el poder de la esperanza. Los científicos pusieron un grupo de ratas en un tanque de agua y observaron hasta qué distancia podían nadar. Las ratas chapotearon durante 17 minutos antes de abandonar todo intento de mantenerse a flote.

Sacaron las ratas fatigadas y pusieron otro grupo en el agua. Al cabo de unos minutos, sacaron al grupo durante un corto espacio de tiempo y las volvieron a meter en el agua.

El segundo grupo de ratas superó con facilidad la marca de 17 minutos establecida por el primero. Cuando el cronómetro alcanzó las 17 horas, todavía estaban chapoteando. Fueron precisas 36 horas para que el segundo grupo de ratas mostrara signos de fatiga.

¿Qué hizo que un grupo aguantase solo 17 minutos, mientras que el otro nadó durante 36 horas? ¿Dónde estaba la diferencia?

La esperanza marcó la diferencia. Y la esperanza es lo que marca la diferencia para todos los que esperamos la segunda venida de Jesús.

Desde que Jesús regresó al cielo hace casi 2,000 años, los cristianos han esperado que vuelva. Pero algunos perdieron la esperanza y dejaron de creer porque su retorno se demoraba.

Si estudiamos la Biblia y mantenemos el contacto con Jesús mediante la oración, descubriremos la seguridad de que necesitamos seguir creyendo. La esperanza nos hará capaces de soportar tiempos difíciles y nos ayudará a continuar nuestro increíble viaje hasta que Jesús vuelva y nos rescate.

21 FEBRERO

No leas la Biblia

Estos judíos, que eran de mejores sentimientos que los de Tesalónica,
de buena gana recibieron el mensaje,
y día tras día estudiaban las Escrituras
para ver si era cierto lo que se les decía.
Hechos 17: 11

PROBABLEMENTE PIENSES que el título de la lectura de hoy esté equivocado. No. Es exactamente lo que quería decir: No deberías leer la Biblia. Deja que te explique.

Hace muchos años, decidí que quería ser Guía Mayor. Uno de los requisitos era leer toda la Biblia a lo largo del curso. Me imaginé que leyendo diez páginas al día llegaría a la investidura con la Biblia leída.

Cuando cada día abría la Biblia mi objetivo no era aprender más sobre Dios, sino acabar con mis diez páginas. Es triste decirlo, pero recordaba muy poco de lo que había leído.

Cada día leemos cientos de cosas: cajas de cereales, señales de tráfico, programaciones de televisión, los nombres de los buzones... Leer es algo tan automático que lo hacemos sin pensar.

Por eso creo que no debemos leer la Biblia y ya está. Debemos estudiarla. Cuando estudias algo, te tomas tiempo para buscar la información.

Cuando leas la Biblia pregúntate: «¿Qué me dice este pasaje sobre Dios y la manera en que se relaciona con la gente?» Cuando te encuentres con una historia de la Biblia, imagínate qué estás leyendo. Imagínate el escenario, ve la acción, escucha que dicen las personas. Pregúntate cosas: «¿Por qué lo hizo? ¿Qué pasaba cuando eso sucedió? ¿Qué sucederá luego? ¿Qué significa: "Confía en el Señor"? ¿Cómo puedo aplicar esto en mi vida?»

Leer la Biblia es un noble objetivo. Pero significará mucho más para ti si te tomas tiempo para buscar el tesoro que se esconde en cada página.

No reconoció el tesoro

Alabado sea el Dios y Padre de nuestro Señor Jesucristo, pues en Cristo nos ha bendecido en los cielos con toda clase de bendiciones espirituales.

Efesios 1: 3

EL TÍO DE RICHARD era un policía de la ciudad de Nueva York hacia 1940. Era un aficionado leal al béisbol y a lo largo de los años había conseguido conocer muchos de los jugadores de los Yankees. Un día el equipo le obsequió una pelota de la Serie Mundial de 1942 firmada por todos los jugadores y la pelota se convirtió en su posesión más preciada.

Justo antes de morir, le entregó la histórica pelota a su sobrino Richard, quien se llevó la preciada posesión a su casa, la puso en una peana especial y la depositó, bien visible para todos, encima de su escritorio. Cuando Mickey, el hijo de Richard entró en la habitación, los ojos del muchacho se iluminaron.

—Juguemos a pelota con ella, papi —suplicó.

Richard le explicó que la pelota era muy especial.

—¿Ves todos esos nombres escritos en ella? Son autógrafos de gente muy famosa. No podemos jugar con ella. Solo se puede mirar.

Unos días después, mientras Richard leía el periódico, Mickey entró corriendo en el salón.

—Papi, ya podemos jugar con la pelota —anunció alegremente—. Ya no tiene nombres escritos. Los lamí todos.

Y a fe que lo había hecho. No es que el niño quisiera arruinar el tesoro especial de la Serie Mundial de su papá. No entendía su valor.

A veces no apreciamos el valor de los tesoros que poseemos, cosas como una familia feliz, una conciencia tranquila, la libertad religiosa, la buena salud y los buenos amigos.

Las personas pasan la vida acumulando dinero en sus cuentas corrientes y comprando cosas que esperan que las hagan felices. Pero los tesoros reales de la vida no están a la venta.

No creas que tus tesoros son gratuitos. Valóralos, protégelos y da gracias a Dios por todo lo que te ha dado.

Decisiones apresuradas

No se engañen ustedes: nadie puede burlarse de Dios.
Lo que se siembra, se cosecha.
GÁLATAS 6: 7

AQUEL DÍA, después de que los últimos clientes del First Security Bank de Boise, Idaho, se hubieron ido y el banco hubo cerrado las puertas, el conserje se dispuso a vaciar las papeleras, barrer los suelos y limpiar los aseos. Distraído, tomó un archivador de cheques ingresados y lo movió de una mesa a otra.

Cuando al cabo de unas horas llegó el hombre que estaba encargado de destruir los documentos, encontró el archivador de cheques encima de la mesa de desperdicios. Arrojó el contenido, 8,000 cheques, en la trituradora de documentos y los convirtió en confeti.

A la mañana siguiente, cuando llegó el interventor de la agencia, se puso a buscar el archivador de cheques ingresados. Se encontró con 192,000 tiritas de papel valoradas en un millón de dólares. No había manera de que el banco recuperara el dinero de los cheques a menos que se los recompusiera de nuevo y se los devolviera a los bancos de los cuales procedían. Por eso contrataron trabajadores extra y, pedacito a pedacito, los 8,000 cheques fueron recompuestos.

El error del conserje fue muy pequeño, todo cuanto hizo fue mover un archivador. Pero se necesitaron 50 personas para reparar el daño causado.

Es demasiado fácil actuar sin pensar:

- Un alumno del instituto trajo su escopeta de perdigones a un partido para enseñársela a sus amigos. Pero alguien informó a las autoridades y lo expulsaron del instituto.
- Tres chicos, desde un puente, arrojaron una piedra al tráfico. La piedra golpeó a una señora. Casi todos los huesos de su cara quedaron rotos.
- En las vacaciones de Pascua, dos muchachas aceptaron esconder drogas en sus maletas a cambio de un dinero que les había prometido un extraño. Las detuvieron en el aeropuerto y cumplieron condena en una cárcel de México durante cuatro años.

Las decisiones apresuradas pueden tener consecuencias muy graves. Piensa antes de actuar.

Correr la carrera

Los planes del diligente ciertamente tienden a la abundancia, pero todo el que se apresura alocadamente, de cierto va a la pobreza.

Proverbios 21: 5, RV95

EL CONFERENCIANTE ZIG ZIGLAR preguntó una vez al público: «Si tuvieran un caballo de carreras muy caro, ¿lo mantendrían despierto toda la noche, lo alimentarían con comida basura y le permitirían que bebiera cerveza antes de correr una importante carrera?» Es fácil de responder. ¡Claro que nadie maltrataría a un animal como ese!

Luego el Sr. Ziglar entró en materia. «Si no le harían eso a un caballo, ¿por qué se lo hacen a ustedes mismos?»

Tú no bebes cerveza, ¿pero qué me dices de la comida basura y de la falta de sueño? Tenemos un cuerpo tan fantástico que continúa funcionando incluso cuando lo maltratamos. Pero al final siempre acabamos pagando el precio de nuestros malos hábitos de salud.

No somos caballos de carreras, pero tenemos más en común con ellos de lo que creemos. No corremos por una pista, pero sí corremos una carrera.

Pablo comparó nuestra búsqueda de la vida eterna con una carrera. La carrera está abierta a todos los que quieran correr. Pero solo empiezan unos pocos. Y de los que empiezan, muchos se desaniman y abandonan por el camino.

Satanás sabe que si consigue que maltratemos nuestro cuerpo no haciendo caso de las normas de salud, será más fácil tentarnos. Haremos cosas que jamás haríamos si mantuviésemos clara la mente y el cuerpo estuviera lleno de energía. Y si consigue alejarnos lo suficiente, abandonaremos la carrera y renunciaremos a seguir a Dios.

Tú has empezado la carrera. Mantén el ojo puesto en la línea de meta y aprovecha todas las oportunidades de cuidar tu cuerpo.

25 FEBRERO

En terreno resbaladizo

Por medio de estas cosas nos ha dado sus promesas,
que son muy grandes y de mucho valor,
para que por ellas lleguen ustedes a tener parte en la naturaleza de Dios
y escapen de la corrupción que los malos deseos han traído al mundo.
2 Pedro 1: 4

HACE UNOS AÑOS mis alumnos dieron un concierto de Navidad en la cárcel del condado. Mientras cantábamos, eché una mirada a los jóvenes que se encontraban en la sala. Me di cuenta de que la mayoría no eran mucho mayores que mis alumnos de 15 y 16 años. Me pregunté cómo pudieron acabar entre rejas cuando deberían estar en el instituto, tomando clases de conducción y participando en competiciones deportivas escolares.

Probablemente, su vida delictiva empezó con algo que podríamos clasificar como un "pecadillo": desobedeciendo a sus papás, haciendo trampas mientras jugaban al Monopolio o copiando un trabajo de matemáticas porque no tenían tiempo para hacerlo ellos mismos. Pero una vez que Satanás los tuvo entre sus garras, encontró maneras de arrastrarlos a problemas cada vez más graves. ¿Te ha sucedido eso alguna vez?

«Mira, lo hiciste una vez y no sucedió nada», susurra. «Eso no es nada. No tiene importancia». Y antes de que te des cuenta te estás metiendo en líos en los que jamás habrías osado meterte. Una vez escuché un refrán que ilustra el poder del pecado:

- Te lleva más allá de donde quisiste llegar,
- te atrapa más tiempo del que quisiste quedarte
- y te cuesta más de lo que estabas dispuesto a pagar.

Nunca es cosa segura jugar con el pecado. Quizá parezca inocente, pero siempre es mortal. No te aventures fuera de la senda de la obediencia. Mantén los ojos puestos en Jesús.

Escóndelos en el corazón

**La hierba se seca y la flor se marchita,
pero la palabra de nuestro Dios permanece firme para siempre.**
Isaías 40: 8

PARA HACER EL INCREÍBLE VIAJE al cielo, una Biblia debería ser algo imprescindible para ti. Al fin y al cabo, ¿cómo descubrirás cosas de Dios si no estudias su libro?

Una de las mejores maneras de conseguir que la Biblia forme parte de tu vida es memorizar versículos especiales. Así podrás recordarlos en cualquier momento del día o de la noche.

Una de las maneras de aprender versículos de la Biblia es escribir cada uno de ellos en una tarjeta. En el reverso de la tarjeta escribe solo la primera letra de cada palabra. Así:

- **Primer marco de texto:** Feliz el hombre que no sigue el consejo de los malvados, ni va por el camino de los pecadores, ni hace causa común con los que se burlan de Dios, sino que pone su amor en la ley del Señor y en ella medita noche y día (Salmo 1: 1, 2).
- **Segundo marco de texto:** F e h q n s e c d l m, n v p e c d l p, n h c c c l q s b d D, s q p s a e l l d S y e e m n y d (Salmo 1: 1, 2).

Después de leer todo el versículo varias veces, intenta decirlo sin mirar. Si no puedes recordarlo al completo, las letras del reverso te refrescarán la memoria.

Revisando las tarjetas con regularidad, podrás esconder la Palabra de Dios en el corazón y hacer que sea una parte de tu vida.

¿Por qué hay que memorizar la Biblia?

Tu palabra es una lámpara a mis pies y una luz en mi camino.
Salmo 119: 105

EL PASTOR DAN VIS va por todo el mundo explicando la importancia de la memorización bíblica y ayudando a las personas a aprender cómo hacerlo. Estas son algunas razones por las que la memorización de la Biblia es importante:

1. Dios te pide que lo hagas. «Grábense estas palabras en la mente y en el pensamiento».[1] Dios quiere que sus palabras sean parte de nosotros.
2. Guardar textos de la Biblia en la memoria te permite tener una experiencia momento a momento con Jesús. A cada instante del día puedes recordar la promesa que Dios ha dado en su Palabra. El mundo nos llama la atención con muchas cosas, pero si llenamos la mente con la Biblia, en su lugar podremos escuchar la voz de Dios.
3. Tu victoria sobre el pecado será mayor. Mantener las palabras de Dios en la mente te ayudará a detectar las tentaciones de Satanás y te dará el poder de resistir al mal y hacer lo correcto.
4. La memorización de la Biblia te da poder en la oración. Reclamar las promesas de Dios te ayudará a orar por las cosas buenas y fortalecerá tu fe.
5. Conocer la Palabra de Dios te ayudará a compartir lo que crees. Cuando la gente hace preguntas sobre las cosas espirituales, podrás dirigir su atención a lo que Dios dijo en la Biblia.
6. Memorizar versículos de la Biblia te ayudará a permanecer fiel a Jesús. Satanás se está preparando para la última gran campaña para engañar al mundo. «Solo los que hayan fortalecido su espíritu con las verdades de la Biblia podrán resistir en el último gran conflicto».[2] Si llenas la mente con la Biblia y confías en Jesús, las mentiras de Satanás no te alcanzarán.
7. Lo mejor de todo es que guardar la Palabra de Dios en la mente te ayudará a empezar una amistad con Jesús que durará toda la eternidad.

---

1. Deuteronomio 11: 18.
2. *El conflicto de los siglos*, p. 651.

Un día de gratitud

Vengan a las puertas y a los atrios de su templo con himnos de alabanza y gratitud. ¡Denle gracias, bendigan su nombre!

SALMO 100: 4

HACE UN MES te pedí que hicieras una lista de veinte cosas por las que estés agradecido. Ha llegado el momento de hacer una nueva lista.

Cuando pongas en práctica el estar agradecido serás mucho más feliz. En lugar de pensar en todas las cosas que te hubiera gustado tener, te darás cuenta de lo mucho que ya tienes. No te olvides tampoco de hacer una lista con tus peticiones especiales.

Gracias, Señor, por:

Peticiones especiales:

1 MARZO

Responder en lugar de reaccionar

Dichoso el que piensa en el débil y pobre;
el Señor lo librará en tiempos malos.
SALMO 41: 1

UN VIEJO REFRÁN dice, más o menos, así: «No juzgues a nadie sin antes haber andado mil pasos con sus zapatos». Stephen Covey iba en metro una tarde cuando un padre y sus hijos subieron al vagón. El padre se dejó caer en un asiento pero los niños empezaron a armar barullo.

Pronto estuvieron corriendo arriba y abajo del pasillo, persiguiéndose uno a otro. Se subían a los asientos y saltaban al suelo, golpeando a los otros pasajeros cuando aterrizaban.

La gente esperaba que el padre hiciera algo. Pero se limitaba a estar sentado, aparentemente absorto de la conmoción que sus hijos estaban causando. Los pasajeros empezaron a sentirse molestos.

Finalmente, alguien se levantó y se acercó al padre.

—Me parece que sus hijos están molestando a los otros pasajeros. ¿Le importaría hacer que se comporten?

—Oh, perdone —se disculpó el padre—. Hemos estado todo el día en el hospital. Mi esposa murió y creo que a los niños les cuesta hacerse a la idea.

De repente, aquellas personas que estaban tan molestas sintieron compasión por el pobre hombre y sus hijos. Cuando supieron las circunstancias por las que había tenido que pasar la familia, entendieron por qué los niños estaban tan fuera de control y el padre estaba absorto en sus pensamientos.

Si supiésemos qué les sucede a las otras personas, seríamos más pacientes cuando dijesen o hiciesen cosas que nos molestan. Que los demás se vuelvan gruñones no sería para nosotros una cuestión personal. En lugar de reaccionar, seríamos más como Jesús y responderíamos con amor.

Nunca es bastante

Cuídense ustedes de toda avaricia;
porque la vida no depende del poseer muchas cosas.
LUCAS 12: 15

SIEMPRE QUE PREGUNTO a mis alumnos qué planes tienen para el futuro, es seguro que surge el tema del dinero.

—Yo seré un médico famoso y ganaré mucho dinero.

—Pues yo me casaré con un hombre muy rico.

—Espero que algún familiar lejano me deje una fortuna en herencia.

Todos queremos tener mucho dinero. ¿Pero cuánto sería bastante?

Cuando, en una encuesta realizada en todos los Estados Unidos, se hizo esa pregunta a los adultos, todos dieron la misma respuesta:

—Me sentiría feliz si tuviera un poco más.

No importaba que ganasen 10,000 dólares al año o 200,000. Ni una sola persona era feliz con la cantidad de dinero que ya tenía. Todos querían más.

Por sí mismo, el dinero no tiene valor. Su atractivo proviene de lo que puedes hacer con él.

La gente piensa que el dinero puede comprar la felicidad. Pero solo puede comprar cosas. Como dice Zig Ziglar: «El dinero puede comprarte una casa, pero no te construirá un hogar. Puede comprarte un compañero, pero no un amigo. Puede comprar una cama, pero no una buena noche de descanso».

La felicidad no viene de cuánto consigas acumular. Está en cuánto aprecies lo que ya tienes.

Tal como vino se fue

El dinero mal habido pronto se acaba;
quien ahorra, poco a poco se enriquece.
PROVERBIOS 13: 1

EL PRESENTADOR DEL PROGRAMA DE RADIO anunció que en la población habían construido un nuevo casino. Luego preguntó:

—Desde el punto de vista moral, ¿hay algo de malo en el juego de azar?

La mayoría de las personas que llamaron dijeron que es un entretenimiento más.

—Es como tener una afición.

—No hace daño a nadie.

—Es divertido y permite que la gente tenga algo que hacer.

¿Estás de acuerdo? ¿Seguro que las apuestas son un entretenimiento inocente? Piensa en estos hechos:

- Las apuestas pueden llegar a ser una adicción, como las drogas. Se siente una excitación que las personas pueden llegar a desear.
- A la mayoría de personas que apuestan no les gusta perder; pero, como desean una vida mejor, apuestan un dinero que debería haber sido gastado en comida o en el alquiler. Como resultado, sus familias salen perjudicadas.
- Los jugadores posponen la felicidad para «cuando me toque la lotería» o «cuando mi caballo llegue el primero».
- El dinero que no se gana con esfuerzo se gasta fácilmente. Cuando los jugadores ganan algún dinero suelen gastarlo en intentar ganar más.
- Los juegos de azar, las apuestas, son un sustituto de Dios. Él prometió ocuparse de nuestras necesidades pero los jugadores piensan que ganar en la lotería o tener una buena mano en las cartas será la respuesta a sus problemas. Por eso tienen fe en un juego de azar y no en un Dios que los ama y los cuida.
- Los juegos de azar son uno de los atajos de Satanás hacia la felicidad. No le permitas que te desvíe de tu ruta al cielo. Aumenta tu cuenta en el banco a la antigua usanza: ¡Trabaja!

Anduvo con nuestros zapatos

Pues nuestro Sumo Sacerdote puede compadecerse de nuestra debilidad, porque él también estuvo sometido a las mismas pruebas que nosotros; solo que él jamás pecó.

Hebreos 4: 15

—¿VEN ESE HOMBRE? —preguntó Steve mientras señalaba a un hombre de aspecto distinguido que vendía palomitas de maíz junto a la Sala de los presidentes de Disney World, en Florida—. En realidad no es un vendedor de palomitas. Es un ejecutivo de la Disney.

Ese mismo día Steve había asistido a una entrevista para un puesto de trabajo en el departamento de computadoras de la Disney. Durante la entrevista supo cómo se dirige el imperio Disney.

—En lugar de estar sentados todo el día en su despacho, los ejecutivos de la Disney salen y aprenden qué es vender palomitas, barrer las aceras y recoger los boletos de entrada. Ven el trabajo en Disney World desde distintos puntos de vista y dirigen mejor a los miles de personas que trabajan aquí.

Jesús hizo algo parecido hace dos mil años. En lugar de quedarse en el cielo y dirigir la tierra a distancia, vino a vivir como un hombre. Vino para experimentar qué se siente siendo un ser humano. Vino para andar un kilómetro con nuestros zapatos. Por tanto, no importa cuáles sean tus problemas, porque comprende qué te sucede.

Cuando pases por pruebas y tentaciones puedes acudir a él. Él recuerda cómo se sentía cuando Satanás lo tentó en el desierto.

Cuando te sientas solo, puedes hablarle de ello. Él se acuerda cómo era sentirse completamente solo en el huerto de Getsemaní.

Cuando tengas miedo puedes compartir con él tus temores. Él recuerda el terror de la separación de su Padre mientras estaba colgado en la cruz.

Las otras personas quizá no te entiendan. Jesús sí.

Sin límites

El Señor es mi poderoso protector;
en él confié plenamente, y él me ayudó.
SALMO 28: 7

QUIEN PIENSE que la vida es desagradable debería conocer a Jessica Parks. Jessica nació sin brazos. Aun así, esta jovencita de dieciocho años no permitió que su problema le impidiera vivir como otras personas.

Por la mañana, cuando se levanta, se pone las lentes de contacto con los dedos de los pies. Juega al fútbol, cocina y conduce un automóvil (poniendo un pie en el volante y el otro en el freno y el acelerador). Y también tiene un empleo a tiempo parcial.

Jessica se graduará con una nota media de 3.65 sobre 5 y se le concederá una carta de recomendación como animadora. En otoño empezará a estudiar en la universidad.

Seguro que hay muchas cosas que Jessica no puede hacer. Pero eso no le impide hacer lo que *sí* puede hacer.

A todos nos resulta imposible hacer alguna cosa. Pero las dificultades más difíciles de superar son las que nos hacemos nosotros mismos.

—Soy muy tonto. No puedo aprender nada. Me parece que soy un mentecato.

—Mi familia no tiene dinero. Jamás podré ir a la universidad.

—Soy tímido. No le gusto a nadie. Quizá jamás tenga amigos.

Tenemos acceso a una fuente de poder que puede librarnos de nuestras limitaciones de manera que podamos alcanzar alturas que jamás hemos imaginado.

«No tiene límites la utilidad de aquel que, poniendo el yo a un lado, deja obrar al Espíritu Santo en su corazón y vive una vida completamente consagrada a Dios».[1]

No te preocupes por tus limitaciones. Piensa en lo que puedes llegar a hacer con la ayuda del Espíritu Santo.

1. *El Deseado de todas las gentes*, p. 216.

Una solución preparada

Señor, tú eres mi Dios; yo te alabo y bendigo tu nombre, porque has realizado tus planes admirables, fieles y seguros desde tiempos antiguos.

Isaías 25: 1

SHAHIN, QUE HABÍA SIDO MUSULMÁN, me contó esta historia durante la Asamblea General de Jóvenes de 2003.

En 1978, en Irán estalló una revolución y el sah perdió el poder. Su lugar fue ocupado por un líder religioso, el ayatolá Jomeini.

Los dirigentes de la División Euroafricana de la iglesia, además de grupos de otras iglesias y algunos negocios, fueron advertidos de que el acceso a sus organizaciones estaba a punto de ser cerrado y que se les concedería un visado de tres días para que pudiesen entrar en Irán y llevar a cabo las gestiones necesarias para las instituciones que representaban.

Cuando el representante adventista llegó a Irán explicó que no podía visitar todas las iglesias, escuelas e instituciones médicas en un espacio de tiempo tan corto. Necesitaba un visado más largo.

Los funcionarios del gobierno le denegaron la ampliación.

—Necesito hablar con el ayatolá —insistió el hombre.

Para sorpresa de todos, el ayatolá accedió a recibir al representante, quien, mediante un intérprete, explicó su problema al poderoso líder musulmán.

El ayatolá tomó una hoja de papel, escribió unas palabras y luego lo firmó.

—Hace muchos años, cuando vivía en un pequeño pueblo —dijo el ayatolá—, estuve muy enfermo. Ninguno de los doctores del pueblo podía ayudarme. Finalmente me llevaron al médico adventista del séptimo día. Él y su esposa me alojaron en su casa durante dos semanas y me devolvieron la salud. Les estoy muy agradecido. Ahora quiero devolverles el favor. Este documento le dará permiso para tomarse el tiempo que precise para hacer todas sus gestiones.

No importa cuán grave sea el problema; Dios siempre tiene preparada una solución.

7 MARZO

Una llamada imposible

«Porque mis pensamientos no son los de ustedes, ni sus caminos son los míos», afirma el Señor.
Isaías 55: 8

SHAHIN, EL ANTIGUO MUSULMÁN que me contó la historia de ayer sobre el ayatolá Jomeini, ha visto cómo Dios obraba numerosos milagros en su propia vida. No hace mucho, mientras se encontraba vendiendo libros cristianos puerta a puerta, recibió una llamada de su amigo Edmond.

—He conocido a una mujer iraní, una abogada, que está muy interesada en el mensaje adventista —dijo Edmond—. Pero no entiende cómo Jesús podía ser el Hijo de Dios. ¿Podrías hacerle una visita?

—Encantado —dijo Shahin—. Pero, ¿cómo conseguiste mi número de teléfono?

—Lo tenía en la agenda de mi teléfono celular —respondió Edmond.

—¿A qué número llamaste?

Edmond se lo dijo.

Shahin no podía creer lo que había escuchado.

—Ese es mi antiguo número, el número de Sprint. Cancelé el contrato que tenía con ellos hace ya casi un año. Ahora estoy en AT&T y mi número actual es totalmente diferente.

Más tarde, esa misma noche, Shahin le pidió a Edmond que lo volviese a llamar a su antiguo número. Cuando llamó, Edmond quedó confundido.

—Volví a marcar tu número; pero esta vez me salió una grabación diciendo que ese número estaba desconectado. Tuve que marcar tu nuevo número para poder hablar contigo.

Desde entonces, Shahin ha hablado con cuatro representantes de compañías telefónicas, incluido un ingeniero de telecomunicaciones. Todos confirmaron que es imposible que un número desconectado desviara la llamada a otro número de una compañía diferente.

Quizá sea imposible para los hombres. Pero no para Dios. (Continuará mañana.)

«Busquen, y encontrarán»

Me buscarán y me encontrarán, cuando me busquen de todo corazón.

JEREMÍAS 29: 13

DOS SEMANAS DESPUÉS de que Shahin recibiera la milagrosa llamada, se encontró con Sherry Larvik, la abogada iraní a quien había prometido visitar. En seguida entraron en materia.

—Hace unos años quise dejar de fumar, pero no había manera. Lo probé todo, incluso la hipnosis. Pero nada funcionaba. Un día alguien me sugirió que orara y pidiera a Jesús que me ayudara. Oré una vez y me liberó completamente del tabaco. Desde entonces, cada vez que oro él me responde inmediatamente. Por eso tengo fe en Jesús. Pero no consigo entender cómo podía ser Hijo de Dios. ¿Cómo pudo Dios tener un Hijo?

Su objeción al cristianismo es común entre los musulmanes.

Tomando la Biblia, Shahin le mostró cómo las profecías del Antiguo Testamento se cumplían en Jesús.

Cuando el estudio bíblico llegó a su fin, Sherry sacudió la cabeza.

—Todavía no estoy convencida. Necesito pensar un poco más —dijo.

Shahin estaba decepcionado, pero el Señor despertó en él la impresión de que Sherry volvería a llamarle en unos días.

Y así fue. Al cabo de dos días, llamó.

—Esta mañana, mientras recitaba unas poesías musulmanas de Hafez, uno de los versos contaba cómo Jesús había sacado a personas de entre los muertos. De repente todo cobró sentido. Si Jesús podía devolver la vida a las personas, tenía que ser el Hijo de Dios.

Dios usó una poesía escrita hace más de seiscientos años para que esta sincera buscadora de la verdad se convenciera de que Jesús era quien decía ser. Sherry se bautizó y ahora es miembro de la Iglesia Adventista del Séptimo Día.

Un número de teléfono fuera de servicio y un poema musulmán antiguo. Dios usa las cosas más inusuales para llevar la vedad a aquellos que buscan un Salvador.

9 MARZO

Alábalo en todas las cosas

Tú has sido justo en todo lo que nos ha sucedido, porque actúas con fidelidad.
NEHEMÍAS 9: 33

«LA ALABANZA es una manera positiva y bíblica de conseguir que la vida vaya a tu favor y no en tu contra» (Merlin Carothers).

La primera vez que leí el libro del Sr. Carothers, *Power in Praise* [El poder de la alabanza], pensé que sus ideas eran ridículas. Quería que yo creyese que debía dar gracias a Dios por todo lo que me sucediese en la vida, aun por las cosas malas. No tenía ningún sentido.

Cuando las cosas iban mal, mi primera reacción siempre había sido: «Dios, ¿por qué has permitido que esto suceda?» Le echaba la culpa a Dios y le hacía saber que me había perjudicado. Estoy segura que Satanás se lo pasaba en grande cada vez que eso sucedía.

El libro del Sr. Carothers me retaba a estar agradecida por cualquier cosa que suceda. Le hice caso y ese fue el mayor descubrimiento de mi vida.

Descubrí que *puedo* estar agradecida incluso cuando sucede algo malo. Le puedo agradecer la manera en que usa mis problemas para ayudarme. Quizá no sea capaz de imaginar cómo lo hará, pero puedo creer que lo hará.

Jesús puede llegar a usar nuestros pecados para ayudarnos. Cuando hacemos algo malo nos encontramos frente a frente con nuestra debilidad, la tentación. Si somos capaces de alabar a Dios por mostrarnos en qué necesitamos ayuda, podrá darnos poder para decir no cuando vuelva la tentación.

Te desafío a que alabes hoy a Dios. En lugar de quejarte, agradécele por todo lo bueno *y* todo lo malo. Luego espera y mira cómo usa cada situación en tu provecho.

Tu viaje increíble será mucho más fácil cuando aprendas a confiar plenamente en Dios, sin importar lo que suceda.

Alabanza en acción

Den gracias al Señor Todopoderoso, porque el Señor es bueno, porque su amor es eterno.

JEREMÍAS 33: 11

HOY ME DETUVE en una tienda de comestibles. Tomé unas cosas, regresé a mi automóvil y salí marcha atrás del estacionamiento.

¡Bum! Miré por el retrovisor y vi que había chocado contra un coche que estaba saliendo del estacionamiento. Me sentí desolada.

Salí apresuradamente del coche y corrí hacia la señora con la que había chocado. Revisamos los daños que habíamos hecho en los vehículos y luego intercambiamos la información de las compañías de seguro.

Mientras me dirigía a casa, empecé a pensar en el accidente. Lo repetí una y otra vez de memoria. De repente recordé que tenía que agradecer al Señor por las cosas del accidente que usaría para bendecirme.

«Muy bien, Renee», me dije. «Piensa en cinco cosas del accidente por las que puedas estar agradecida».

Veamos... Nadie salió herido. La señora con la que había chocado era muy amable. El accidente me había recordado lo importante que es prestar atención cuando se conduce. Era casi seguro que la abolladura de la puerta del coche de la señora se podría reparar. El único punto de mi coche que había sido golpeado era el parachoques. No me pusieron una multa. Teníamos dinero para reparar el vehículo. Ese era el primer accidente que jamás he tenido. Quizá la experiencia me ayude a ser más cuidadosa en el futuro.

Antes de darme cuenta, tenía nueve cosas por las que estar agradecida. Luego pensé en la número diez: Pensar en las cosas buenas que había traído el accidente me había levantado el ánimo y me había dado paz.

Alabar a Dios es la mejor manera de detener los pensamientos negativos e impedir que gobiernen la mente. La alabanza no hace que desaparezcan los problemas, pero cuando tienes fe, Dios puede encontrar las soluciones.

11 MARZO

Al fin libre

**En él tenemos la redención mediante su sangre,
el perdón de nuestros pecados, conforme a las riquezas de la gracia.**
Efesios 1: 7

CUANDO SE CONSTRUYÓ el puente del Golden Gate no había medidas de seguridad que protegieran a los obreros en caso de que perdieran el equilibrio y cayeran de la estructura metálica. Por eso, el director de la obra siempre tenía obreros extra en la reserva, a punto de ocupar el lugar de aquellos que morían al caer. En total, 25 personas perdieron la vida durante la primera fase de construcción.

Pero durante la última parte del proyecto, entre ambas vigas se tendió una gran red que costaba cien mil dólares. Otros diez hombres cayeron del puente, pero la red salvó su vida.

Cuando se completó el proyecto, los ingenieros descubrieron que después de que se pusiera la red la producción aumentó un 25%. Al no tener ya miedo de caer, en lugar de preocuparse por cada movimiento que hacían, los obreros eran capaces de poner todas sus energías en hacer el trabajo.

¡Qué gran lección para el pueblo de Dios! Si ponemos nuestras energías en observar las normas, no haremos mucho trabajo para Dios. Estaremos tan ocupados en mirarnos a nosotros mismos y al modo en que actuamos que no tendremos tiempo de cuidar de los negocios de nuestro Padre, amarlo y servir a los demás.

¿Las normas deben importarnos? Sí. ¿Debemos esforzarnos por observarlas? También. Pero si observar las normas es más importante que nuestra amistad con Jesús, seremos como los obreros del puente que pasaban los días intentando no hacer un movimiento erróneo o dar un paso en falso.

Cuando cada día le entregamos la vida a Jesús, él se convierte en nuestra red de seguridad. Si cometemos un error, nos ofrece perdón y poder para que en el futuro podamos decir no a la tentación. Como no tenemos que preocuparnos por nuestra seguridad, podemos usar el tiempo para conocerlo mejor y permitirle que obre a través de nosotros y ser, así, una bendición para los demás.

Las pequeñas cosas cuentan

El que es honrado en lo poco, también lo será en lo mucho; y el que no es íntegro en lo poco, tampoco lo será en lo mucho.

LUCAS 16: 10

INMEDIATAMENTE DESPUÉS de que Ed se graduara en la universidad, solicitó una plaza de contable en un gran hospital adventista. Cuando le llamaron para entrevistarlo, quiso dar una primera impresión tan buena que el hospital quisiera contratarlo al momento.

Ese día Ed llegó con dos horas de adelanto. Después de echar un vistazo al hospital, fue a almorzar a la cafetería.

Mientras avanzaba junto al mostrador, tomó lasaña, alubias tiernas, una ensalada y un poco de pan. Al levantar la rebanada de pan deslizó debajo una pastilla de mantequilla. Cuando acabó de comer, miró el reloj. Todavía le quedaban diez minutos para la entrevista.

Ed tomó el ascensor y se dirigió al departamento contable. El Sr. Hilbert, el jefe de contabilidad, lo saludó de manera afable.

—Ed, he echado un vistazo a tu currículo y parece que estás muy bien cualificado para el puesto que tenemos vacante. De hecho, tenía planeado darte el trabajo hoy mismo. Pero me temo que no podré.

Ed estaba desconcertado.

—¿Por qué? —preguntó.

—Verás, tú no te diste cuenta, pero yo estaba justo detrás de ti en el mostrador de la cafetería. Vi cómo escondías la pastilla de mantequilla debajo del pan. Ed, si no eres honrado en algo tan pequeño como una pastilla de mantequilla, me temo que jamás podremos confiar en ti para manejar los miles de dólares que cada día pasan por nuestra oficina. Lo siento de veras, pero no podemos contratarte.

Como cristianos, es importante que representemos a Jesús en todo cuanto hagamos. Todo tiene su importancia; incluso las cosas pequeñas.

13 MARZO

No escuches lo malo, no veas lo malo

Los ojos son la lámpara del cuerpo; así que, si tus ojos son buenos,
todo tu cuerpo tendrá luz; pero si tus ojos son malos,
todo tu cuerpo estará en oscuridad.
Y si la luz que hay en ti resulta ser oscuridad,
¡qué negra será la oscuridad misma!
Mateo 6: 22, 23

LESLIE KWONG-WING era un popular cantante y actor chino de Hong Kong. Una de las películas que protagonizó estuvo nominada para un Óscar. En la película interpretaba a un cantante de ópera que se suicidaba.

Cuando las emisoras de radio chinas empezaron a informar en la programación regular de que Leslie había muerto, sus fans pensaron que se trataba de una broma. Pero después de comprobarlo, descubrieron que la historia era del todo cierta. No solo Leslie había muerto, sino que se había suicidado saltando de un edificio.

Nos gusta creer que lo que vemos en la televisión no nos afecta. Queremos creer que la música que escuchamos no nos afecta. (A fin de cuentas, no escuchamos las palabras). Pero todo lo que vemos o escuchamos nos cambia de un modo u otro.

Representar a un actor que se suicida no hizo que Leslie saltara para matarse. Pero fingir una y otra vez que se suicidaba hizo que le fuera más fácil quitarse la vida cuando fue incapaz de pensar con claridad.

Escucha las palabras de tus canciones favoritas. ¿Te inspiran para ser una persona mejor? Si no es así, ¿necesitas escoger una música mejor?

¿Cómo se comportan los personajes de tus programas de televisión y tus videos favoritos? ¿Te gustaría tomarlos como modelos? Si no es así, ¿necesitas encontrar algo mejor que mirar?

Lo que escuchas y lo que ves forma tu carácter. Vigila qué permites que entre en tu mente.

Al estilo del mundo

**Eviten toda conversación obscena.
Por el contrario, que sus palabras contribuyan a la necesaria edificación
y sean de bendición para quienes escuchan.**
Efesios 4: 29, NVI

DURANTE MUCHOS AÑOS, el educador Hal Urban preguntó a las personas de todas las edades qué tipo de lenguaje las disgusta. La lista se conoció como "Los Sucios Treinta". Nosotros la acortaremos y la llamaremos los Terribles Veinte:

- La jactancia
- El cuchicheo
- La mentira
- Los comentarios de autocompasión
- Las críticas
- Las bromas
- La negatividad
- Las discusiones
- Los gritos
- Interrumpir a los otros
- Los juramentos y las palabras malsonantes
- Las palabras iracundas
- Adornar siempre las historias de los demás
- Humillar a las personas y ponerlas en situaciones embarazosas
- Las quejas
- El menosprecio
- Las amenazas
- Ser un sabihondo
- La exageración
- Culpar y acusar a los demás

Me gustaría plantearte el desafío que el Sr. Urban plantea a sus alumnos. Escoge tres de estos Terribles Veinte sobre los cuales te gustaría más trabajar. Toma tres tarjetas y escribe una mala palabra en la parte de arriba de cada una de ellas. Durante los próximos cinco días pon un punto en la carta correspondiente cada vez que te equivoques e incluyas esa mala palabra en tu conversación.

Las tarjetas te ayudarán a ser más cuidadoso en lo que digas. Además, como resultado, tus palabras tendrán un efecto más positivo en ti y en los demás.

15 MARZO

Llegar a la raíz

El Señor sabe librar de la prueba a los que viven entregados a él.
2 PEDRO 2: 9

BRODY, UN ALUMNO DE QUINTO CURSO, vino a casa para recibir una clase de piano. Cuando hubimos terminado, aceptó ayudarme a arrancar las malas hierbas que se habían acumulado frente al porche de mi casa. Se acercaba el tiempo de plantar nuevas flores para el verano y era preciso preparar la tierra.

Al principio, Brody se agachaba y solo quitaba la parte de arriba de las hierbas. Cuando vi qué sucedía le alcancé mi herramienta para arrancar malas hierbas, un pequeño utensilio que las arranca desde la raíz.

Entonces le dije a Brody por qué era preciso llegar hasta las raíces.

—Arrancar unas cuantas hojas es un remedio temporal. Si no arrancas la raíz, la planta seguirá creciendo. Antes de que te des cuenta, habrá echado nuevas hojas. La planta producirá semillas y acabarás con más hierbajos de los que tenías al principio. Arrancar las hojas es solo una solución temporal.

Lo mismo sucede con nuestra vida. Cuando tenemos algún problema con un determinado pecado, hay tres maneras de abordarlo. Podemos permitir que continúe creciendo o podemos intentar arrancar la parte que sobresale de la tierra (cubrir el pecado para que la gente no se dé cuenta). Pero la mejor manera es arrancar ese pecado desde la raíz.

La única manera de hacer eso es pidiéndole a Dios que nos dé poder para resistir a la tentación. Nosotros solos, sin su ayuda, solo podemos alcanzar la superficie. Podemos apretar los dientes, contar hasta diez o intentar muchas otras soluciones. Pero nuestro éxito durará solo un tiempo. Incluso puede que lleguemos a engañar a los amigos y a la familia para que piensen que hemos resuelto el problema.

Pero si lo que quieres es algo más que un cambio temporal, tienes que pedir la ayuda de Dios. Solo él puede llegar a la raíz del problema.

Amigos fieles

Ámense como hermanos los unos a los otros, dándose preferencia y respetándose mutuamente.
Romanos 12: 10

CASSANDRA VANCE estaba en el lugar y el momento equivocados. La niñita de dos años no sabía que corría peligro. Sin embargo, Sheba, su perra malamute de Alaska, sí lo sabía.

Sheba escuchó cómo aumentaba el zumbido del enjambre de avispas irritadas y sabía que tenía que hacer algo para proteger a la niña. Sheba se arrojó sobre Cassandra y la tumbó en el suelo, a la vez que la cubría con su cuerpo.

Las avispas atacaron. Se precipitaron sobre la perra, aguijoneándola una y otra vez. Sheba no salió huyendo. Cuando acudieron en su ayuda, había recibido 27 aguijonazos. Cassandra solo había recibido uno. Sheba casi murió para proteger a la niñita que tanto amaba.

Cuando Dios creó a los animales pienso que estableció que el perro fuera el compañero especial del hombre. Si tienes un perro, sabrás cómo son de diferentes respecto de los otros animales y cuán especiales pueden ser como amigos. Por ejemplo:

- Los perros jamás juzgan tu aspecto. No les importa qué tipo de zapatos lleves o si te has vestido a la moda. Nada de eso les importa.
- Los perros siempre están contentos de verte. Cuando llegas a casa por la noche te saludan meneando la cola.
- Los perros se conforman con estar en tu presencia. Tanto si están a tus pies o yacen junto a ti en el sofá, les gusta estar muy cerca de ti.
- Los perros siempre están dispuestos a escuchar tus problemas. Además, jamás revelarán tus secretos o hablarán a tus espaldas.

En lo que se refiere a nuestros amigos humanos, los perros podrían enseñarnos unas cuantas lecciones sobre qué significa ser un amigo de verdad.

El día en que murió la música

Pues al que tiene, se le dará más;
pero al que no tiene, hasta lo poco que tiene se le quitará.
MARCOS 4: 25

EN 1795, NICCOLÒ PAGANINI tenía solo nueve años cuando dio su primer concierto de violín en Génova, Italia. A los trece empezó a componer música para violín y a viajar por toda Europa como intérprete musical. En poco tiempo se convirtió en uno de los violinistas más famosos de todas las épocas.

En su testamento, Paganini donó uno de sus violines más preciados, un Guarnieri, a su ciudad natal, Génova. Pero por alguna extraña razón insistió en que nunca jamás se volviera a tocar música con ese violín.

Por eso pusieron el violín en un estuche y lo depositaron en un estante. Cuando lo usaron para el propósito que había sido construido, su respuesta fue una música maravillosa. Pero cuando lo dejaron solo, empezó a degradarse. Con el tiempo, se estropeó y se convirtió en un trasto inútil.

¿Recuerdas la parábola de los talentos? En tiempos de Jesús, los talentos eran las monedas más pesadas y valiosas de los israelitas.

En la historia, un hombre de negocios dio a cada uno de sus tres siervos una cantidad distinta de talentos. Dos de ellos invirtieron el dinero y aumentó de valor. Pero el tercero escondió el capital hasta que el hombre de negocios regresó de su viaje. ¿Adivinas a quién despidió?

En la parábola, los talentos representan determinadas habilidades o capacidades que Dios ha dado a las personas. ¿Qué talentos has recibido? ¿Sabes cantar? ¿Tocas algún instrumento? ¿Eres un buen estudiante? ¿Sabes cuidar del jardín? ¿Cuidas de los pequeños de la casa? ¿Sabes dibujar? ¿Te llevas bien con los demás? ¿Sabes cocinar? ¿Y reparar una bici?

Los talentos no crecen por sí solos. Debemos usarlos, igual que el violín de Paganini. Si no les hacemos caso, se deteriorarán y acabarán por desaparecer.

No descuides tus talentos. Da gracias a Dios por ellos y úsalos para bendecir a otros.

En tiempo de necesidad

Para Dios no hay nada imposible.
LUCAS 1: 37

TEDDY, NUESTRA PERRITA SCHNAUZER, se estaba haciendo vieja. Se le había empezado a nublar la vista y sabíamos que se iba a quedar ciega. Encontramos un doctor para que la operase. Pero la operación no fue bien y causó aún más problemas.

Empezó a sufrir ataques. Cuando eso sucedía, lo único que podíamos hacer era tomarla en brazos y decirle lo mucho que la queríamos. Decidimos que había llegado el momento de que descansara.

Como Teddy nos había acompañado cada día a la escuela durante trece años, creímos que sería mejor para los alumnos que esperásemos hasta las vacaciones del verano. Era una cálida mañana de junio. Miré a Tom y dije:

—Hoy es el día.

Asintió y llamé al veterinario. Finalmente había llegado el día que tanto había temido durante trece años.

El último paseo de Teddy transcurrió en total silencio. Cuando llegamos a la clínica veterinaria la llevamos a una de las consultas. Tom y yo la abrazamos y nos despedimos de nuestra mejor amiga.

El Dr. Griffith entró y nos contó que Teddy se dormiría rápidamente. Le puso la inyección y sentimos cómo se relajaba en nuestros brazos. Nos la llevamos a casa y la enterramos en el jardín.

Te cuento esta historia porque pensé que sería una lección muy valiosa. Descubrí que Jesús puede ayudarnos a hacer lo imposible. Jamás pesé que me separaría de Teddy; pero cuando llegó el momento pude despedirme de ella. Estaba triste, pero hacer que se durmiera no fue la terrible experiencia que había creído que sería.

Cuando empezamos a preocuparnos por el futuro, todo cuanto necesitamos es recordar que el Dios que nos ha acompañado hasta tan lejos nos acompañará hasta el fin. Cuanto más lo necesitemos, más cerca estará.

Enfrentar los hechos

Ir tras la justicia conduce a la vida,
pero ir tras la maldad conduce a la muerte.
Proverbios 11: 19

LOS ROMERO la llamaban Sally. Cuando en 1985 la trajeron a casa era la serpiente más graciosa, medía tan solo treinta centímetros. Pero Sally no se quedó así de pequeña. Ocho años más tarde medía más de tres metros y medio y pesaba 36 kilos.

El 20 de julio de 1993 sucedió algo que dejó atónitos a los vecinos. Sally atacó a Derek Romero, que entonces tenía quince años, y lo estranguló hasta matarlo.

¿Alguien debería sorprenderse? Al fin y al cabo, es la naturaleza de la pitón de Borneo. El hecho de que la familia la llevase a su casa no cambió el instinto de matar natural de la serpiente.

Lo mismo sucede con la tentación. Puede que parezca divertida y manejable al principio. Satanás es un maestro disfrazando el mal y convenciéndonos de que no corremos peligro. El único problema es que las cosas jamás suceden como habíamos planeado.

El pastor puritano Thomas Brooks lo escribió así:

> Satanás promete lo mejor, pero paga con lo peor;
> promete honor y paga con la desgracia;
> promete placer y paga con dolor;
> promete ganancias y paga con pérdidas;
> promete la vida y paga con la muerte.

Debemos enfrentar los hechos. El mal siempre hiere y lastima».

Los Fabulosos Veinte

Cada uno recoge el fruto de lo que dice y recibe el pago de lo que hace.

Proverbios 12: 14

¿ACEPTASTE EL DESAFÍO de los Terribles Veinte? ¿Qué tal anda? ¿Las tarjetas te ayudan a hacer un cambio positivo en las palabras que dices?

Hoy vamos a pensar sobre lo que te gusta escuchar decir a los demás. Escríbelo en las líneas de abajo. Los llamaremos los "Fabulosos Veinte". Escribe frases reales que te gusta escuchar, así como categorías de palabras positivas. Te doy algunos ejemplos para empezar.

- «Te quiero»
- Alabar a Dios
- Los elogios sinceros
- ¿Necesitas ayuda?

Cuando usas palabras positivas, además de ayudar a las personas que te escuchan, también te ayudas a ti mismo.

Aprovecha cualquier oportunidad para usar los Fabulosos Veinte. Sé generoso con las palabras amables y descubrirás que te las devolverán muchas veces.

21 MARZO

Despiertos

Por eso no debemos dormir como los otros, sino mantenernos despiertos y en nuestro sano juicio.
1 TESALONICENSES 5: 6

EL PASTOR DARREN GREENFIELD cuenta su visita al Parque Nacional Kruger, una reserva de vida salvaje en Sudáfrica, donde se permite a los visitantes que conduzcan sus automóviles a lo largo y ancho de más de ocho millones de kilómetros cuadrados para ver a los animales en su hábitat natural. El segundo día del safari motorizado, alguien del grupo del pastor Greenfield, a lo lejos, divisó un abrevadero. Mientras iban en su autobús Volkswagen, todos escrutaban el área con la esperanza de ver un león. Pero los únicos animales salvajes que vieron fue un rebaño de impalas, parecidos a los ciervos. Con todo, los impalas no disfrutaban del abrevadero. Parecían esquivos, bastante tensos.

Al cabo de veinte minutos, Darren y sus amigos decidieron acercarse. Pero cuando el conductor dio vuelta a la llave de arranque, el motor no se puso en macha.

—Saldré y empujaré la furgoneta —sugirió el pastor Greenfield.

Así que abrió la puerta lateral y se puso en la parte delantera del vehículo.

Al oír el ruido, los impalas se dieron la vuelta para ver qué sucedía. En ese instante un león saltó de las rocas cercanas al abrevadero. Los aterrorizados impalas huyeron para salvar la vida, pero el león derribó sin dificultad a uno de los rezagados.

Los impalas se habían apercibido de la presencia del león. Mantenían la guardia alta mientras estaban cerca del abrevadero. Pero cuando el pastor Greenfield salió de la furgoneta, se distrajeron y el león cobró la pieza.

Todos sabemos que debemos prepararnos para el pronto regreso de Jesús. Pero es tan fácil distraerse con otras cosas...

La Biblia nos dice que debemos estar despiertos. Leyendo la Biblia y orando mantendremos la atención puesta en Jesús. Así estaremos despiertos y preparados para resistir a los ataques de Satanás.

Sí, no o espera

El Señor les respondía cuando ellos pedían su ayuda.

Salmo 99: 6

«CUANDO DIOS DICE: "Sí" es porque nos ama. Cuando Dios dice: "No", es porque nos ama» (O. Hallesby).

El pastor acababa de pedir si alguien quería contar cómo había sido respuesta una oración. Alguien se levantó.

—Oramos para que Dios nos ayudara a vender nuestra casa y la vendimos el primer día que la pusimos a la venta.

La congregación dijo:

—Amén.

Alguien más se levantó.

—Me gustaría agradecerles a todos ustedes que hayan orado por mi prima Sarah. Las pruebas que le hicieron la semana pasada dijeron que no padecía ningún cáncer.

He escuchado montones de gente que agradecía las respuestas de Dios a sus oraciones. Siempre se agradecen las respuestas con un "sí". Jamás he escuchado a nadie que se levante para decir:

—Quiero agradecer a Dios por haber dicho "no" a mi petición.

Según nuestra manera de pensar, Dios solo responde a nuestras oraciones cuando nos da lo que le pedimos. Nunca consideramos que un "no" sea una respuesta genuina.

Pero algunas de las mejores respuestas a mis oraciones fueron del tipo "no". En esas ocasiones me enfadé mucho con Dios porque no me había dado lo que le había pedido. Pero al cabo de unos años, pocos, cuando fui capaz de echar la vista atrás y contemplar mi vida, vi que Dios sabía algunas cosas que yo no sabía. Me había dado lo que era mejor, no lo que yo pensaba que era lo mejor.

Cuando le pidamos algo a Dios, deberíamos confiar lo suficiente en él para permitirle que decida cómo y cuándo responder nuestras peticiones. Si las cosas salen como esperamos, fantástico. Pero si la respuesta de Dios es: «No», o: «Espera», también es motivo de alabanza.

23 MARZO

Vallas de libertad

El Señor te protege en todos tus caminos, ahora y siempre.
SALMO 121: 8

SUCEDIÓ DURANTE NUESTRO VIAJE de fin de curso. Habíamos tomado la autopista interestatal en dirección a Detroit cuando a nuestra derecha vimos un rebaño de vacas. Por suerte, estaban rodeadas por una valla que les impedía entrar en la autopista de cuatro carriles.

Más tarde vimos dos ciervos que estaban junto a la carretera. Los ciervos de cola blanca son muy comunes en Míchigan y los conductores se ponen nerviosos cada vez que ven uno porque nunca se sabe cuándo saltarán delante del automóvil.

Cuando vi los ciervos, quise dar la vuelta y regresar al lugar donde estaban y hacer que volvieran al bosque. Pero yo no conducía. Así que mi siguiente pensamiento fue: «¿Por qué no son felices en la seguridad de los árboles? ¿Qué los atrae a esta autopista tan transitada?»

Luego pensé en los alumnos que estaban sentados detrás de mí. Y también pensé en ti. Cuando eres pequeño, los papás ponen límites o "vallas" para protegerte de las cosas que podrían lastimarte. Pero a medida que te haces mayor y más independiente, eres más libre, como los ciervos. El único problema es que la libertad, si no se controla, se pierde.

Los ciervos son libres de cruzar la autopista. Pero si lo hacen, la probabilidad de que sobrevivan es muy reducida.

De mayor, serás libre para tomar alcohol y drogas, experimentar la sexualidad y conducir sin respetar las normas de circulación. Pero si usas tu libertad para tomar las decisiones equivocadas, la perderás. Las personas que toman alcohol y drogas tienen muchas probabilidades de desarrollar una adicción. Quienes practican el sexo antes del matrimonio acaban con bebés, sintiéndose culpables y padeciendo enfermedades incurables. Si conduces de manera irresponsable, es muy probable que te pongan una multa, te retiren la licencia o incluso acabes muerto en un accidente.

Las influencias del mundo intentarán atraerte constantemente a un territorio peligroso. Recuerda que las vallas no te quitan la libertad, la conservan.

Pedir refuerzos

Llámame cuando estés angustiado; yo te libraré, y tú me honrarás.

SALMO 50: 15

EL PASTOR FRANK PHILIPS captó mi atención. Dijo: «Dios no nos ayuda a hacer cualquier cosa».

¿Quéeeeeeeeee? «Por supuesto que me ayuda», protesté mentalmente. «Cuando oro, me ayuda a decir no a la tentación».

El pastor Philips continuó diciendo:

—Dios no nos ayuda a hacer nada porque si lo hiciera, nosotros podríamos quedarnos con el mérito de todo lo que podemos llegar a hacer. Cuando le pedimos ayuda para decir no al pecado, Dios es el único que se enfrenta a la tentación.

Si tuvieras que levantar 450 kilos, necesitarías una buena ayuda. Quien mejor te podría ayudar es el campeón olímpico Hussein Rezazadeh, el hombre más fuerte del mundo (el récord de Hussein está en 471 kilos).

Si Hussein levantase los cuatrocientos cincuenta kilos y tú te pusieses junto a él agarrando la barra, ¿cuánto crees que habrías ayudado? ¿Dijiste: «Nada»? Tienes toda la razón. Él lo habría hecho todo. Él habría hecho todo el trabajo. Y si tú hubieses intentado ayudar, lo único que habrías conseguido sería estorbar.

Lo mismo sucede cuando nosotros intentamos resistir a la tentación. Si pensamos que se supone que debemos esforzarnos por resistir de verdad a la tentación y, permitimos que Dios marque la diferencia cuando somos incapaces de hacer nada más, estamos muy equivocados. No se trata de nuestra fuerza sumada a su poder. Es su poder, desde el principio hasta el fin.

Tenemos un papel en la lucha contra el pecado. Consiste en decidir si entregamos a Dios el control de nuestras vidas y permitimos que nos cambie.

No podemos resistir la tentación. Pero tenemos un Salvador que sí puede.

25 MARZO

¿Luz u oscuridad?

Tu palabra es una lámpara a mis pies y una luz en mi camino.
SALMO 119: 105

IMAGINA QUEDARTE CIEGO durante años. Ahora imagina cómo sería que recuperaras la vista.

Eso mismo sucedió al Sr. Shirl Jennings, un hombre que había sido ciego durante más de cuarenta años. Gracias a las nuevas técnicas quirúrgicas, los médicos fueron capaces de devolverle la vista. Pero liberarlo de su ceguera no fue el acontecimiento feliz que todos habían esperado.

La mente del Sr. Jennings se había adaptado a la ceguera. Cuando recuperó la visión, su cerebro no estaba preparado para el cambio.

Estaba emocionado porque podía ver a su esposa y sus hijos. Pero era incapaz de procesar muchas otras imágenes. Cuando se le acercaron el perro y el gato, el Sr. Jennings quedó aterrorizado. Era demasiado para que él pudiera entenderlo todo de una vez.

Después de vivir unas pocas semanas como una persona que ve, el Sr. Jennings decidió que era demasiada tensión. Por eso la mayor parte del tiempo se queda con los ojos cerrados. Se siente mucho más cómodo viviendo en la oscuridad.

No es el único. La mayoría de la gente prefiere la oscuridad. Pero esa oscuridad es espiritual, no visual. En lugar de querer saber qué es verdad y qué es mentira, muchas personas prefieren las mentiras de Satanás, porque se amoldan mejor a su estilo de vida.

La Biblia nos enseña a ser honrados, pero el mundo dice que en algunos casos mentir está bien, en particular si no te descubren. La Biblia nos enseña que tomar lo que no es nuestro está mal. Pero el mundo dice que a la oportunidad la pintan calva. La Biblia enseña que el adulterio está mal. El mundo dice: «¿Cómo puede estar mal, si estamos tan enamorados?»

La verdad de Dios no siempre resulta fácil de aceptar. Pero siempre es lo que conviene hacer. No te quedes en la oscuridad. Mira hacia su luz.

La mejor inversión

Acuérdense de esto: El que siembra poco, poco cosecha; el que siembra mucho, mucho cosecha.

2 Corintios 9: 6

SEGÚN DICEN, el Sr. Davis se esforzaba para que su familia viviera confortablemente. Tenía un pequeño negocio y trabajaba doce horas al día. Aun a pesar de que trabajaba duro, solo conseguía ganar quinientos dólares a la semana.

Un día, en la iglesia, el pastor habló de la importancia de pagar el diezmo. El Sr. Davis calculó que el 10% de sus ingresos eran 50 dólares. No sabía cómo sería capaz de pagarlos, pero decidió confiar en Dios; y, sin lugar a dudas, Dios lo bendijo. Su negocio creció de manera espectacular. De un día para otro, no ganaba 500 dólares a la semana, sino 5,000.

Cuando el pastor oyó hablar de la buena fortuna del Sr. Davis, fue a visitarlo a su oficina.

—Me han dicho que el Señor lo ha bendecido mucho. ¿Verdad que cuando confiamos nuestro dinero a Dios ocurren cosas maravillosas?

—Verá, eso es de lo que quería hablar con usted —dijo el Sr. Davis—. Cuando ganaba 500 dólares a la semana, pagar el diezmo no era difícil. Pero ahora que gano 5,000 no veo la manera de pagar un 10%. Quinientos dólares son mucho dinero para dárselos a la iglesia.

—Entiendo —respondió el pastor. Miró al cielo y oró—. Señor, el hermano Davis está hecho un verdadero lío. Por favor, ayúdalo a disminuir sus ingresos para que pueda seguir pagando el diezmo.

En lugar de dar las gracias a Dios porque sus ingresos habían aumentado, al Sr. Davis le sabía mal darle el diez por ciento.

Devolver una parte de tu dinero a Dios es la mejor inversión que jamás puedas hacer. Al principio puede que necesites mucha fe, pero cuando empieces a ver lo mucho que Dios te devuelve descubrirás que pagar el diezmo es un privilegio, no un deber.

27 MARZO

Denme la Biblia

Que el mensaje de Cristo permanezca siempre en ustedes con todas sus riquezas. Instrúyanse y amonéstense unos a otros con toda sabiduría. Con corazón agradecido canten a Dios salmos, himnos y cantos espirituales.

Colosenses 3: 16

CUANDO ERA PEQUEÑA, todas las personas mayores que conocía tenían una Biblia antigua, con cubiertas de piel raída y páginas rasgadas. Yo solía preguntarme: «¿Por qué no se compran Biblias nuevas y se deshacen de las viejas?»

Esta semana, en la iglesia, miré mi Biblia. Adivina qué vi. Una cubierta de piel raída. Y cuando busqué Juan 4, vi un trozo de cinta adhesiva que sostenía la página. Me di cuenta de (1) que me había convertido en una de aquellas personas mayores que solían extrañarme y (2) que tener una Biblia muy usada es algo maravilloso.

No creo que nunca sustituya mi Biblia. Durante los treinta años que la he tenido conmigo, la he llenado de cientos de anotaciones. Si quiero encontrar un texto determinado en la Biblia de otro me cuesta mucho tiempo. Pero dame *mi* Biblia y puedo encontrar exactamente lo que busco. No puedo imaginarme empezar de nuevo con otra nueva.

Solía oír que las personas decían: «Si mi casa se quemase, lo primero que salvaría sería mi Biblia». Eso me parecía un poco extraño. Pero ahora entiendo por qué las personas piensan así. Cuanto más tiempo dedicas a una cosa, más parte de ti es. Cuando te tomas tu tiempo para subrayar versículos y escribir comentarios junto a ellos, la Biblia se convierte en *tu* Biblia. Si tu Biblia es bonita y nueva, hazte con un lápiz o un bolígrafo y empieza a poner marcas. Empieza subrayando textos que en el futuro quieras encontrar. En las páginas en blanco que hay al final de tu Biblia empieza a escribir una lista de versículos que expliquen, por ejemplo, cómo se salva una persona, la verdad del sábado y qué sucede cuando una persona muere.

Cuando uses tu Biblia como una herramienta de aprendizaje, se convertirá en algo muy especial. Así que, si tu casa se incendia, apuesto a que será una de las primeras cosas que querrás salvar de las llamas.

Suplir nuestras necesidades

El Señor es tierno y compasivo; es paciente y todo amor.

Salmo 103: 8

—LOS EQUIPOS no son justos.

Shelly protestaba porque los equipos de la clase de Educación Física no eran iguales. Todos los lunes, el profesor hacía girar la "rueda de los equipos" y los equipos se intercambiaban un jugador. Usar la rueda de los equipos ahorraba tiempo y mantenía los equipos equilibrados de algún modo. Pero ese día en particular dos personas del equipo de Shelly estaban enfermas.

El profesor explicó que había una diferencia entre algo que es justo y algo que es igual. Los equipos no eran iguales, pero eran justos.

Cuando Jesús estuvo en la tierra, amó a todas las personas que se cruzaron en su camino. Las trató con justicia, pero no las trató siempre igual.

Después de encontrar a Pedro y Andrés junto al mar, los invitó.

—Síganme.

Pero cuando el hombre liberado de la posesión del demonio preguntó a Jesús si podía seguirlo, lo envió de vuelta a casa.

—Vuelve y cuenta a todos lo que el Señor ha hecho por ti.

Cuando vio al joven rico, Jesús dijo:

—Vende todo lo que tienes y dáselo a los pobres.

Pero cuando vio a Zaqueo, sentado en la rama del sicómoro, su mensaje para él fue diferente.

—Zaqueo, ¿qué te parece si hoy ceno en tu casa?

Jesús sabía qué necesitaba cada persona. Pedro y Andrés necesitaban dejar su negocio de pesca para que pudieran poner toda su energía en el trabajo con Jesús. El hombre poseído por el demonio necesitaba dar testimonio a sus vecinos. El joven rico necesitaba confiar en Dios y no en su dinero. Y Zaqueo necesitaba un amigo.

En este momento, ¿qué es lo que más necesitas de Jesús?

Quien algo quiere, algo le cuesta

**Y no solo esto, sino que también nos gloriamos de los sufrimientos;
porque sabemos que el sufrimiento nos da firmeza para soportar,
y esta firmeza nos permite salir aprobados,
y el salir aprobados nos llena de esperanza.**
Romanos 5: 3, 4

EL SUROESTE DE MÍCHIGAN es conocido por su producción de fruta, melocotones, arándanos, manzanas, cerezas... La última fruta que se recoge en el año es la uva. Los racimos no son del tipo que ves en la tienda de comestibles durante todo el año. Son las uvas Concord, que se utilizan para hacer mosto.

Para poder crecer y madurar, las uvas Concord necesitan que todo el verano brille el sol y haga calor. Pero no alcanzan su mejor punto hasta que no han pasado por una helada. Ese cambio de temperatura tan desagradable prepara los frutos para la vendimia.

Lo mismo sucede con las personas. Necesitan que se las saque de su estado de acomodación para que puedan dar lo mejor de ellas mismas.

Los estudiantes tienen que aprenderse los horarios, pero al final, si quieren entrar en la universidad, deberán hincar los codos estudiando álgebra y geometría. Los músicos tienen que aprender composiciones cada vez más difíciles si quieren que su técnica mejore. Los esquiadores tienen que intentar maniobras cada vez más complicadas para poder pasar a una pista más difícil.

En las cosas espirituales no hay ninguna diferencia. Si queremos parecernos cada vez más a Jesús necesitamos los retos que nos traen las pruebas.

No podemos aprender a ser pacientes si nunca ponemos a prueba la paciencia. No podemos aprender a perdonar a menos que haya algo que perdonar. No podemos aprender a ser generosos a menos que estemos dispuestos a renunciar a nuestro dinero y nuestras posesiones.

Cuando te enfrentes a una prueba, no la consideres como una molestia. Considérala una oportunidad que te ayudará a crecer.

Las cosas pequeñas importan

Huye de las pasiones de la juventud, y busca la justicia, la fe, el amor y la paz, junto con todos los que con un corazón limpio invocan al Señor.

2 Timoteo 2: 22

LA SEMANA PASADA, en clase de matemáticas, Jody se me acercó después que le hube devuelto el examen.

—Sra. Coffee, ¿por qué me ha marcado esto como mal?

Miré el papel.

—Escribiste «10.00 $». La respuesta correcta es «1,000.00 $» —dije.

—Ya lo sé, ¿pero no podría considerarlo correcto? Los números estaban bien. Solo me equivoqué al poner los decimales.

Fui a la pizarra y escribí «10.00 $» y «1,000.00 $».

—Jody, si convinieras en trabajar para mí todo el verano por mil dólares, ¿te gustaría que, al fin de las vacaciones, te diese un cheque de diez dólares? ¿Te importaría si pusiera el decimal en el lugar equivocado?

Jody sonrió y volvió a su asiento. Había captado la idea.

Un decimal puede que sea una cosa muy pequeña, pero el lugar donde lo pones marca una gran diferencia. Las cosas pequeñas tienen su importancia; en especial las que pueden afectar tu carácter. Cosas como:

- robar un caramelo,
- hojear una revista inmoral en el kiosco o
- fumarte un cigarrillo.

Comparados con los terribles delitos que cada día suceden, esos ejemplos quizá no parezcan muy graves. Pero aun así, los "pecadillos" pueden tener un gran potencial destructor en la vida de las personas.

Satanás usa las pequeñas cosas para empujar a las personas a cometer actos cada vez peores. Si quieres permanecer libre de su control, no muerdas el anzuelo.

31 MARZO

Día de gratitud

¡Qué bueno es cantar himnos a nuestro Dios!
¡A él se le deben dulces alabanzas!
Salmo 147: 1

HOY ES EL ÚLTIMO DÍA del mes y es el momento de escribir lo que quieres agradecer. ¿Qué bendiciones especiales has descubierto desde la lista de febrero? ¿Qué peticiones te gustaría hacerle a Dios hoy?

Gracias, Señor, por:

Peticiones especiales:

Rendición total

No actúen tontamente; procuren entender cuál es la voluntad del Señor.

Efesios 5: 17

JIM ELIOT tenía solo seis años cuando aceptó a Jesús como su Salvador. Cuando creció, decidió que Dios lo guiaba al campo misionero. En la universidad encontró a otros que, como él, se tomaban en serio las órdenes dadas por Jesús de ir a todo el mundo y predicar el evangelio.

Jim y sus amigos decidieron que irían a Ecuador para trabajar con los huaorani. Los huaorani eran una tribu que se había apartado voluntariamente del resto del mundo. Eran tan primitivos que las tribus que los rodeaban los consideraban bárbaros. Los huaorani se daban a sí mismos el nombre de *auca*, que significa "salvajes".

Sin saber cómo responderían los auca a la presencia de extraños de piel blanca, el equipo de Jim fue a intentar ganarse su confianza. Empezaron volando por el territorio auca y dejando caer regalos. Después de haber dejado caer muchos regalos, los cinco hombres decidieron que ya era hora de conocer a los auca en persona.

Jim y sus amigos hicieron que el avión aterrizara en la playa, con la esperanza de que los auca saliesen de jungla para encontrarse con ellos. Los auca salieron, sí, pero no como amigos. Al anochecer los cinco hombres yacían muertos sobre la arena.

Muchos creyeron que Jim y sus amigos habían malgastado su vida con los auca. Sin embargo, más tarde, las viudas de dos de esos misioneros pudieron vivir con los auca y llevarles la historia de Jesús.

Jim escribió una vez: «Quien da lo que no puede conservar para ganar lo que no puede perder no es nada necio». Jim entendió la importancia de poner su vida completamente en manos de Dios.

Los que sigan su ejemplo de total rendición no deberán preocuparse por su futuro en la tierra. Tienen un hogar en le cielo y la felicidad que experimenten valdrá cualquier sacrificio que tengan que hacer en la tierra.

Las sobras

Pues si uno es rico y ve que su hermano necesita ayuda, pero no se la da, ¿cómo puede tener amor de Dios en su corazón?
1 Juan 3: 17

CIERTA ESCUELA CRISTIANA quiso llevar adelante un proyecto misionero. No era posible abandonar la escuela y viajar al extranjero para construir una iglesia, por lo que a alguien se le ocurrió algo que se podía hacer sin viajar.

Se decidió que se enviaría un equipo deportivo a una escuela de Nueva Guinea. De todos es sabido que los niños se divierten mucho con pelotas de todos los tipos. Se juntaron todos los balones viejos, desgarrados, deshinchados y desgastados que no tenían aire en su interior y se enviaron a la escuela misionera acompañándolos con el siguiente mensaje: «Aquí tienen algunos balones. Ya no nos sirven pero creemos que a ustedes les serán de utilidad».

A veces tratamos a Dios del mismo modo desconsiderado. También tenemos maneras de darle nuestras sobras.

En lugar de hacer que la adoración sea lo primero que hagamos por la mañana, pasamos todo el día haciendo lo que nos viene en ganas; y luego, por la noche, cuando estamos a punto de apagar la luz para ir a dormir, nos acordamos de que no pasamos ni un momento con Dios. Así que enviamos una oración rápida al cielo:

«Querido Jesús: Siento que no haya pasado más tiempo contigo hoy. Anduve tan atareado que estoy seguro que lo entenderás. Mañana intentaré estar más tiempo contigo».

¿Y qué decir del dinero? ¿Apartamos el diezmo y las ofrendas tan pronto como ganamos dinero? ¿O acaso compramos las cosas que nos gustan sin pensar en nada y gastamos nuestro dinero y el de Dios, dejándole una cuarta parte de lo que debiéramos para el cepillo de las ofrendas? Tenemos que poner a Dios en el primer lugar de nuestra vida; no solo en los asuntos de tiempo y dinero, sino en todos.

El bautismo: volver a empezar

Pues por el bautismo fuimos sepultados con Cristo, y morimos para ser resucitados y vivir una vida nueva, así como Cristo fue resucitado por el glorioso poder del Padre.

Romanos 6: 4

EL EVANGELISTA DWIGHT MOODY conoció a un cristiano converso que se había desanimado mucho. El hombre se había apartado de su antigua vida y había aceptado a Jesús como su Salvador. Pero al cabo de poco descubrió que hacía cosas que le hubiera gustado dejar atrás.

—Pensé que había cambiado —admitió el hombre—. ¿No hay manera de vencer?

—Amigo —respondió Moody—, su problema es que solo tiene una mitad del evangelio. La muerte de Cristo para salvarlo de la paga del pecado es solo la mitad del evangelio. La otra mitad es que él tiene todo el poder del cielo y la tierra para darle la victoria sobre la influencia controladora del pecado.

La salvación tiene dos partes: la justificación y la santificación. La justificación nos pone a bien con Dios, como si nunca hubiésemos pecado. Esa es la primera mitad del evangelio a la que se refería Moody. Es aceptar que Jesús murió en nuestro lugar y tener el nombre escrito en el Libro de la Vida del cielo.

La santificación, la segunda parte del evangelio, es algo que sucede durante el resto de la vida. Es el proceso mediante el cual cada vez nos vamos pareciendo más a Jesús.

A menudo las personas se decepcionan cuando descubren que el bautismo no resuelve todos sus problemas. Habían presupuesto que, después del bautismo, la vida sería fácil y las tentaciones serían cosa del pasado. Pero el bautismo no es un encantamiento mágico. Es una ceremonia que dice al mundo que quieres formar parte de la familia de Jesús. Es el inicio oficial de tu increíble viaje con Dios.

Seguirás siendo tentado. Pero no tendrás que luchar tú solo contra el pecado. Tendrás a Jesús como tu Amigo y al Espíritu Santo como la Ayuda que te dará poder para hacer lo que es correcto.

Peticiones extrañas

¡Qué grande es tu bondad para aquellos que te honran!
La guardas como un tesoro y, a la vista de los hombres,
la repartes a quienes confían en ti.
SALMO 31: 19

EL *CRACK* BURSÁTIL de 1929 trajo tiempos difíciles a los Estados Unidos. Los negocios quebraban. La gente perdía el empleo. Como no tenían unos ingresos estables, las familias eran incapaces de pagar los alquileres y eran obligadas a echarse a la calle.

Para la Iglesia Adventista también fueron tiempos difíciles. Como muchas personas no tenían trabajo, no podían dar mucho dinero para las ofrendas. Por eso el presupuesto mundial se redujo y los dirigentes de la Asociación General se preguntaban cómo podrían pagar a los pastores, los maestros y los misioneros que estaban esparcidos por todo el mundo.

El hermano W. H. Williams era tesorero de una de las principales oficinas de la Asociación General. Una parte de su empleo consistía en pagar los salarios de los obreros en el extranjero. Para hacerlo adecuadamente, trabajaba con dos bancos distintos de la ciudad de Nueva York, además de un banco local cercano a las oficinas de la Asociación General.

El hermano Williams se había ganado una reputación de buen administrador. Pero su ayudante, Chester Rogers, se dio cuenta de que su jefe actuaba de manera muy extraña.

El hermano Williams le había dado montones de billetes de cien dólares completamente nuevos. Luego le dijo que los pusiera en pequeños paquetes de diez billetes, que pusiera cada paquete en un sobre y que depositara los sobres en la caja fuerte de la oficina. El hermano Williams también había escrito a las divisiones en el extranjero que le enviaran sus peticiones de dinero con varios meses de antelación al momento en que se necesitase.

Chester no entendía que sucedía. Pero hizo lo que le pidieron. Los paquetes de dinero continuaron acumulándose en el interior de la caja fuerte. Chester se preguntaba qué haría después el hermano Williams. No tendría que esperar mucho. (Continuará.)

Cambio de planes

Yo te llevaré por el camino de la sabiduría:
te haré andar por el buen camino.

Proverbios 4: 11

ERA LA HORA DE CERRAR del 2 de marzo de 1933. El hermano Williams ordenó su escritorio. Esperaba llegar a casa y descansar. Pero antes de que pudiera levantarse sintió una presión en el hombro y escuchó una voz que le decía: «Ve a Nueva York esta misma noche».

El hermano Williams sabía que quien le hablaba era Dios. Pero la orden no tenía sentido.

—Señor, no tengo tiempo de ir a los bancos de Nueva York para hacer gestiones. ¿Qué se supone que tengo que hacer?

La presión en el hombro continuaba.

El hermano Williams estaba cansado. Lo último que quería era tomar el tren para ir a Nueva York. Pero sabía que Dios tenía una misión para él, aunque desconocía cuál era.

Al salir al vestíbulo vio a su ayudante.

—Chester, ¿podría acercarme a la estación del tren? —preguntó.

Chester dijo que sí.

Cuando, a la mañana siguiente, el hermano Williams llegó a Nueva York, preguntó a Dios que le mostrase qué se esperaba que hiciese.

«Ve a los dos bancos con los que tienes tratos y envía el dinero de las misiones a todas las divisiones».

—Pero si no tengo que hacerlo hasta más adelante —protestó.

La sensación no desaparecía. Así que, cuando los bancos abrieron, el hermano Williams era el primero de la cola.

Cuando Dios nos pide que hagamos algo, nunca deberíamos tener miedo de seguir su dirección. Él sabe qué es mejor y podemos obedecerlo sin reservas. (Continuará.)

Siguiendo los propósitos de Dios

Yo te llevaré por el camino de la sabiduría:
te haré andar por el buen camino.
PROVERBIOS 4: 11

AL ENTRAR EN EL BANCO, el hermano Williams se dirigió hacia el mostrador acostumbrado. Esperaba algún comentario del empleado referente al momento en que se hacían las transacciones, pero solo recibió un cálido saludo.

—¿Qué puedo hacer por usted? —preguntó.

—Quisiera enviar los fondos misioneros a los lugares habituales.

El hermano Williams entregó al empleado la lista de cantidades que normalmente se enviaban a cada una de las divisiones al tiempo que escuchó su propia voz diciendo:

—Esta vez quiero que envíe *el triple* de la cantidad habitual. Por favor —añadió— asegúrese de que esta transacción se efectúa con toda celeridad.

Tan pronto como el hermano Williams salió del banco, empezó a preocuparse: «¿Qué pensarán los otros dirigentes de la iglesia cuando descubran lo que he hecho?» Volvió a sentir la presión en el hombro a la vez que algo lo empujaba a apresurarse para ir al otro banco en el que la Asociación General mantenía abierta una cuenta.

En el segundo banco repitió la misma petición: el triple de dinero debía ser enviado inmediatamente a los destinos de costumbre. Salió del banco y tomó el tren de regreso a Maryland.

Cuando esa noche se dejó caer en la cama, pidió a Dios que le concediera un buen sueño reparador para que su mente pudiese descansar de los agobiantes sucesos del día. Agotado, se durmió profundamente y no se despertó hasta bien entrada la mañana del sábado. En ese momento su sueño quedó interrumpido por los sonoros gritos del repartidor de los periódicos.

—¡Extra! ¡Extra! Los bancos de toda la nación cierran sus puertas.

De repente, los extraños acontecimientos del día anterior cobraron sentido. Dios había enviado al hermano Williams a Nueva York para que enviara el dinero antes de que los bancos cerraran.

El hermano Williams dedicó el resto del sábado a alabar a Dios por el milagro que había obrado enviando el dinero en el momento justo. (Continuará.)

Que no cunda el pánico

Honren al Señor, los consagrados a él, pues nada faltará a los que lo honran.
SALMO 34: 9

NADA MÁS PONERSE EL SOL, el hermano J. L. Shaw, jefe del departamento de tesorería de la Asociación General, convocó al hermano Williams a una reunión de emergencia en la sede central. Cuando llegó, los miembros del departamento de tesorería discutían la gravedad de la situación. Con los bancos cerrados, no podrían sostener a los obreros en el extranjero. Tampoco podrían traerlos de regreso a los Estados Unidos.

El hermano Williams, incapaz de contener su angustia, interrumpió la discusión.

—No hay nada de qué preocuparse —dijo—. Ayer Dios me envió a los bancos de Nueva York para que ordenara una transferencia por valor de tres meses a todas las divisiones del extranjero.

Inmediatamente, la reunión de negocios se transformó en una reunión de alabanza y dieron gracias a Dios por haberlos guiado. Cuando se levantaron de nuevo, alguien pensó en otro problema.

—¿Cómo pagaremos a los obreros que trabajan aquí?

¡El dinero de la caja fuerte! El hermano Williams saltó de su silla y corrió a la caja fuerte, donde había guardado los sobres con los billetes de cien dólares. Contó el dinero y descubrió que había suficiente para cubrir la nómina de los tres meses siguientes, el mismo tiempo que se había cubierto para los obreros en el extranjero.

Miles de pequeños bancos cerraron para siempre ese sábado de 1933. Muchos otros no volvieron a abrir hasta tres meses más tarde, cuando cedió el pánico financiero. Durante ese tiempo nuestros misioneros vieron atendidas sus necesidades y la Asociación General no tuvo que pedir dinero prestado para continuar su obra.

¡Qué gran Dios tenemos! Conoce el fin desde el principio y tiene respuesta para todos nuestros problemas. Pon tu fe en él, hoy y todos los días.

Tu círculo de amistades

Feliz el hombre que no sigue el consejo de los malvados, ni va por el camino de los pecadores, ni hace causa común con los que se burlan de Dios.
SALMO 1: 1

EN 1665, un científico holandés llamado Christian Huygens se apercibió de algo extraño mientras hacía experimentos con relojes de péndulo. Descubrió que cuando ponía dos de ellos en la misma habitación y los ponía en funcionamiento de manera que no hicieran tictac al mismo tiempo, al final acababan sincronizándose y haciendo tictac a la vez. Este fenómeno se conoció como *arrastre* y afecta a muchas cosas más que a los relojes.

Piensa en tu grupo de amigos. ¿Entre ustedes hay algún tipo de arrastre? Por casualidad, ¿escuchan el mismo tipo de música, ven los mismos programas de televisión, les gusta el mismo tipo de ropa y obtienen notas similares en la escuela?

Tener cosas en común es lo primero que hace que la gente se una. Y cuanto más tiempo pasan juntas, más probable es que las personas copien los hábitos de los demás. Por eso es tan importante escoger bien los amigos.

Todos conocemos personas muy agradables cuya vida cambió para siempre porque se unieron al grupo equivocado. Pensaban que podrían ponerse en situaciones comprometidas y mantener sus valores cristianos. Pero, como los relojes, después de un tiempo se vieron arrastradas a hacer lo que el resto del grupo hacía.

En la vida, busca amigos que tengan rasgos de carácter que quieras desarrollar en ti. Escoge amigos que amen a Jesús y esperen vivir algún día en el cielo.

Algo que pensar sobre ti: ¿Cómo han influido tus amigos para que seas una persona mejor?

Toma mi mano

Pues Dios amó tanto al mundo, que dio a su Hijo único, para que todo aquel que cree en él no muera, sino que tenga vida eterna.

JUAN 3: 16

CUENTA LA HISTORIA que un padre y su hijita de cinco años andaban por la acera de una gran ciudad. Pasaban junto a los escaparates, uno tras otro, sorteando a los cientos de personas que se dirigían a un destino desconocido.

Cuando llegaron a un cruce, se detuvieron y observaron los automóviles cómo se deslizaban por las agitadas calles. Cuando el semáforo cambió de color el padre extendió la mano

—Toma mi mano —dijo.

La niñita sacudió la cabeza.

—No, papá. Si te tomo de la mano puede que me suelte. Mejor toma tú *mi* mano. Sé que nunca la soltarás.

La niña quizá no era muy mayor, pero era más inteligente de lo que le correspondía por edad. Conocía sus debilidades.

Justo antes de que Jesús fuera arrestado y crucificado, dijo a los discípulos que no le serían leales. Pedro, confiado y seguro de sí mismo, estalló: «Bueno, quizá todos te dejen, pero puedes contar conmigo». Ya sabes el resto de la historia. La caída de Pedro fue a causa de que sobreestimó su capacidad de resistir a la tentación.

¿Te has fijado alguna vez en las personas que se han rendido a Satanás y pensaste: «Chico, yo jamás seré como ellos»? Drogadictos, alcohólicos, inmorales, asesinos… La determinación es buena, pero jamás debemos confiar demasiado en nuestras fuerzas. La única manera de resistir a la tentación es darnos cuenta de lo débiles que somos.

Jesús espera darnos su fuerza. Todo cuanto hay que hacer es pedírsela. Él nos tomará de la mano y nunca nos soltará.

10 ABRIL

Mantente firme

Manténganse despiertos y firmes en la fe. Tengan mucho valor y firmeza.
1 CORINTIOS 16: 13

CUANDO JEROME HINES iba al el instituto no pudo entrar en el coro porque su voz no se mezclaba bien con las demás. Cuando fue adulto, fue cantante profesional y durante más de 41 años cantó como bajo en el Metropolitan Opera House de Nueva York.

Una tarde, al llegar al primer ensayo de una ópera escrita por Debussy, Jerome descubrió que el director había decidido añadir una escena inmoral que no formaba parte del argumento original.

Hines se enfrentaba a un dilema. Ya había firmado un contrato accediendo a representar su papel. Legalmente, estaba obligado a cantar en la ópera. Pero como cristiano no creía que pudiera tomar parte en la representación.

Esa noche fue a casa y oró. Al día siguiente se levantó delante de los demás intérpretes y les dijo que como cristiano no podía cantar en la ópera. Sin embargo, ofreció pagar un sustituto. Para alivio de Jerome, el director eliminó la escena objetable y Jerome pudo actuar con la conciencia tranquila.

Hace falta mucho valor para permanecer firme en defensa de lo que crees, en particular cuando los otros no comparten tus ideas respecto de lo correcto y lo incorrecto.

Sorprendentemente, los que no son cristianos suelen ser más comprensivos que los que afirman creer lo mismo que nosotros. Las personas del mundo suelen respetar a las personas de moral elevada. Pero los otros cristianos pueden considerar que los que resisten al mal son legalistas.

Tal como decía el versículo de hoy, debemos estar alerta y permanecer firmes en nuestras creencias. No importa con quién estemos, nuestro sentido de lo correcto y lo incorrecto jamás debería cambiar.

La única salvaguarda de verdad

El que confía en el Señor, prospera.
PROVERBIOS 28: 25

MIKE HATFIELD tenía un problema. El Día de los Caídos por la Patria de 2004 había perdido las llaves en un lago cerca de Kansas City, Misuri. Sabía que sería difícil sustituir las llaves; por lo que decidió recuperarlas con un poco de ayuda de un amigo.

Volvió a casa y tomó una larga manguera de jardín, una cuerda y un ancla de bote. Luego Mike y un amigo subieron a un bote y remaron hasta el lugar en que Mike había perdido las llaves.

Mike ató la cuerda a su pecho y dio el otro extremo a su amigo.

—Cuando esté a punto —dijo— te haré una señal con la cuerda y tú podrás sacarme tirando de ella.

Mike tomó la manguera de jardín.

—Será mi salvaguarda. La usaré como si fuera un tubo respirador.

Mike saltó por la borda. Pero algo salió mal y la manguera se le deslizó de la mano. Mike intentó regresar a la superficie pero el ancla de cinco kilos atada a su pecho lo mantenía firmemente pegado al fondo.

En el bote, el amigo de Mike esperaba el tirón en la cuerda. Como no sucedía nada, empezó a pensar que algo habría salido mal. Decidió tirar de Mike hacia la superficie.

Fue una buena idea porque, para entonces, Mike estaba inconsciente. Su amigo practicó las maniobras de recuperación y pronto volvió a respirar. Mike casi perdió la vida porque había puesto su fe en la salvaguarda equivocada.

Todos necesitamos una salvaguarda, algo a qué aferrarnos cuando necesitamos seguridad y confianza. Algunos escogen el dinero como su salvaguarda. Otros ponen su fe en el poder o en los amigos. Pero Jesús es la única salvaguarda que está totalmente garantizada. Si te pones en sus manos, no habrá nada en el futuro que deba preocuparte. Jesús jamás falla.

¿La verdad o las consecuencias?

No se engañen ustedes: nadie puede burlarse de Dios. Lo que se siembra, se cosecha.
GÁLATAS 6: 7

CUANDO ESTUVIMOS EN JAPÓN nos costó mucho pedir comida en los restaurantes. No hablábamos japonés, así que no podíamos decir a las personas qué queríamos para comer. Un menú tampoco nos ayudaba porque no teníamos ni idea de qué significaban todos esos extraños símbolos.

Pero en un viaje a Tokio, descubrimos que muchos restaurantes se habían inventado una manera muy astuta de presentar los distintos platos. A las puertas de esos restaurantes había vitrinas de plástico transparente llenas de modelos de plástico de la comida que se podía pedir en el interior. Tom y yo mirábamos en las vitrinas y escogíamos los que parecían más seguros (los que era menos probable que llevaran calamar, pulpo o algún otro animal extraño). Cuando el camarero venía a la mesa, lo llevábamos fuera y le señalábamos qué queríamos.

En nuestro país, podemos preguntar al camarero sobre el menú, ver las opciones y hacer el pedido. Sabemos qué nos van a traer. Por desgracia, no sucede lo mismo cuando se trata del pecado.

Cuando hacemos tratos con Satanás, está más que contento de dejarnos ver la lista de platos de su menú. Podemos escoger una muestra de cualquier cosa que tenga disponible. El único problema es que aunque podemos escoger el pecado, no podemos escoger las consecuencias.

Nadie que empieza a fumar quiere padecer cáncer. Nadie que copia en un examen de historia espera que lo llamen al despacho del director y lo suspendan. Nadie que se lleva ropa sin pagar de la tienda planea que lo arresten.

Cuando somos tentados no pensamos en las malas cosas que pueden suceder. Solo queremos divertirnos un poco. Antes de tomar tus decisiones, considera las consecuencias.

La pieza que faltaba

Porque toda la plenitud de Dios se encuentra visiblemente en Cristo, y en él Dios los hace experimentar todo su poder, pues Cristo es cabeza de todos los seres espirituales que tienen poder y autoridad.

Colosenses 2: 9, 10

LOS VES CADA VEZ que enciendes el televisor. Están en las revistas y en las carteleras. Son los anuncios; promesas de felicidad y satisfacción.

Las empresas gastan miles de millones de dólares para anunciar sus productos porque entienden la naturaleza humana. Saben que la gente busca desesperadamente algo que llene su vida vacía.

Cuando Adán y Eva fueron creados, tenían todo cuanto necesitaban para ser felices. Pero cuando decidieron que no podían confiar en Dios, se separaron de él y les faltó algo. Un enorme vacío aparecido en su corazón, un vacío que solo podía llenar Dios.

Desde entonces la gente ha buscado algo, cualquier cosa, que llene ese vacío. La diversión, el poder, la moda, el dinero, las relaciones, las diversiones, la excitación, las posesiones, la competición, los juegos de azar, los deportes… Lo que sea, lo han probado todo. Pero intentar llenar un espacio de la medida de Dios con otra cosa que no sea Dios es intentar llenar el Gran Cañón con un grifo y un cubo.

Podemos intentar llenar el abismo con cubos y cubos de agua, pero se nos evaporará en frente de nuestras narices. Las cosas que sustituyen a Dios son igual de temporales.

La única manera de llenar el vacío es poner a Dios en el centro de la vida. Cuando esté en el corazón no tendremos que ir en busca de la felicidad. Ya la tendremos.

14 ABRIL

Una historia increíble

Trabajarás durante seis días, pero el día séptimo no deberás hacer ningún trabajo; será un día especial de reposo y habrá una reunión santa. Dondequiera que vivas, ese día será de reposo en honor del Señor.
Levítico 23: 3

—CUANDO ESAS SEÑORAS pasan junto a mi casa, me vienen ganas de arrojar el agua de lavar sobre sus vestidos blancos —dijo Clara a Bill, su esposo—. ¿Quién se creen que son, yendo a la iglesia un sábado cualquiera?

Cuando a Bill Gersonde le ofrecieron un empleo como farmacéutico en Berrien Springs, Míchigan, se mudó con su familia sin saber que se trataba de una comunidad adventista.

Cada sábado por la mañana, mientras Clara hacía la limpieza y tendía la colada, los adventistas pasaban junto a su casa de camino a la iglesia.

Bill intentó defenderlos.

—Clara, no deberías ser tan crítica —respondía Bill—. Son buena gente.

Pero Clara no estaba convencida.

Unos meses más tarde, Frank, otro farmacéutico, invitó a Bill y a Clara para que fueran a jugar a cartas a su domicilio. La esposa de Frank, Mary, no jugó, pero saludó a los demás y luego se puso a ordenar. A mitad de la segunda partida, sonó el timbre. Mary fue a la puerta. Frank echó un vistazo a través de la cortina y volvió a la mesa.

—De prisa, escondan las cartas —susurró—. Es el pastor de mi esposa.

Cuando Clara y Bill fueron presentados al ministro adventista, Clara quiso aleccionarlo al respecto del correcto día de adoración.

—Pastor, ¿no sabía que el sábado fue cambiado por el domingo? —preguntó.

—Mire, pues no —respondió él—. Nunca lo leí en la Biblia. ¿Dónde se encuentra?

—Le traeré los versículos —dijo Clara confiada—. Deme unos días.

Clara buscó en su Biblia, del principio al fin. ¿Qué crees que descubrió? (Continuará.)

La historia continúa

Cuando venga el Espíritu de la verdad, él los guiará a toda verdad.

Juan 16: 13

POR MÁS QUE LO INTENTARA, Clara no podía encontrar nada en la Biblia que probara que Dios hubiese apartado el sábado y puesto el domingo en su lugar como día de adoración. La siguiente vez que habló con el pastor adventista le pidió que estudiaran juntos la Biblia. Así que, para desesperación de Bill, Clara empezó a recibir estudios bíblicos y pronto se unió a la iglesia adventista.

—¿Cómo es posible que dejes la iglesia luterana? —preguntó—. Forma parte de nuestra herencia alemana. ¿Qué pensará mi familia?

—Pero, Bill —respondió Clara—, el séptimo día es el sábado.

Tan pronto como pudo, Bill trasladó a Clara y sus hijos fuera de Berrien Springs, a St. Joseph, a unos cuarenta kilómetros. Allí vivía su hermana Lena con su familia y tenía la esperanza de que el nuevo entorno devolvería a Clara el sentido común. Pero ella continuó estudiando la Biblia y empezó a dar estudios bíblicos a las personas de la población.

Lena, la hermana de Bill, sufría una depresión. Durante días permanecía en su habitación. El resto de la familia no sabía qué hacer para ayudarla.

Una tarde, mientras estaban de pie, alrededor de su cama, discutiendo qué se debería hacer, alguien dijo:

—Miren, hagamos lo que hagamos, tenemos que mantenerla alejada de Clara y su nueva religión.

—La tía Clara es enfermera —protestó la hija de Lena—. Necesitamos su ayuda.

La madre de Lena desaprobó la idea.

—Si traen a Clara, hablará a Lena para que se una a su iglesia. No, debemos mantener a Clara alejada de Lena.

(Continuará.)

En busca de la verdad

**Que nunca te abandonen el amor y la verdad [...]
y escríbelos en el libro de tu corazón.**
PROVERBIOS 3: 3, NVI

AL ESCUCHAR A SU FAMILIA que hablaba de su cuñada Clara, Lena abrió los ojos.

—Llévenme a casa de Clara —dijo—. Necesito ir ahí.

Como su familia continuaba discutiendo, Lena se levantó, hizo la maleta y se fue a casa de Clara.

Los familiares de Lena llamaron a su ministro para que los aconsejara. El reverendo Dr. Heppler[1] era un respetable experto en la Biblia. Seguro que podría hablar con Lena y convencerla de que volviera a casa antes de que Clara llenase su cabeza con toda esa palabrería adventista.

A la mañana siguiente, el Dr. Heppler fue a casa de los Gersonde. Cuando pidió ver a Lena, Clara lo llevó a la habitación de invitados.

—Lena —empezó el Dr. Heppler—, tu familia está muy preocupada. Saben que no te has sentido bien y temen que sea fácil influirte para que abandones la iglesia a la que siempre asististe.

—Clara tiene razón —protestó Lena—. Me ha mostrado que el séptimo día de la Biblia es el sábado. ¿Cómo puedo seguir adorando a Dios en domingo?

El Dr. Heppler no respondió. Se limitó a hacerle otra pregunta.

—Lena, ¿a quién harás caso, a Clara o a mí? ¿Por qué no oramos por ti y cuando acabemos tú decides quién conoce realmente la Biblia?

Clara y el Dr. Heppler se arrodillaron junto a la cama de Lena. El Dr. Heppler oró en primer lugar y Clara lo hizo después.

—¿Cuál es tu decisión? —preguntó el Dr. Heppler.

Dios tiene muchas maneras de comunicarse con los que buscan la verdad. Mañana descubrirás qué aprendió Lena durante la oración.

---

1. El nombre se ha cambiado.

Guiada por la luz

Dame entendimiento para guardar tu enseñanza; ¡quiero obedecerla de todo corazón!
SALMO 119: 4

DESPUÉS QUE EL DR. HEPPLER Y CLARA se hubieron levantado, el ministro pidió a Lena qué decisión había tomado. Lena tuvo muchas dificultades para expresar con palabras lo que había sucedido.

—Mientras ustedes oraban, sentí la necesidad de mirarlos. Cuando lo hice, vi una sombra oscura que cubría su cara y escondía sus ojos, Dr. Heppler. Pero cuando Clara oró, una luz brillante, como un halo, apareció sobre su cabeza.

No había duda en la mente de Lena al respecto de a quién debía escuchar.

Cuando Lena regresó finalmente a casa, su depresión había desaparecido y su fe se había fortalecido. A pesar de las protestas de su familia, Lena se bautizó en la iglesia adventista. Entonces Jesús le habló en un sueño.

—Sé que te has sacrificado mucho por seguirme —le dijo—. ¿Hay algo que yo pueda hacer por ti?

Lena supo inmediatamente qué petición debía ser. Se había hecho mayor hablando en alemán y, aunque sabía hablar un poco de inglés, nunca había aprendido a leerlo.

—Señor —dijo—, quisiera saber más de ti. Quisiera poder leer las lecciones de la Escuela Sabática y estudiar libros como *El Deseado de todas las gentes* y *El camino a Cristo*. Pero no están escritas en mi idioma. ¿Podrías enseñarme a leer en inglés?

Dios respondió a su oración y desde ese momento supo leer tanto en alemán como en inglés.

Bill y Clara, mis abuelos, y mi tía abuela Lena descansan en sus tumbas esperando la venida de Jesús. Soy muy feliz de que mi abuelita aprendiera la verdad del sábado y no tuviera miedo de compartirla con otros. Estoy impaciente por que llegue el día del regreso de Jesús para poder ver a los tres, brillando con la luz de la aprobación de Dios.

Un amigo en apuros

En todo tiempo ama el amigo.
Proverbios 17: 17

LOS SERES HUMANOS no son los únicos a quienes les gusta tener amigos. A veces, los animales también escogen los suyos.

Buddy y Rags eran vecinos. Ambos perros eran inseparables. Si veías a uno, casi seguro que veías al otro.

Un día Buddy se perdió. Sus propietarios no se preocuparon demasiado porque aunque Buddy, ocasionalmente, se escapase, siempre encontraba el camino de vuelta.

Pasaron los días y Buddy no aparecía. Rags empezó a ir a casa de Buddy y a convertirse en un estorbo, ladrando y gimiendo. La familia intentó no hacerle caso, pero Ted, el padre, finalmente sospechó que Rags debía intentar decirles algo.

Así que Ted se le acercó y Rags, al ver que al fin alguien le hacía caso, condujo al hombre a una zona desierta, a poco más o menos un kilómetro del barrio.

Allí Ted vio a Buddy, el cual tenía una de las patas atrapada en un cepo. Ted liberó a Buddy y corrió al veterinario para que le dispensara un cuidado médico adecuado. Buddy se recuperó, pero aquí no termina la historia.

Lo que era tan especial en este incidente no es que Rags guiara al vecino hasta Buddy, sino que alrededor de Buddy encontraron una gran variedad de huesos y restos de comida que la familia de Rags más tarde identificó como la comida que le habían dado a Rags durante esa semana. Rags había compartido su comida con su mejor amigo, haciendo cuanto pudo para mantener vivo a Buddy.

Rags no podía expresar en palabras su amor por su amigo. Pero sus acciones lo dijeron todo.

¿Qué dicen tus acciones sobre la clase de amigo que eres?

Nada que ocultar

Oh Dios, examíname, reconoce mi corazón; ponme a prueba, reconoce mis pensamientos; mira si voy por el camino del mal, y guíame por el camino eterno.
SALMO 139: 23-24

—AH, HOLA, Sra. Coffee.

Cuando entro en una clase y escucho estas cuatro palabras, sé que alguien estaba cometiendo una travesura. Esta corta frase suele ser usada como señal para los otros chavales de la clase de que hay un maestro cerca.

Cuando hacemos algo mal, no nos gusta que nos descubran, en especial si nuestro mal comportamiento merece ser castigado. Por eso aprendemos a ajustar nuestras acciones para no meternos en líos.

Si vemos a un policía, reducimos la velocidad del automóvil hasta el límite permitido y observamos cuidadosamente las normas de circulación. Cuando mamá está en la cocina bebemos el zumo de naranja en un vaso. Cuando el maestro está en la clase estamos ocupados con nuestros deberes.

Pero cuando perdemos de vista la figura de autoridad, el viento se lleva todas las precauciones. Es como si nos convirtiésemos en otra persona completamente diferente.

Cuando la autopista está libre, hundimos el pedal del acelerador hasta el fondo, hacemos chirriar los neumáticos y la autopista se convierte en una pista de carreras. Cuando mamá no está en casa, sacamos el zumo de naranja del frigorífico y lo bebemos directamente de la botella. Cuando el maestro no está cerca para vigilar nuestra hora de estudio, dejamos a un lado los deberes y nos ponemos a soñar despiertos, o molestamos al que está a nuestro lado.

Jesús jamás quiso que llevaras esa doble vida, actuando de una manera cuando ciertas personas están cerca y de otra cuando estás solo. Quiere que hagas lo correcto, haya o no alguien observando.

Dios es el único que te conoce realmente. Por eso debes pedirle que te muestre los aspectos de tu vida que necesitan un cambio. Cuando lo hagas, él te transformará y no tendrás nada que ocultar.

El juego de la culpa

Confiésense unos a otros sus pecados.
SANTIAGO 5: 16

CUANDO EN 1979 Wally Weed mató a un joven ministro del evangelio, lo condenaron a cadena perpetua y lo enviaron a la Prisión Estatal de Utah. Al cabo de cinco años, él y otros dos presos se fugaron. Con todo, su libertad duró poco. Los identificaron y capturaron unos días después.

Tan pronto como Wally fue enviado de vuelta a la celda, interpuso una demanda contra la prisión por valor de dos millones de dólares. ¿Por qué razón? Las autoridades lo habían puesto en peligro al no impedirle la fuga.

—Los polis me perseguían con armas de fuego. Sufrí arañazos y heridas. Quedé realmente maltrecho. Es justo que la prisión pague por lo que me ha sucedido. Es culpa suya que yo escapara.

Pero Wally no se detuvo aquí. Se ensañó con el alcaide y los funcionarios de la prisión. Exigió que los despidieran a todos.

—Deberían ser castigados por no cumplir correctamente con su obligación.

Wally presentó una segunda demanda legal. En esta protestaba contra el hecho de que lo hubiesen encerrado en una celda de aislamiento en la que los guardias lo vigilaban constantemente.

—No es justo —dijo.

Wally me recordó algunos alumnos que tuve cuando fui maestra de 3º y 4º. A algunos les costaba mucho asumir la responsabilidad de sus acciones cuando se metían en líos.

—No es culpa mía, Sra. Coffee. Me hizo una mueca

—¿Por qué me castiga a mí? Empezó él.

Espero que cuando hagas algo mal, seas capaz de admitirlo. La gente no espera que seas perfecto, sino que seas capaz de asumir tus errores. Cuanto más pronto asumas la responsabilidad por lo que haces mal, más pronto podrás hacer cambios en tu vida.

Lástima que Wally nunca aprendiera la lección.

Autoconversación

Porque cuales son sus pensamientos íntimos, tal es él.
PROVERBIOS 23: 7, RV95

EL DR. DAVID STOP ha calculado que la mayoría de las personas habla a una velocidad de 150 a 200 palabras por minuto y piensan a cuatrocientas palabras por minuto. Pero su autoconversación puede alcanzar la velocidad de 1,300 palabras por minuto.

La autoconversación es aquella conversación que constantemente mantienes contigo mismo durante las horas que te mantienes despierto. Por desgracia, lo que nos decimos a nosotros mismos no es muy alentador. De hecho, la mayoría de nosotros jamás pensaría en decir a los demás lo que nos decimos a nosotros mismos.

¿Alguna vez hiciste algo parecido a esto? Entras en la escuela, tropiezas con la estera y se te caen todos los libros al suelo. «Mira que eres tonto…», piensas mientras compruebas que nadie estaba mirando. «Nada como ponerte en ridículo delante del resto de la escuela».

Si eso le hubiese sucedido a otro, quizá lo ayudarías a recoger los libros. Dudo que dijeras nada que hiciera que se sintiese peor. Pero, por alguna razón, pensamos que tenemos el derecho de menospreciarnos a nosotros mismos. Y así no es extraño que nos desanimemos.

Lo mejor que se puede hacer con las autoconversaciones negativas es escucharlas y corregirlas. Toma las críticas y sustitúyelas por hechos.

«Mira que eres tonto…» se podría sustituir con: «¡Uopaaa! Se me cayeron los libros».

En lugar de decir: «Nada como ponerte en ridículo delante del resto de la escuela», puedes afirmar un hecho: «Mejor los recojo y me voy a clase antes de que suene la campana».

¿Recuerdas el refrán: «Hay palabras que matan»? Es una gran verdad. Las palabras pueden herir, incluso cuando te criticas a ti mismo.

Eres un miembro muy valioso de la familia de Dios. Trátate con el respeto que merece un hijo del Rey.

22 ABRIL

¿Qué tienes en la cabeza?

La mentalidad pecaminosa es muerte,
mientras que la mentalidad que proviene del Espíritu es vida y paz.
Romanos 8: 6, NVI

AYER EL TEMA eran las autoconversaciones y lo importante que es evitar criticarnos a nosotros mismos. Hoy hablaremos más sobre cómo nos afectan nuestros pensamientos.

La psicóloga cristiana Lois Eggers dijo que nuestros pensamientos producen frutos muy parecidos a los que cultivamos en un huerto. Los pensamientos son semillas que, cuando se plantan en nuestra mente, dan sentimientos. Juntos, nuestros sentimientos y nuestros pensamientos producen acciones. Las acciones llevadas a cabo una y otra vez se convierten en hábitos. Nuestros hábitos forman nuestro carácter. Y al final, nuestro carácter determina nuestro destino.

Pensamientos—sentimientos—acciones— hábitos—carácter—destino.

Cuando las personas quieren hacer algún cambio en su vida suelen querer cambiar sus acciones. Pero para cambiar una acción debemos tener mucho cuidado con qué permitimos que nos entre en la mente. Debemos ser selectivos con los videos que miramos, los programas que vemos en la televisión, los lugares *web* que visitamos, las revistas y los libros que leemos y la música que escuchamos. Además, debemos escoger amigos que también valoren lo que es bueno.

Como puedes ver según la ilustración de antes, nuestros pensamientos acaban determinando dónde pasaremos la eternidad. ¿Dónde te llevan los tuyos?

Acentúa lo positivo

Señor, tú conservas en paz a los de carácter firme, porque confían en ti.

ISAÍAS 26: 3

ANTES DE QUE DEJEMOS el tema de los pensamientos, quiero explicarte un hecho importante más sobre la mente: Cuando hables contigo mismo debes hacerlo de manera positiva.

Digamos que tienes el hábito de llegar tarde a la escuela. Un día decides que ya es suficiente y anuncias a tus papás: «De ahora en adelante no llegaré tarde a la escuela». Te felicitan y te sientes muy bien. Pero, siento decírtelo, quizá te hayas puesto a tiro para un nuevo fracaso. Porque tu cerebro todavía escucha: «... tarde a la escuela». La atención todavía está centrada en el problema, y la palabra 'no' se disimula fácilmente.

Deja que te explique cómo funciona. Durante los próximos diez segundos, no pienses en una araña enorme, negra y de ojos rojos.

Bien, ¿qué viste? ¿Por casualidad no sería una araña enorme, negra y de ojos rojos?

Claro que sí. Yo te dije que *no* pensaras en ella. Pero tu cerebro creó una imagen y se olvidó del 'no'.

Cuando debemos cambiar, debemos pensar en positivo, creando, con las palabras, imágenes de lo que nos gustaría alcanzar. En lugar de decir: «A partir de ahora no llegaré tarde a la escuela», podrías decir: «A partir de ahora seré puntual». Las palabras positivas ayudan a predisponer al cerebro para las acciones positivas.

Aquí tienes algunos objetivos negativos. ¿Qué dirías para cambiarlos y hacer de ellos afirmaciones positivas? (Un consejo: Di lo que querrías hacer).

«Nunca más seré tan malo ni molestoso».

«No comeré entre horas».

Si cambias la manera de hablar, podrás cambiar la manera de actuar.

24 ABRIL

Nada en medio

Aún más, a nada le concedo valor si lo comparo con el bien supremo de conocer a Cristo Jesús, mi Señor.

FILIPENSES 3: 8

¿RECUERDAS LA HISTORIA realmente increíble que sucedió en mayo de 2003? Aron Ralston, un experto escalador inició una escalada en solitario en la formación del Laberinto, en el cañón Blue John, de Utah.

Pero lo que empezó como una expedición de ocho horas y veinte kilómetros se convirtió en una lucha a vida o muerte cuando una roca de más de 350 kilos cayó y aprisionó el brazo de Aron. Durante cinco días Aron intentó librarse, pero nada de lo que intentaba movía la roca. Después de agotar los alimentos y el agua, se dio cuenta de que solo había una manera de sobrevivir. Tendría que amputarse el brazo. Y así lo hizo. Valoraba tanto su vida que estaba dispuesto a hacer cualquier cosa por seguir vivo.

En nuestro viaje increíble al cielo nunca tendremos que tomar la misma decisión que Aron tuvo que tomar. Pero tendremos que abandonar cosas de las que nos costará separarnos.

Quizá tengamos que abandonar ciertas amistades u oportunidades de empleo. Seguramente tendremos que dejar de beber y comer cosas que nos sean agradables. Quizá debamos apagar la televisión cuando se emitan programas no apropiados o evitar las diversiones que debilitan el carácter.

Jesús quiere que disfrutemos de la vida y nos divirtamos. Pero también sabe que algunas cosas nos apartarán de él. Si no estamos dispuestos a renunciar a ellas, empezaremos a morir espiritualmente y perderemos interés por las cosas de Dios.

Si el cielo es nuestro principal objetivo, nada nos importará tanto. Estaremos dispuestos a separarnos de cualquier cosa que se interponga entre Jesús y nosotros.

Algo en que pensar: ¿Hay algo en tu vida que hoy te impida seguir a Jesús?

Sin reservas

Señor, ¿quién puede residir en tu santuario?,
¿quién puede habitar en tu santo monte?
Solo el que vive sin tacha y practica la justicia;
el que dice la verdad de todo corazón.
Salmo 15: 1, 2

MIKE SE ACERCÓ en su automóvil hasta la ventanilla de recogida de pedidos en un restaurante de comida rápida. Pidió una ración de pollo frito y pagó la cuenta.

Cuando le dieron el pedido, abrió la bolsa. Lo que vio casi lo deja sin aliento. Estaba llena de dinero, tres mil dólares.

¿Qué habrías hecho tú de estar en el lugar de Mike? Podría haber marchado con el dinero y nadie se habría apercibido. Sin embargo, aparcó el automóvil, entró y devolvió el dinero al atónito director.

—No puedo creerlo —dijo el director—. Pensaba que ya no quedaba ni una persona honrada en el mundo... Tengo que llamar al periódico para que escriban una historia sobre usted.

—No, no hace falta —respondió Mike—. Tampoco es nada del otro mundo.

—¿Que no es nada del otro mundo?

El director sacudió la cabeza.

—Esta es una gran historia. El público debería saber lo honrado que es usted. Vaya a buscar a su esposa mientras yo llamo al periódico.

La cara de Mike se puso roja mientras repetía una y otra vez que no quería publicidad.

—Pero, ¿por qué no? —preguntó el director.

Mike admitió finalmente que no quería que le tomaran una fotografía porque la mujer con la que estaba no era su esposa.

Cuando se trataba de dinero, Mike creía que la honradez es importante, pero no cuando se trataba de ser fiel a sus votos matrimoniales. Es una lástima que un hombre tan íntegro en un aspecto de su vida permitiese que Satanás lo dominara en otro.

Jesús quiere que reflejemos su carácter en cada aspecto de la vida. No podemos aferrarnos a nuestros pecados favoritos. Dale todo tu corazón cada día y permítele que te cambie completamente.

Un cambio de corazón

Así el pecado ya no tendrá poder sobre ustedes, pues no están sujetos a la ley sino a la bondad de Dios. ¿Entonces qué? ¿Vamos a pecar porque no estamos sujetos a la ley sino a la bondad de Dios? ¡Claro que no!
Romanos 6: 14, 15

CUANDO PEDIMOS a Jesús que entre en nuestra vida deberíamos esperar grandes cosas. Tan pronto como entre, nuestra vida empezará a cambiar.

Algunos piensan que la conversión no es otra cosa que salir delante de la iglesia cuando el organista toca *Tal como soy*. Aceptan a Jesús como su Salvador… Y ahí se acaba la historia. Para ellos, ser cristiano es solo un billete al cielo y no un acontecimiento que cambia la vida.

Una vez escuché que una hermana miembro de iglesia decía que desde que era cristiana podía ver películas clasificadas para mayores de dieciséis años sin sentirse culpable. Como ya estaba salvada, las películas no tendrían ningún efecto negativo sobre ella. Estaba dispuesta a tomar el nombre de cristiana y aceptaba la promesa de una vida eterna, pero no estaba nada interesada en obtener un nuevo carácter.

Jesús no murió para salvarnos con nuestros pecados. Murió para salvarnos *de* nuestros pecados. Cuando nos convertimos en cristianos Jesús vive en nosotros y pasa a formar parte de nuestra vida. Si pones una esponja seca en un cubo de agua, el agua siempre entra en la esponja, la empapa y la cambia, haciéndola flexible y útil. Jesús tiene el mismo efecto en nuestro carácter.

Cuando le pedimos que nos salve, forma parte de nuestra vida. Nos suaviza el corazón y empezamos a preocuparnos por las cosas que preocupan a Jesús. Dejamos de ser herramientas de Satanás. Somos colaboradores de Jesús.

Jesús no quiere dejarnos en nuestra condición pecaminosa. Está pronto a darnos poder sobre los pecados que nos han atormentado durante tanto tiempo. ¿No crees que ya es hora de que hagamos todo cuanto podamos para cooperar con él?

Hacer tu parte

Por eso, habiendo recibido a Jesucristo como su Señor, deben comportarse como quienes pertenecen a Cristo.

Colosenses 2: 6

CLINT HALLUM, de Nueva Zelanda, saltó a los titulares de los periódicos cuando se convirtió en la primera persona en recibir un trasplante de mano. Hacía ya unos años que Clint había perdido la mano en un accidente, pero cuando la mano de un donante estuvo disponible los médicos le ofrecieron unirla a la muñeca de Clint.

La operación, que era experimental, fue todo un éxito. Pero Clint hizo algo que desconcertó a todo el mundo. No se preocupó por su nueva mano.

Cuando alguien recibe un trasplante, debe tomar una medicación especial para asegurarse de que el cuerpo no rechaza el nuevo miembro o el nuevo órgano. Clint recibía de forma gratuita la medicación. Pero dejó de tomarla. Y tampoco ejercitó la mano de manera adecuada.

La mano había sido un regalo maravilloso. A Clint no le costó un centavo. Todo lo que tenía que hacer era mantenerla. Pero, por alguna razón desconocida, no lo hizo. Al final, pidió a los médicos que le quitaran la mano de la muñeca; y así lo hicieron.

La salvación es también un regalo gratuito que la gente no siempre sabe apreciar. No hay nada que podamos hacer para ganarla. Pero si no mantenemos lo que hemos recibido, nuestra nueva vida empezará a morir.

Para que nuestra vida espiritual se mantenga fuerte debemos permanecer en contacto con Jesús. Lo hacemos aprendiendo cosas de él (leyendo la Biblia), hablando con él (orando) y haciendo cosas con él (sirviendo a los demás).

No hacemos esas cosas para salvarnos; pero si nos volvemos descuidados y pensamos que podemos vivir una vida justa alejados de Jesús, dejaremos de depender de él. Entonces solo será cuestión de tiempo que nuestra vida espiritual empiece a debilitarse.

Delincuentes estúpidos

El que es prudente actúa con inteligencia,
pero el necio hace gala de su necedad.
PROVERBIOS 13: 16

EL SUCESO TUVO LUGAR en Escocia, en 1975. El gran golpe estaba maldito desde el principio. Cuando los tres atracadores quisieron entrar al banco por una puerta giratoria, algo salió mal y quedaron atascados. El guarda de seguridad los liberó y dejó que se marcharan. Volvieron al cabo de poco y anunciaron que estaban ahí para robar el banco. En lugar de hacerles caso, los empleados del banco y los clientes empezaron a reír. Todos habían visto cómo quedaban atascados en la puerta y pensaron que se trataba de una gran broma. A los ladrones no les gustó la respuesta.

—No es ninguna broma. Dennos diez mil libras —exigió uno de ellos.

Eso hizo que los empleados y los clientes estallaran en una nueva y enorme carcajada. Como se dieron cuenta de que por ahí no irían a ninguna parte, los ladrones rebajaron su exigencia a mil libras, luego a cien y al final a una libra para cada uno. Cuanto menor era la cantidad, mayor era la carcajada, hasta tal punto que la gente acabó histérica. Eso disgustó a uno de los ladrones. Sacó una pistola, saltó sobre uno de los mostradores, perdió el equilibrio, cayó al suelo y se rompió una pierna.

Al ver a su camarada indefenso en el suelo, los otros dos bandidos intentaron escapar. Regresaron a la puerta giratoria. Pero esta vez la empujaron por el lado equivocado y quedaron encerrados dentro. Alguien llamó a la policía. Fin de la historia.

Seguro que ninguno de ellos ganaría el Premio al Delincuente Inteligente. De hecho, no lo ganaría nadie, porque el delincuente inteligente no existe. Puede que haya delincuentes habilidosos o astutos, pero no delincuentes inteligentes. La gente inteligente evita transgredir la ley.

Dios nos dio una ley para protegernos. Cuando transgredimos la ley de Dios y las leyes del país que se basan en los Diez Mandamientos, quizá experimentamos un placer momentáneo. Pero al fin y al cabo, la desobediencia hace daño a todos los que la practican. Dios nos dio su ley para asegurarnos su felicidad. Si somos inteligentes, andaremos por el camino de la obediencia.

¿Qué hacer con la culpa?

Mis maldades me tienen abrumado; son una carga que no puedo soportar.

Salmo 38: 4

A VECES, LA GENTE permite que el sentimiento de culpa arruine su vida. Willar Hershberger es un ejemplo de alguien que lo llevó a sus últimas consecuencias.

En 1940, los Redlegs de Cincinnati eran uno de los mejores equipos de béisbol del entorno. De hecho, ganaron las Series Mundiales de ese año.

Hacia el fin de la temporada, los Redlegs se enfrontaron a un equipo rival en un partido muy ajustado. Era el fondo de la novena. El tanteo estaba 4 a 3, a favor de los Redlegs. Había dos salidas y un corredor en la base.

Hershberger se inclinó e hizo una señal al lanzador, pero se equivocó al indicarle el lanzamiento. La bola llegó zumbando y el bateador la golpeó con todas sus fuerzas. La bola salió disparada fuera del terreno de juego y el bateador se anotó un cuadrangular. Los Redlegs perdieron el partido.

Durante días Hershberger se lamentó por el error que había cometido. Nadie lo culpó por su error de juicio, pero él no se podía perdonar a sí mismo.

El 3 de agosto de 1940, Hershberger no se presentó al partido que se había programado. El entrenador envió a alguien a buscarlo al hotel. Pero cuando el botones abrió la puerta de la habitación de Hershberger, lo descubrieron muerto. Se había suicidado por un error sin importancia.

Esta historia nos recuerda las últimas horas de la vida de Jesús. Judas y Pedro habían cometido sendos errores gravísimos. Habían traicionado a su Salvador pero cada uno escogió una manera de enfrentarse a su culpa. Judas se ahorcó. Pedro se abandonó, miró la cara de Jesús y se dio cuenta de cuán profundamente había herido a su mejor amigo. En ese momento Pedro se convirtió realmente.

El propósito de la culpa es movernos al arrepentimiento. Cuando hayas hecho lo correcto, deja la culpa atrás y vive la vida.

30 ABRIL

Día de gratitud

Den gracias al Señor de señores, porque su amor es eterno.
Salmo 136: 3

¿HAS NOTADO que te das cuenta de más bendiciones que antes? Descubrirás que cuantas más cosas agradeces a Dios, más cosas encontrarás por las que estar agradecido.

Gracias, Señor, por:

Peticiones especiales:

Si yo fuera rico

A quien mucho se le da, también se le pedirá mucho; a quien mucho se le confía, se le exigirá mucho más.

Lucas 12: 48

HACE UNOS AÑOS, Bill Gates, el cofundador de Microsoft, tenía una fortuna de sesenta mil millones de dólares. Pero cuando escribo esto su fortuna casi se ha reducido a la mitad, 32,000 millones. Aun así, es el hombre más rico del mundo por noveno año consecutivo.

¿Cuánto son mil millones de dólares? Bueno, si tuvieses que gastar un millón de dólares al día necesitarías casi tres años para gastar mil millones. Si quisieras gastar todo el dinero de Bill Gates a razón de un millón de dólares al día, necesitarías más de cien años. Yo no sé tú, pero, después de dos o tres millones, a mí me costaría imaginar en qué puedo gastármelo.

Miramos a las personas como Bill Gates y pensamos cuán afortunados son sus hijos de tener un papá tan rico como el suyo. ¿Te has detenido a pensar alguna vez si tú también eres rico?

Si tienes comida en la nevera, ropa que ponerte y un lugar para dormir eres más rico que el 75% de las personas que hay en el mundo. Si tienes dinero en el banco, un poco en tu cartera y un poco de calderilla en tu mesilla de noche, te encuentras entre el 8% de personas ricas del mundo.

Si alguna vez tienes la posibilidad de viajar a las misiones verás de primera mano cómo vive la mayoría de la gente. Te darás cuenta de que eres realmente rico.

Dios nos da bendiciones materiales para que podamos compartirlas con los demás. ¿Sueles dar dinero para las ofrendas de misiones de la Escuela Sabática con regularidad? ¿Das dinero para ADRA? ¿Alguna vez fuiste voluntario en un servicio comunitario de ayuda a los sin techo?

Jesús dijo que la mejor manera de mostrar nuestro amor por él es ser amable con los otros. En lugar de acumular posesiones, usemos el tiempo y el dinero de que disponemos para mejorar la vida de los que son menos afortunados.

Haz caso de los comentarios

Todo esto les sucedió a nuestros antepasados como un ejemplo para nosotros, y fue puesto en las Escrituras como una advertencia para los que vivimos en estos tiempos últimos.

1 Corintios 10: 11

EN eBAY, la página de subastas de Internet, puedes comprar y vendar todo lo que se te ocurra imaginar. Una de las características que me gusta de esa página es el Foro de la posibilidad de que los distintos compradores y vendedores puedan dejar comentarios.

Hace poco pujé por un tambor de recambio para la impresora láser. Descubrí uno con un precio de salida de un centavo. ¿Dónde estaba la trampa? Porque había trampa. El ganador de la subasta tendría que pagar catorce dólares por gastos de envío.

La curiosidad me pudo y decidí echar un vistazo a los comentarios que habían dejado las personas que previamente habían hecho negocios con el vendedor. Lo que vi no era muy tranquilizador. Había quejas sobre piezas rotas, mercancía defectuosa y publicidad engañosa.

«Seguro», pensé, «que a mí esto no me pasa. Creo que vale la pena probar». Decidí pujar y acabé ganando la subasta. Conseguí el tambor por un centavo más catorce dólares de gastos de envío.

Pero cuando llegó el tambor descubrí que ya había sido usado. No era nuevo como prometía el anuncio. Era tan viejo como el que quería sustituir. Debería haber hecho caso de las experiencias ajenas pero pensé que conmigo sería diferente.

Cuando nos enfrentamos a la tentación tenemos la misma predisposición mental. Ya hemos visto qué sucede a las otras personas cuando hacen tratos con Satanás. Aun así, estamos seguros de que con nosotros será diferente. Podremos divertirnos un poco y seguir adelante sin lamentar nada. Queremos aprovechar la oportunidad y acabamos siendo tan perdedores como cualquier otro.

La Biblia contiene cuatro mil años de comentarios sobre Satanás y Dios. Cuanto más la leas, más sencilla se vuelve la verdad. Ahórrate un montón de sufrimiento y decepciones. Aprende de la experiencia de otros y aférrate al Único que te ama y quiere lo mejor para ti.

El juego de la clasificación

A los que de antemano Dios había conocido, los destinó desde un principio a ser como su Hijo, para que su Hijo fuera el primero entre muchos hermanos.

Romanos 8: 29

EL PROFESOR TE DEVUELVE el examen de matemáticas que hicisteis ayer. Compruebas la nota. No te lo puedes creer. ¡Estudiaste mucho y todo cuanto alcanzaste es un ochenta por ciento!

¿Qué sucede luego? Probablemente alguien se vuelve hacia ti y dice: «¿Qué sacaste?» Sientes demasiada vergüenza como para que los demás sepan tu nota. No va a ser un buen día.

Pero entonces, cuando todos empiezan a comparar sus resultados, te das cuenta de que sacaste la nota más alta. Pones tu examen en el pupitre por si alguien más quiere ver lo bien que lo hiciste. Tus poros rebosan orgullo. Mira por donde, al fin será un buen día.

Acabas de jugar al juego de la clasificación. Tu autoestima se determina en comparación con los demás.

Hay un lugar en Internet que permite que las personas comparen su atractivo unas con otras. Los adolescentes cuelgan sus fotografías y los miembros se registran y les dan una puntuación de 1 a 10. También están jugando al juego de la clasificación.

Quizá hayas visto jugar al juego de la clasificación en la iglesia cuando los amigos se interesan más por lo que las personas llevan puesto que en estudiar la lección de la Escuela Sabática. Cuando establecemos maneras de clasificarnos no puede salir nada bueno. O bien nos enorgullecemos o bien nos sentimos rechazados.

Nuestro valor no depende de nuestro aspecto o de nuestros talentos. Todos los seres humanos son valiosos porque son hijos de Dios. Cuando pensemos en todo lo que tuvo que sufrir Jesús para salvarnos empezaremos a entender cuán valiosos somos a sus ojos. Debemos ser muy especiales, porque Jesús prefirió morir antes que vivir sin nosotros por toda la eternidad.

Hazte un favor

Y por esto deben esforzarse en añadir a su fe la buena conducta; a la buena conducta, el entendimiento; al entendimiento, el dominio propio; al dominio propio, la paciencia; a la paciencia, la devoción.
2 Pedro 1: 5, 6

EN 1959, esos dos hombres se enfrentaron en un ring de boxeo de Nueva York. Henry Wallitsch y su oponente Bartolo Soni se habían encontrado en el ring seis semanas antes y Soni había salido ganador.

Wallitsch se había propuesto empatar con Soni. Empezó a dar puñetazos pero Soni empezó a esquivarlos. Para mayor diversión de los espectadores, Wallitsch se estaba enfadando por momentos.

Finalmente, Wallitsch acertó a dar un puñetazo a su oponente y lo remató. Sin duda alguna tenía todas las posibilidades de dar el golpe decisivo. Retrocedió, se preparó para asestarle el golpe de gracia, y lanzó un puñetazo a Soni.

Pero se equivocó. La velocidad de su giro hizo que cruzara el ring, saltar por encima de las cuerdas y cayera al suelo de la arena, perdiendo el conocimiento.

El árbitro se inclinó por encima de las cuerdas. Convencido de que Wallitsch había perdido el conocimiento, inició la cuenta atrás y levantó el brazo de Soni, declarándolo vencedor. A pesar de que Soni jamás diera un solo puñetazo, los libros recogen el combate como un KO a favor de Soni, aunque Wallitsch dio el puñetazo de la victoria.

A veces, como Wallitsch, nosotros somos nuestro peor enemigo. Tomamos decisiones que acaban por hacernos daño.

¿Alguna vez retrasaste el estudio para un examen hasta la noche antes y luego sacaste una mala nota? ¿Te quedas viendo la televisión toda la noche y al día siguiente andas como alma en pena? ¿Alguna vez gastaste dinero de manera impulsiva, de manera que cuando encontraste algo que realmente necesitabas no tenías ahorros para pagarlo?

Piensa siempre en cómo tus decisiones afectarán al futuro. No dejes que tus elecciones noqueen tus posibilidades de ser feliz.

Intrusos mortales

Apártense de toda clase de mal.

1 Tesalonicenses 5: 22

HACIA LOS AÑOS CINCUENTA del siglo pasado, muy pocas personas se preocupaban de atrancar la puerta cuando salían de sus casas. Incluso cuando se iban de vacaciones, las personas dejaban las puertas abiertas por si un amigo necesitaba tomar algo prestado mientras estaban fuera.

Hoy todo ha cambiado. La mayoría de la gente teme dejar la casa sin medidas de seguridad. Las personas llegan a instalar un sistema de seguridad o se compran un perro guardián.

En el mundo hay personas malvadas que no queremos que entren en *nuestras* casas. ¿O sí?

Cuando alguien llama al timbre de la puerta, la mayoría de las personas no abre hasta que ha comprobado quién está al otro lado. Quieren asegurarse de que no se ponen en peligro al entrar en contacto con alguien que podría hacerles daño.

No permitimos que los chicos malos crucen la puerta principal. Pero a veces no nos preocupamos de los que entran en nuestro salón a través de la pantalla del televisor.

Piensa un poco. ¿Permitirías que alguien entrara a tu casa para fumar cocaína? ¿Invitarías a un extraño para que entrara, se sentara y, despreocupadamente, sacara una pistola y le disparara a alguien que estuviera sentado en el sofá?

En la vida real no permitiríamos ese comportamiento. Aun así, no pensamos en nada cuando encendemos el televisor y vemos que los actores lo hacen. A fin de cuentas, están fingiendo, ¿no?

Pero hay una ley de la mente según la cual nos acostumbramos a las cosas que se repiten. Cada vez que vemos violencia o un comportamiento inmoral, nos molesta un poco menos. Si lo vemos durante suficiente tiempo, podemos llegar a pensar que es normal.

Si miras películas o programas de televisión, no te separes del mando. Apaga el aparato y cierra el paso a los intrusos.

No aceptes sustitutos

Acuérdate del sábado, para consagrarlo al Señor.
Éxodo 20: 8

MAMÁ Y PAPÁ habían salido. Mi hermana y yo decidimos que sería divertido hacer galletas de chocolate y guardarlas en el bote de las galletas antes de que nuestros papás regresasen a casa. Karen encontró la receta y yo empecé a sacar los ingredientes de la despensa: harina, azúcar, mantequilla, huevos, sal, vainilla y trocitos de chocolate.

—¡Eh!, ¿dónde están los polvos de hornear? —preguntó Karen.

—No pude encontrarlos —respondí.

—Búscalos otra vez.

Los busqué. Ni rastro.

—¿Por qué no usamos esto en su lugar? —dije acercando una cajita a Karen.

—¿Qué es?

—Maicena.

Karen miró dentro de la caja. La maicena era blanca, los polvos de hornear son blancos. Se parecían bastante.

La maicena nunca ha sido un sustituto adecuado de los polvos de hornear. Lo descubrimos cuando las galletas salieron del horno.

Después que Dios hubo creado el mundo en seis días, bendijo el séptimo (el sábado) y lo santificó. Sin embargo, la mayoría de los cristianos han aceptado un sustituto para ponerlo en el lugar del día escogido por Dios. Pero al igual que la maicena no puede sustituir a los polvos de hornear, el domingo tampoco puede sustituir al sábado.

El sábado es un recordatorio de la parte que corresponde a Dios en el pasado, el presente y el futuro. En el pasado Dios creó a Adán a su imagen. La raza humana no evolucionó a partir de un accidente científico. En el presente Dios recrea los caracteres de todos los que le abren la vida. Y algún día en el futuro, cuando regrese, recreará nuestro cuerpo para que podamos vivir eternamente.

Cuando se trata del día de adoración, no aceptes ningún sustituto. Quédate con el auténtico.

Una lección de la historia del sábado

7 MAYO

Tengan cuidado: no se dejen llevar por quienes los quieren engañar con teorías y argumentos falsos, pues ellos no se apoyan en Cristo, sino en las tradiciones de los hombres y en los poderes que dominan este mundo.

Colosenses 2: 8.

AYER HABLAMOS de cómo el domingo se ha convertido en un sustituto del sábado. Hoy quiero contarte la historia del cambio.

Muchas personas creen que los discípulos cambiaron el día santo de Dios por el domingo en honor a la resurrección. Pero no hay ninguna prueba en la Biblia o en los registros de la historia que lo atestigüe.

Durante casi trescientos años después de que Jesús regresara al cielo, los cristianos continuaron guardando el séptimo día como el sábado. Pero eso causaba un problema. Como los judíos y los cristianos adoraban en sábado, la gente los metía en el mismo saco.

La nación judía odiaba a Roma y se rebelaba constantemente contra el gobierno. Cada vez que un se levantaba un judío o había un ataque terrorista, los romanos se vengaban y, a menudo, castigaban a los cristianos junto con los judíos. Los cristianos no estaban involucrados en las rebeliones pero, aun así, sufrían las consecuencias.

Por eso, los cristianos empezaron a buscar maneras de separarse de los judíos. Transferir el día de adoración del sábado al domingo los ayudó a amalgamarse con los romanos que adoraban a sus dioses en ese día.

En lugar de influir sobre los romanos, con el tiempo, los cristianos acabaron adoptando cada vez más sus maneras paganas. Así, el paganismo empezó a infiltrarse en los servicios de adoración cristianos.

A medida que nos acerquemos a la venida de Jesús deberemos saber por qué guardamos el sábado. Debemos permanecer leales a Dios honrándolo en el día que escogió.

8 MAYO

Eres especial

Pero Dios ha puesto cada miembro del cuerpo en el sitio que mejor le pareció.
1 Corintios 12: 18

A PRINCIPIOS DE CURSO, los alumnos de quinto escogen qué instrumento tocarán en la banda. Escogen la flauta, el clarinete, el saxofón o , quizá la trompeta. Pero nunca he oído a nadie que dijera: «Me quedo con la tuba».

Las tubas son enormes, la mayoría de los automóviles no son suficientemente grandes para llevarlas. Además, son pesadas. Pesan más que cualquier otro instrumento de viento. Algunos músicos necesitan un soporte especial o un arnés para impedir que caigan encima de alguien.

El sonido de la tuba no es agradable. No se parece al saxofón o a la trompa. Es estridente. Por eso, los de la tuba acaban en la última fila de la banda, lejos de los instrumentos de madera, que no podrían escucharse si estuvieran cerca de ella.

Además, la parte de la tuba no es nada emocionante. Los compositores nunca les escriben solos. Así que la mayor parte del tiempo, la tuba se dedica a tocar notas del estilo bam-bum. Realmente aburrido.

¿Alguna vez te has sentido como una tuba, sin importancia y nada emocionante? ¿Alguna vez te sentiste como si no importases nada? Deja que te diga que todo el mundo es importante. Todos tenemos una tarea que realizar para conseguir que las personas estén preparadas para la segunda venida de Jesús.

Tú puedes llegar a personas a las cuales nunca podría llegar el pastor. Hay compañeros de clase que jamás se acercarían al maestro para que los ayudara a resolver un problema, y en cambio sí se acercan a ti. Si lo deseas, Dios te usará para que seas una bendición para todos los que te rodean.

Ayer David, nuestro tuba, no estaba en la banda. No sabes cómo lo echamos en falta.

Aunque David no toca atrayentes trinos como la flauta, o fanfarrias majestuosas como las trompetas, cuando no está, la banda suena sin fuerza. Nadie es capaz de tocar unas notas tan profundas.

Quizá tus talentos no te parezcan atrayentes. Pero, como la tuba, tú tienes un papel único que nadie, excepto tú, puede desempeñar. Busca la manera de descubrir cómo quiere usarte Dios hoy.

Gran variedad de dones

Dios nos ha dado diferentes dones, según lo que él quiso dar a cada uno.

Romanos 12: 6

CUANDO UN COMPOSITOR escribe música para una banda, no escribe una parte para todos los instrumentos. A cada uno le da unas notas y unas cadencias distintas para que surjan el ritmo y la armonía.

Dios da a las personas talentos y habilidades distintos, de manera que, como los músicos de una banda, puedan contribuir con algo especial a los grupos en que se encuentran. La iglesia, el club de conquistadores, el hogar y la clase reciben la riqueza de los dones que cada miembro aporta.

Estoy muy agradecida de que mis alumnos tengan unos dones tan distintos unos de otros. Hace que la clase sea mucho más interesante. Además, cuando usan los dones que Dios les da se convierten en estímulo e inspiración mutuos.

Brian tiene la habilidad de hacer que todos estemos de buen humor durante todo el día. Su actitud positiva y su entusiasmo iluminan la clase. Cuando no está, las cosas no son igual. La contribución especial de Shannon a nuestra clase es que usa las palabras para expresarse. Cuando comentamos mutuamente los trabajos, Shannon tiene una visión excelente de cómo se podrían mejorar. Angie es una músico de múltiples talentos. Ha tocado varios instrumentos en la banda, además de ser una excelente pianista. También tiene una voz preciosa para cantar.

Josh es nuestro orador. Ya ha dirigido su propia serie de reuniones de evangelización. En verano lo han invitado para que hable en África. Blair es tranquila, pero es una persona con "don de gentes". Siempre tiene tiempo de escuchar cuando los demás necesitan hablar. William es el filósofo de la clase. Es un gran pensador y me mantiene con los pies en el suelo. Kart y Sarah son los artistas de la clase. Son capaces de dibujar algo sin antes haberlo visto. Además, se aseguran que sus trabajos estén siempre bien decorados. Christy, la prudente, tiene el talento de trabajar con personas de todas las edades. Está tan cómoda ayudando en la escuela bíblica vacacional como visitando a los ancianos. Jerrica pone todo su corazón en sus estudios. Aun así, siempre tiene tiempo para ayudar a otros cuando tienen problemas con el álgebra. Son diez alumnos, todos diferentes. Sin embargo, todos contribuyen de una manera especial.

Esperándolo impacientes

Dichosos los criados a quienes su amo, al llegar, encuentre despiertos.
Lucas 12: 37

ME PREGUNTO cómo se siente Jesús cuando mira a la tierra y ve que la mayoría de nosotros no esperamos impacientes su regreso. Está ansioso por sacarnos de este mundo y darnos la vida que quiso que fuera nuestra en el principio. Pero estamos demasiado ocupados con todas las cosas que hay que hacer aquí.

Una vez leí sobre un grupo de jóvenes que *están* excitados con su regreso. No les importa nada de cuanto pueda ofrecerles el mundo.

Esos niños van a una escuela especial para discapacitados mentales. La mayoría de ellos sufren de síndrome de Down, un defecto de nacimiento que provoca graves problemas de salud y aprendizaje.

Las personas solían creer que no hay razón para hablar de Dios a los discapacitados mentales. Consideraban que era una pérdida de tiempo. Pero el director de esta escuela creyó que es importante que todos los niños aprendan cosas sobre Jesús y sobre lo mucho que los ama.

Cuando un día llegó un visitante a la escuela, el director lo llevó a dar una vuelta por el lugar. Cuando pasaron junto a unas ventanas muy grandes, el director se disculpó.

—Nos ha costado mucho conseguir mantenerlas limpias. Los niños están tan excitados con la venida de Jesús que siempre están mirando por la ventana por si lo ven llegar en las nubes.

Cuando estamos ocupados jugando con las videoconsolas, comprando en el centro comercial o enviando correos electrónicos a nuestros amigos, estos niños con una inteligencia limitada están esperando el regreso de Jesús. Quizá los consideremos discapacitados, pero me pregunto… ¿no será que son las personas más inteligentes?

La vida no es justa

Señor, muchos son mis enemigos, muchos son los que se han puesto en contra mía. Pero tú, Señor, eres mi escudo protector, eres mi gloria, eres quien me reanima.

Salmo 3: 1, 3

ESCRIBO ESTO mientras paso un tiempo en Camp Au Sable, un hermoso campamento de jóvenes de Míchigan. Esta mañana, mientras me dirigía al comedor, sorprendí a unos ciervos de cola blanca que pastaban satisfechos en el campo de béisbol.

Mientras se alejaban saltando, pensé: «¡Qué felices son!»

Los ciervos que viven en el campamento no tienen ningún problema. La caza está prohibida en el campamento, por lo que los ciervos pueden andar seguros de aquí para allá a lo largo y ancho de más de trescientas hectáreas. Hay montones de comida y, si necesitan beber, pueden acercarse al lago. Si les apetece, incluso pueden nadar.

La vida de los ciervos que viven en el campo de detrás de mi casa es completamente distinta. Siempre están buscando comida. Al mismo tiempo, deben intentar evitar a los cazadores y los automóviles. No consigo otra cosa que ver un paralelismo entre los ciervos y los jóvenes.

Algunos crecen disponiendo de todas las ventajas. Sin embargo, otros, por distintas razones, tienen montones de problemas.

¿Qué haces cuando tienes una vida llena de dificultades? Zig Ziglar ha hecho algunas investigaciones y ha descubierto que 225 de los trescientos líderes más influyentes del mundo crecieron en familias pobres, sufrieron graves inconvenientes físicos o fueron víctima de abusos cuando eran niños.

La vida no está determinada por tus circunstancias, sino por tu actitud. Una vez, J. C. Penney, el hombre que fundó la cadena de grandes almacenes que lleva su nombre, dijo: «De no ser por las adversidades, nunca habría ganado un centavo».

Si confías en él y miras más allá de las dificultades, Jesús podrá usarte de manera poderosa. Y, quién sabe, a lo mejor los desafíos con que hoy te enfrentas sean las piedras angulares de la grandeza de mañana.

12 MAYO

¿A quién creer?

Yo pongo en Sión una piedra que es la piedra principal, escogida y muy valiosa; el que confíe en ella no quedará defraudado.
1 Pedro 2: 6

LA GRAN PREGUNTA de la vida es: ¿Quién me dice la verdad, Dios o Satanás?

Satanás nos dice que el pecado no es tan grave. De hecho, s lo escuchas, te convencerás de que la desobediencia a la ley de Dios es la única manera de disfrutar realmente de la vida.

Afirma que si quieres poder, diversión y grandeza debes abandonar la senda estrecha de la obediencia y cambiarla por la vía fácil y ancha en la que puedes vivir una vida según tus propios designios, sin restricciones.

Por otra parte, Dios nos advierte de que el pecado tiene consecuencias mortales. Tan mortales que la única manera de romper su poder fue enviar a Jesús a la muerte. Dios nos ofrece mucho, pero su poder, su diversión y su grandeza son muy distintos de los de Satanás.

El poder que Dios promete no es poder sobre los demás. Es el poder de hacer lo correcto. Es la capacidad de vencer todos los malos hábitos y las debilidades.

Cuando de diversiones se trata, Dios está totalmente a favor. Solo que no está interesado en emociones a corto plazo que se evaporan ante los ojos y nos dejan perdidos en la tristeza y los remordimientos. Quiere darnos una satisfacción que empiece ahora y dure por toda la eternidad.

También quiere que experimentemos la grandeza. Pero la grandeza genuina solo se da cuando imitamos a Jesús y aceptamos el papel del siervo.

Todo cuanto hacemos indica quién creemos que dice la verdad. ¿Es Dios? ¿O quizá sea Satanás? Tus actos revelarán tu elección.

El gran impostor

Sabemos que somos de Dios y que el mundo entero está bajo el poder del maligno.
1 Juan 5: 19

PASEÁBAMOS POR EL CENTRO COMERCIAL cuando vimos una gran multitud reunida delante de un espectáculo de magia. El mago, un hombre apuesto y de cabello blanco como la nieve, llamó a un joven al escenario. Encajaron la mano y el joven anduvo hacia una mesa para tomar algunas cosas. Pero la mano del muchacho continuó moviéndose arriba y abajo. El público reía.

El mago se volvió al joven, encajaron de nuevo las manos y dijo:

—Gracias por ser un buen ayudante, Kevin. Puedes volver a tu asiento. Échenle una mano.

El público aplaudió y el chico para salir andando del escenario. Pero sus pies estaban pegados al suelo.

—No... No puedo moverme —dijo. El miedo se apoderó de su cara cuando de nuevo intentó regresar a su butaca.

Tom y yo nos miramos uno al otro. Estábamos en territorio del diablo y lo sabíamos. Con todo, nos costaba irnos. Queríamos quedarnos y ver qué sucedía. Pero, con la ayuda de Dios, conseguimos levantarnos y alejarnos de ahí.

Antes del regreso de Jesús, Satanás atraerá la atención de todo el mundo. Lo que aquel día vimos en el espectáculo de magia no era nada comparado con el hipnotizador poder que Satanás desplegará cuando venga disfrazado de Jesús. Solo los que conozcan la Biblia y confíen en Dios serán capaces de vencer ese poder hipnótico.

¿Cómo distinguirás entre Satanás y Jesús? Lo más importante que debes recordar es que cuando Jesús venga, no tocará la tierra. Nos uniremos a él en las nubes (ver 1 Tesalonicenses 1. 15-17).

Satanás quedará confinado en la tierra. Pero con Internet y las transmisiones por satélite, todas las personas podrán verlo. No caigas en el engaño. Conoce la verdad.

14 MAYO

El padre de las mentiras

El diablo ha sido un asesino desde el principio.
No se mantiene en la verdad, y nunca dice la verdad. Cuando dice mentiras, habla como lo que es; porque es mentiroso y es el padre de la mentira.

Juan 8: 44

SABEMOS QUE DIOS SIEMPRE DICE LA VERDAD. ¿Eso significa que Satanás dice siempre mentiras? Vuelve a leer el versículo de hoy para descubrirlo.

Por ser quien es, Satanás no puede decir la verdad. Tiene que mentir.

Eso no quiere decir que todas y cada una de sus palabras sean mentiras. Si lo fueran, no caeríamos tan fácilmente en la tentación. Las mentiras más efectivas de Satanás son aquellas que mezclan verdades con errores.

¿Cuántas personas beberían alcohol si Satanás dijera toda la verdad? «El alcohol se apoderará de toda tu vida. Te impedirá pensar con claridad y harás cosas de las que luego te avergonzarás. Gastarás dinero en el alcohol y tu familia sufrirá por ello».

En lugar de decirte exactamente hacia dónde te diriges cuando tomas la primera copa, te hará montones de promesas y te engañará haciéndote pensar que sus sugerencias te llevarán a ser mejor. «El alcohol quizá se apodere de tu vida, pero la gran sensación que te dará valdrá la pena. Cierto que no pensarás con claridad, pero gracias a eso, el alcohol es divertido. Te ayudará a liberarte de todas las restricciones. Sí, gastarás mucho dinero en el bar, pero en ese lugar podrás encontrar amigos de verdad. Si tu familia no entiende tus necesidades, es su problema, no el tuyo».

Cuando Satanás te cuelgue una de sus tentaciones delante de los ojos, recuerda que nunca dice la verdad. La verdad solo viene de Dios.

Mentiroso, mentiroso

Todas mis palabras son justas; no hay en ellas la menor falsedad.

Proverbios 8: 8

CUANDO PREGUNTAMOS a las personas cuál es la característica que más valoran en los demás, la honestidad suele ser el primer rasgo que se menciona; en especial cuando se trata de la amistad. Queremos que las personas sean sinceras con nosotros. Queremos saber que podemos creer lo que nos dicen.

La honestidad también es importante en el mundo de los negocios. Cuando compramos algo en la tienda, queremos que el producto haga lo que el fabricante afirma que hace. Cuando vamos a pagar en la caja, queremos que la cajera nos cargue la cantidad correcta y nos devuelva el cambio justo.

Esperamos y demandamos honestidad de las personas con las que tratamos. Pero cuando se trata de decir nosotros la verdad, no somos tan entusiastas.

En una encuesta, el 91% de las personas que respondieron admitió que mentía con respecto a cosas que creían que no eran tan importantes. Ya sabes de qué hablan, esas pequeñas mentirijillas blancas que a veces creemos tan necesarias. Mentimos para parecer mejores y evitar meternos en problemas.

Cuando a las personas entrevistadas se les preguntaba a quién mentían, el 75% dijo que mentían a los amigos. Muy interesante. Aunque quieren que sus amigos sean sinceros, las personas no están dispuestas a ser veraces.

Cada día debemos pedir a Dios que nos ayude a ser sinceros. Esa es la única manera de construir sólidas relaciones con los demás. Y es la única elección para los que quieren vivir una vida íntegra.

No seas codicioso, confórmate

No codicies la casa de tu prójimo: no codicies su mujer, ni su esclavo, ni su esclava, ni su buey, ni su asno, ni nada que le pertenezca.
ÉXODO 20: 17

CADA TARDE, la Sra. Sharpe sacaba a pasear a su perro Jonathan. La etiqueta del paseo de perros indicaba que la Sra. Sharpe debía limpiar los desechos que dejaba su perro; por eso se llevaba consigo la pala de recogida de excrementos y una bolsa de plástico para deshacerse de ellos.

Esa noche, perro y dueña seguían su ruta habitual por las calles conocidas de Los Ángeles. Pero en el camino de regreso a casa, la Sra. Sharpe se dio cuenta de que algo no iba bien. Escuchó un ruido que parecía como si alguien la siguiera.

Se dio la vuelta y echó una mirada por encima del hombro. «Son imaginaciones mías», pensó.

Pero como todavía se sentía inquieta, anduvo un poco más deprisa, pidiendo a Jonathan que apretara el paso para ir de vuelta a casa.

Su temor era fundado. Estaba siendo perseguida por un hombre que se escondía en la sombra. Corrió tras ella, agarró la bolsa y se perdió en la noche. No se llevó su monedero, sino la bolsa de plástico.

No hay nada malo en admirar lo que tienen otras personas. Tampoco es nada malo querer algo similar. El problema viene cuando desear algo nos hace sentir insatisfechos o resentidos hacia quien tiene lo que queremos.

Obsesionarnos con lo que los demás tienen nos distrae de las bendiciones que Dios ya nos ha dado. Cuando dejamos de estar agradecidos, nuestra confianza en Dios desaparece. Además, como el ladrón, solo nos quedamos con la bolsa.

Buenas noticias sobre el infierno

Apártense de mí, los que merecieron la condenación; váyanse al fuego eterno preparado para el diablo y sus ángeles.
Mateo 25: 41

¿QUÉ SE IMAGINA LA MAYORÍA de la gente cuando piensa en el infierno? Los artistas modernos lo describen como un lugar espantoso, lleno de humo y llamas. Representan a las personas deambulando en un lago de fuego, y en medio, Satanás, vestido de rojo y con cuernos. Parece que se lo pasa en grande, empujando a las personas con su tridente y haciéndolas sufrir.

¡Qué idea más ridícula! ¿Por qué Satanás, el origen del mal, castiga a las personas por haber pecado? Lo único que le gusta más que el propio pecado es conseguir que la gente peque.

A algunas personas les han enseñado que, nada más morir, van al cielo o al infierno. Pero la Biblia enseña que todos los muertos duermen en la tumba, a la espera del pronto regreso de Jesús (ver Juan 5: 28-29). Otra idea errónea es que las personas estarán quemándose para siempre. Pero la Biblia dice que solo tendrán vida eterna los que creen en Jesús (Juan 3: 16).

El versículo de hoy nos asegura que el infierno, el lago de fuego, estaba destinado solo para Satanás y sus ángeles. Las personas no tenían que formar parte de él.

Por desgracia, algunos morirán junto a Satanás y sus ángeles malos. No porque Dios esté enfadado con ellos, sino porque usaron su facultad de elección para rechazar la oferta de vida eterna que les hacía Jesús. No querían tener nada que ver con él.

Solo hay dos opciones. Podemos seguir a Jesús, o podemos seguir a Satanás. Quien rechace a Jesús no tiene a nadie más a quien acudir, excepto Satanás. Y donde vaya Satanás, allí irán sus seguidores.

Jesús tomó tus pecados sobre sí mismo y murió para que tú pudieras vivir para siempre con él. No tienes que preocuparte por el lago de fuego. Si te has entregado a Jesús, estás seguro; ahora y siempre.

18 MAYO

Nosotros somos los maniquíes

Tener amor es saber soportar; es ser bondadoso; es no tener envidia, ni ser presumido, ni orgulloso, ni grosero, ni egoísta; es no enojarse ni guardar rencor.

1 CORINTIOS 13: 4-5

UNA DE LAS COLECCIONES DE LIBROS más famosas de todos los tiempos es la colección de los "Inexpertos". Se trataba de libros como *Decoración para inexpertos*, *Inversiones para inexpertos* y *Compras en Internet para inexpertos*.

«¿Por qué son tan populares? Porque los libros escritos para expertos son difíciles de entender cuando te encuentras en el estado del aprendiz. Todos nosotros nos encontramos en ese estado cuando se trata de ciertos temas»,

No importa quién seas. Michael Dell (de Dell Computer) es un genio dirigiendo un negocio de computadoras. Pero probablemente no querrías que te cortara el pelo. Oprah Winfrey es una personalidad de la televisión que ha ganado millones, pero sería incapaz de reparar un automóvil.

Yo enseño a procesar textos a los alumnos de 9º y 10º. Puedo enseñarles toda clase de cosas que se pueden hacer usando Microsoft Word. Pero cuando se trata de otros programas, tengo que pedirles ayuda *a ellos*.

Ahora que ya sabemos que la inexperiencia está en todos nosotros, tengamos presentes tres cosas. La primera, está bien que otras personas sepan cosas que nosotros no sabemos. No ser bueno en todo no es una señal de fracaso. La segunda, como no puedes ser un experto en todo, debes escoger en qué cosas quieres destacar. Y la tercera, no debes mirar con desprecio a las personas que no tienen habilidades en tus áreas de talento. Si eres un buen estudiante, no harás bromas con los que suspenden o no sacan buenas notas. Si eres un buen atleta, combate la necesidad de ridiculizar a un compañero de equipo porque se le cayó la pelota. No te quejes porque en tu equipo haya algunos jugadores. Acuérdate de tratar a las personas como querrías que te tratasen si se te juzgase en una de tus áreas de aprendiz.

Algo que quiero que recuerdes: ¿En qué áreas destacas? ¿En cuáles necesitas ayuda?

Perseverar vale la pena

Sean valientes y no se desanimen, porque sus trabajos tendrán una recompensa.
2 Crónicas 15: 7

EN 1895 UN HOMBRE llamado Pearl Wait intentaba promocionar un nuevo tipo de alimentos que había desarrollado. Tomaba la forma del contenedor en que se depositaba y él pensaba que eso sería un gran éxito. Pero al cabo de unos años abandonó el intento y vendió los derechos del producto por 450 dólares.

Hacia 1906, el descubrimiento de Wait, que se conocía como Jell-O, era tan popular que las ventas anuales sobrepasaban el millón de dólares. Ojalá el Sr. Wait no hubiese abandonado tan pronto.

Como maestra, he tenido alumnos que, como el Sr. Wait, abandonaron cuando las cosas se pusieron difíciles. Si tenían que escribir de nuevo una redacción, en lugar de mejorarla, se limitaban a copiarla. Si obtenían una nota baja en el examen de historia, decidían que, al fin y al cabo, estar en la lista de honor no era tan importante. Y había quien, cuando no sabía resolver un problema de matemáticas, copiaba la respuesta de algún otro trabajo. Pero también he visto alumnos que no estaban dispuestos a abandonar hasta que alcanzaban sus objetivos.

El programa de literatura de nuestra escuela exige que los alumnos superen pruebas de ortografía, vocabulario y lectura antes de pasar a la siguiente historia del libro de lectura. Phillip era uno de los alumnos para los cuales la lectura suponía un verdadero desafío. Pero no importaba cuántas veces tuviese que rehacer el trabajo o pasar el examen. Phillip jamás se desanimaba y siempre sonreía. Era una inspiración tanto para los maestros como para los alumnos.

La actitud positiva y la determinación de Phillip lo ayudaban a conseguir sus objetivos. Hace unos días, Phillip Dwyer se graduó en la Universidad Andrews con un grado de cuatro años en aviación. El piloto Phillip Dwyer nunca arrojó la toalla.

Si te desanimas cuando algo se pone difícil, recuerda que la perseverancia paga grandes dividendos.

20 MAYO

Buscar el favor de Dios

Yo no busco la aprobación de los hombres, sino la aprobación de Dios. No busco quedar bien con los hombres. ¡Si yo quisiera quedar bien con los hombres, ya no sería un siervo de Cristo!

GÁLATAS 1: 10

DURANTE UNO DE LOS VIAJES MISIONEROS de Pablo, él y Bernabé se detuvieron en la ciudad de Listra. Durante una de sus predicaciones, Pablo sanó a un paralítico.

Cuando el hombre saltó, libre de su discapacidad, la gente se alborotó. Estaban tan excitados con lo que habían visto que decidieron que Pablo y Bernabé eran dioses. Un sacerdote pagano vino corriendo con lo necesario para ofrecer sacrificios y toda la ciudad empezó a adorar a los dos hombres.

Pablo los detuvo.

—¿Por qué hacen esto? —preguntó—. Somos hombres como ustedes. Hemos venido a hablarles del Dios del cielo que hizo todas las cosas. Él es el único a quien deben adorar.

Entonces sucedió algo muy extraño. Algunos judíos convencieron a la multitud de que Pablo era un agitador; y las mismas personas que, momentos antes, querían adorarlo, empezaron a apedrear a Pablo. Su ataque era tan furibundo que no cesaron hasta que pensaron que estaba muerto.

En un minuto la gente de Listra adoraba a Pablo. Al minuto siguiente, quería apedrearlo. En el mejor de los casos, la popularidad es inestable.

Se dice que, seas como seas, le gustarás al 20% de las personas que conozcas; a otro 20% no le gustarás de ninguna manera; y al 60% restante le gustarás o no le gustarás dependiendo de las circunstancias. Intentar gustar a todo el mundo es una batalla perdida.

Nuestro objetivo no debería ser mantener a todos contentos. Nuestro objetivo debería ser honrar a Dios. Cuando ocupe el primer lugar en la vida podremos estar satisfechos de saber que agradamos al único a quien vale la pena agradar.

De paso

Piensen en las cosas del cielo, no en las de la tierra.

COLOSENSES 3: 2

SE CUENTA LA HISTORIA de un hombre muy devoto que vivía de manera muy sencilla en una pequeña cabaña en la ladera de un monte. Tenía una mesita de madera, una silla y un camastro.

Un día un joven excursionista subió por el sendero y pasó junto a la cabaña. Vio al viejo leyendo la Biblia a la sombra de un árbol. El joven se le acercó y empezó a conversar con el viejo.

—Bonita vista —dijo.

El viejo asintió con la cabeza.

El excursionista lo intentó de nuevo.

—¿Hace mucho que está aquí?

—Lo suficiente como para saber que este es mi sitio —respondió el anciano.

—¿Pero cómo puede vivir una vida tan sencilla, aquí arriba, solo y tan lejos de la sociedad? ¿No echa de menos los adelantos y las comodidades de la vida?

El anciano no respondió pero, a su vez, le hizo una pregunta.

—Veo que llevas una mochila. ¿La llenaste con tus posesiones?

El joven apoyó su carga en el árbol.

—Bromea. Solo soy un turista. No vivo aquí. Estoy de pasada.

El anciano sonrió, miró al cielo y dijo:

—Yo también, hijo. Yo también.

Cuando nos demos cuenta de que este mundo no es nuestro hogar, nos será más fácil evitar los placeres temporales que distraen nuestra atención de Dios y su reino. Mientras estamos de viaje podemos poner nuestros pensamientos en el gozo que Dios nos dará en nuestro hogar celestial.

22 MAYO

No es de este mundo

Mi reino no es de este mundo.
Juan 18: 36

UNA DE LAS MAYORES LECCIONES que Jesús quiso enseñar a las personas es que su reino está en el cielo y no en la tierra. Pero nadie lo "captó". Ni siquiera sus discípulos.

Los objetivos que Jesús tenía para sus seguidores eran tan distintos de los que tenían que su reino a menudo se describía como "El reino al revés". Los discípulos discutían entre ellos cuán maravilloso sería que Jesús aceptase su papel de Mesías. Pero Jesús le dijo que se enfrentaba al rechazo y a la muerte, no a la popularidad.

Los judíos querían un mesías que destruyese a los romanos. Pero Jesús les dijo que amaran a sus enemigos y cooperasen con sus gobernantes.

Los judíos trabajaban toda la vida con la esperanza de acumular suficiente dinero para poder escapar de su existencia de clase obrera. Pero Jesús les dijo que se olvidaran de aumentar sus posesiones en la tierra. Los alentaba a usar su dinero para bendecir a otros y apoyar la obra de Dios.

La gente, en tiempos de Jesús, ansiaba alcanzar la prominencia y el poder. Pero Jesús decía que para ser grande en su reino era preciso rebajarse, aceptar el papel de un siervo y poner a los demás por delante de uno mismo.

Quienes forman parte del reino al revés de Dios saben que vivir para Jesús es la única vía para acceder a la felicidad verdadera. Cuando nos sintamos tristes y decepcionados, podemos mirar hacia el día en que viviremos con Jesús en un reino que nunca se acabará.

Fuerza en la debilidad

Cuando más débil me siento es cuando más fuerte soy.

2 Corintios 12: 10

EN EL DEPORTE, hay veces en que, cuando los equipos están completamente desigualados, empiezas a apiadarte del perdedor. Nunca fue esto tan cierto como cuando el 7 de octubre de 1916 Georgia Tech jugaba contra Cumberland.

Georgia Tech era una gran escuela con un entrenador aún mayor, Johnny Heisman, de quien recibe el nombre el trofeo Heisman. Cumberland era una escuela con menos de doscientos alumnos y nadie recuerda quién era su entrenador.

Los de Cumberland empezaron el partido sabiendo que no saldrían ganadores. Pero estuvieron de acuerdo en jugar contra Georgia Tech porque les habían prometido cierta cantidad de dinero. La escuela necesitaba e dinero para sostener el programa de fútbol.

Después del primer cuarto, Georgia Tech arrasaba 63-0. A mitad del partido, el tanteo estaba 126-0. A final del partido el marcador señalaba un récord: 222-0.

Pobre Cumberland, no solo no consiguieron un triste punto, sino que ni siquiera consiguieron una sola jugada. Se dijo que su mayor logro fue una carrera hasta la línea de cuatro yardas.

En el mundo de los deportes, la fuerza se mide con números, cuanto mayor es la puntuación, más fuerte es el jugador o el equipo. Pero en el reino al revés de Dios, nuestra fuerza se mide por nuestra debilidad.

«Mediante la fuerza divina, el santo más débil escapa a las capacidades de Satanás y todos sus ángeles, y si se lo pone a prueba, será capaz de demostrar su poder superior».[1]

Cuando nos demos cuenta de lo mucho que necesitamos la ayuda de Dios, podremos ser fuertes en la debilidad. Tan pronto como dejemos de confiar en nuestras fuerzas para combatir el pecado, Dios podrá darnos su poder y tendremos asegurada la victoria.

1. *Testimonios para la iglesia*, t. 5, p. 293.

24 MAYO

Poca reflexión, mucha lamentación

El sabio teme al mal y se aparta de él [...].
El que es impulsivo actúa sin pensar.
PROVERBIOS 14: 16, 17

ESE MARTES YO NO TENÍA MUCHA PACIENCIA. Por eso, cuando le dije a Tracy que dejase de hablar y acabase el ejercicio de matemáticas, no me gustó demasiado tener que repetírselo dos minutos más tarde.

Me acerqué a su pupitre y vi el montón de correcciones que no había terminado.

—Tracy, el viernes tienes un examen y no te podrás presentar a menos que hayas corregido estos trabajos. Por favor, deja de hablar con John y acábalos. Si necesitas ayuda, levanta la mano.

—De acuerdo, Sra. Coffee — dijo ella sonriendo.

Me acerqué al pupitre de Amy y le devolví sus deberes. Cuando me disponía a regresar a mi mesa, vi que Tracy estaba hablando. Otra vez. Le di unos golpecitos en el hombro.

—Señorita, te espero en el vestíbulo.

Mientras la seguía por la clase, me sentí muy poderosa. Entonces escuché una voz dentro de mi cabeza: «Renee, ¿Quieres que te ayude?»

Sabía que el Espíritu Santo me estaba hablando. Pero respondí: «No, gracias. Puedo apañármelas». Cuando cerré la puerta de la clase, me volví a Tracy y le leí la cartilla.

—Vas atrasada de ocho páginas en las correcciones. Vuelve a tu asiento y ponte a trabajar en las matemáticas . Si no, te tendrás que quedar durante el recreo.

Tracy regresó a la clase y mi sentimiento de poder fue sustituido por tristeza por la manera en que había perdido los nervios.

¿Has experimentado alguna vez el "subidón" que viene cuando te enfadas? Durante unos segundos te sientes bien. Pero luego te sientes como un verdadero perdedor.

La historia no se acaba aquí. Mañana te contaré qué sucedió dos días más tarde.

Confiar en su poder

Más vale ser paciente que valiente;
más vale vencerse uno mismo que conquistar ciudades.
PROVERBIOS **16: 32**

ME SENTÍA TAN AVERGONZADA por haber perdido los nervios con Tracy que durante el almuerzo me disculpé y le pedí que me perdonara. Tracy sonrió.

—No pasa nada, Sra. Coffee. Siento haber hablado tanto. Sé que debería haberme esforzado más por hacer mi trabajo. Me esforzaré de verdad y mañana tendrá todas las correcciones.

Pero, al cabo de dos días, el montón de trabajos pendientes de corregir de Tracy era aún mayor. Estaba hablando con John. Sentía como la ira crecía dentro de mí.

Volví a su pupitre. Me vio llegar e intentó fingir que estaba trabajando.

—Vamos a fuera, tenemos que hablar —dije, dirigiéndome al pasillo.

La seguí por la habitación, tal como había hecho hacía un par de días. La mima ira que sentí el martes se había apoderado de mí.

En el momento en que alcancé la puerta, escuché esa misma vocecita: «¿Quieres que te ayude con Tracy?»

Recordé qué sucedió dos días antes y decidí no ocuparme sola del asunto acepté la oferta del Espíritu Santo. Instantáneamente la ira desapareció.

Una vez más le dije a Tracy que era muy importante que hiciera su trabajo. Le dije que cuando hablaba con otros alumnos se estaba haciendo daño a ella misma y también se lo hacía a ellos. Pero esta vez fui capaz de ser paciente y amable.

No quieras resolver tus problemas por ti mismo. Pide a Dios su ayuda. Su poder siempre está disponible, nunca se agota; y él es feliz de compartirlo con quien se lo pida.

26 MAYO

Tan cerca... y tan lejos

El que desprecia la corrección no se aprecia a sí mismo; el que atiende a la reprensión adquiere entendimiento.
Proverbios 15: 32

NO CREO QUE PENSEMOS que el delito de Chet pueda considerarse grave, pero era lo suficientemente grave como para mandarlo a la Penitenciaría Estatal de Iowa. Por suerte, el joven convicto se acercaba ya al fin de la sentencia. Le faltan tan solo 23 días para salir y ser un hombre libre. Pero estaba ansioso por probar la libertad lo antes posible y se le ocurrió un plan.

A causa de la naturaleza de su delito y su buena conducta, a Chet se le permitía más libertad que a la mayoría de los otros prisioneros. Estaba asignado a un grupo de trabajo que trabajaba con muy poca supervisión de los guardas.

Durante un tiempo, Chet pensó lo fácil que sería escapar al control de los guardias cuando nadie estuviese mirando. Escaparse de la prisión era cuestión de unos pocos movimientos hechos con cautela. Y puso su mente a trabajar. Se las ingeniaría para salir antes de tiempo.

Esperó el momento adecuado y Chet consiguió fugarse. Pero esa libertad duró poco.

Al día siguiente su propia madre lo notificó a las autoridades y lo volvieron a meter entre rejas. En menos de 24 horas, Chet había regresado a la prisión y se tenía que enfrentar no a 23 días, sino a cinco *años* a causa de su tentativa de fuga.

Durante las últimas semanas de clase, algunos alumnos se despojan de la prudencia y se meten en líos. Pierden los nervios y hacen novillos porque no soportan al maestro. Se vuelven vagos y no hacen sus deberes. O también quebrantan algunas normas importantes y son expulsados.

Mantén la atención puesta en tus objetivos. Resiste a la tentación de hacer novillos. Si no abandonas antes de tiempo, el fin de curso puede ser magnifico.

Una cuestión de tiempo

De manera que todavía queda un reposo sagrado para el pueblo de Dios.

HEBREOS 4: 9

MAYO SIEMPRE ES UN TIEMPO ACIAGO para maestros y alumnos. A medida que el curso se acerca a su fin, todo el mundo está ocupado acabando cosas antes de las vacaciones de verano. No hay tiempo para hacer todo cuanto es preciso hacer.

El tiempo. Es lo único que los seres humanos tienen en común; y algo que siempre parece faltarles. El filósofo francés Michel Serres dijo una vez: «Todo el mundo tiene reloj, pero nadie tiene tiempo».

Hace un siglo, la gente pasaba todo el tiempo desempeñando las tareas más básicas. Lavaban la ropa a mano, enganchaban los caballos a una carreta para que la familia pudiese ir a la ciudad, cortaban leña para la cocina y hacían conserva de los productos del huerto.

Cuando vino la tecnología, se nos prometió que todos los nuevos inventos harían más fácil la vida. Se nos aseguró que los nuevos artilugios liberarían tiempo y nos permitirían disfrutar demás libertad para hacer lo que quisiésemos. Pero algo salió mal.

La tecnología que prometía darnos más tiempo libre creó nuevas diversiones para ocupar el tiempo ganado. Podemos meter la ropa en la lavadora en lugar de pasar todo el día frotándola en el lavadero. Pero el tiempo que ahorramos lo pasamos viendo la televisión, navegando por Internet o jugando con videojuegos. De hecho, ahora estamos peor que antes porque, si el montón de ropa sucia puede terminarse, las diversiones no. Si quisiésemos, podríamos estar divirtiéndonos durante todo el día.

Dios sabía lo que se hacía al crear el sábado. Sabía que a menos que apartase un día especial, jamás encontraríamos tiempo para adorarlo.

Cuanto más ocupados estemos, más necesitamos el sábado. Os ayuda a echar el freno y, durante todo un día, ralentiza el ritmo frenético que llevamos los otros seis días de la semana.

28 MAYO

La mona de repetición

**Júntate con sabios y obtendrás sabiduría;
júntate con necios y te echarás a perder.**
PROVERBIOS 13: 20

AQUEL DÍA, a Cam y a mí nos habían castigado a quedarnos una hora más en la escuela. Yo había hablado demasiado en clase y Cam se había retrasado en algunas tareas. Mientras Cam trabajaba en matemáticas, yo leía una historia sobre caballos.

Me di cuenta de que en mi pupitre había algunos alfileres. Tomé uno y deslicé la punta entre mis dientes. Luego di un empujoncito a Cam y le brindé una amplia sonrisa.

—Oye, ¿te quedan más? —susurró.

Le devolví un alfiler y regresé a mi libro. Aún no había acabado la página que Cam me interrumpió.

—Pssst, Renee —susurró—. Acabo de tragarme el alfiler.

—Sí, ya... Acaba las matemáticas.

—No, de verdad. Me tragué el alfiler.

Cuando vi la cara de Cam supe que no bromeaba. Estaba asustado. Y yo también.

Llamaron a los padres de Cam. Lo llevaron corriendo al Memorial Hospital. Pero como se necesitaba un equipo especial, los derivaron a otro hospital. Allí los médicos introdujeron una herramienta especial en el cuello de Cam y sacaron el alfiler que se había introducido en los pulmones.

A causa de mi ejemplo, Cam hizo algo que no habría hecho nunca por sí mismo. Por fortuna se recuperó de las heridas.

Cuando la gente te mira, es muy probable que siga tu ejemplo. Esto es especialmente cierto con los niños más pequeños. Pídele a Dios que te ayude a ser un buen ejemplo para que, cuando la gente te observe, puedas ser una inspiración positiva.

Pago completo

Así los salvó de sus enemigos, del poder de quienes los odiaban.

Salmo 106: 10

HACE MUCHOS AÑOS, un banco de Filadelfia estaba vaciando una antigua zona de archivos. Alguien llamó a un basurero y le ofreció venderle los desechos. Se estableció el precio de quince dólares. El basurero pagó el dinero y un empleado le dio un recibo firmado.

Mientras empaquetaba los papeles, el basurero descubrió unas cartas antiguas fechadas en 1845 y 1846. Decidió que las llevaría a un especialista en filatelia.

El filatélico no podía creer lo que veía. Las cartas no tenían nada especial, pero los sobres eran un verdadero descubrimiento. El sello era el famoso sello del "Oso", editado por una oficina de correos de St. Louis antes de que el gobierno federal empezara a imprimir sellos de correos. El filatélico pagó 75,000 dólares al basurero por los sobres.

Cuando la historia llegó a los periódicos, el banco demandó al basurero.

—Aquellos sobres pertenecían al banco —reclamó el abogado del banco.

Pero todo cuanto tuvo que hacer el basurero fue sacar el recibo y la demanda fue desestimada. Me imagino que cuando Jesús y Satanás se encuentren por última vez, Satanás hará un intento más para reclamar la posesión de aquellos a quien Jesús ha salvado.

—Tus seguidores no tienen derecho a la vida eterna. Todos pecaron y cayeron bajo mi poder. Me pertenecen —gritará.

Pero a Jesús le bastará con levantar las manos.

—¿Ves estas cicatrices, Satanás? Son la prueba de que he pagado el precio de sus pecados. Quizá les hayas controlado durante un tiempo. Pero ahora me pertenecen; y donde yo esté, ellos también estarán.

¿Has aceptado el don de la salvación? ¿Tienes la seguridad de la vida eterna? Si las quieres, son tuyas.

Trampero

Pero el Espíritu dice claramente que en los últimos tiempos algunos renegarán de la fe, siguiendo a espíritus engañadores y enseñanzas que vienen de los demonios.

1 Timoteo 4: 1

MARLENE HUCKABAY Y SUS ALUMNOS andaban por el camino que había entre la puerta de entrada a la escuela y el parque de al lado. Alguien miró hacia abajo y vio una gran araña en una de las plantas.

La araña había tejido una telaraña con las hojas de la planta. Luego se había puesto en medio de la telaraña. No le era preciso salir a buscar comida. La comida venía a ella.

La mayoría de los insectos evitaban la telaraña. Pero muy pronto un gran saltamontes la golpeó. Pero como era tan pesado, la telaraña se rompió y el saltamontes cayó al suelo.

Como el plan A había fracasado, la araña puso en marcha el plan B. Disparó al saltamontes un chorro de seda líquida de veinticinco centímetros e intentó atarlo como si fuese un lazo. Pero el insecto saltó y continuó su viaje a través de la alta hierba.

Los insectos más pequeños no tenían tanta suerte. Tan pronto como uno aterrizaba en la telaraña, la araña sentía las vibraciones y corría hacia su prisionero. Mientras se esforzaban por liberarse, la araña los envolvía en un hilo de seda, como un mozo de almacén que ata una cuerda alrededor de un paquete.

Satanás se parece mucho a la araña. Constantemente intenta arrastrar a la gente a su telaraña de pecado.

En la Biblia leemos cómo responden distintas personas a las estratagemas de Satanás y vemos los resultados de sus elecciones. Algunos, como Enoc, permanecieron alejados de las trampas de Satanás. Otros, como el rey David, se acercaron demasiado y quedaron atrapados durante un tiempo antes de poder librarse y regresar a Dios. Algunos, como Jezabel y Judas, fueron a la muerte bajo el control completo de Satanás.

Cuando empieces cada día, con la ayuda de Dios, esfuérzate para evitar las trampas de Satanás. No permitas que te atrape en su telaraña.

Un día de gratitud

Señor, tú conoces todos mis deseos, ¡mis suspiros no son un secreto para ti!

SALMO 38: 9

CUANDO HOY PIENSES en todo lo que quieres agradecer, mira a ver si puedes incluir algo que no hayas puesto antes en la lista. Busca bendiciones que no sean tan obvias.

Gracias, Señor, por:

Peticiones especiales:

No hundas el barco

Quítale el orgullo a tu siervo; no permitas que el orgullo me domine. Así seré un hombre sin tacha; estaré libre de gran pecado.
Salmo 19: 13

EL 28 DE NOVIEMBRE DE 1944, durante la Segunda Guerra Mundial, el *Archerfish*, un submarino de la armada de los Estados Unidos, cruzaba las aguas de la bahía de Tokio buscando aviadores americanos abatidos. El radar descubrió un movimiento más arriba. Sin darse cuenta, el submarino había descubierto la nueva arma secreta de Japón, un enorme portaaviones, el *Shinano*. El Shinano había sido construido bajo el mayor de los secretos, de manera que quien hablase de él en público era reo de pena de muerte.

El Archerfish se puso a perseguirlo mientras zigzagueaba por el agua. Incapaz de ponerse en la posición correcta para el ataque, el submarino continuó la persecución durante siete horas.

Entonces el Shinano cometió un gran error. Dio la vuelta y encaró la proa hacia el Archerfish. El submarino estaba a punto. Disparó cuatro torpedos al portaaviones de sesenta y cinco mil toneladas. El portaaviones, que los japoneses llamaban "la Fortaleza Inexpugnable del Mar" se fue al fondo del océano arrastrando consigo a su tripulación de mil cuatrocientos hombres. El orgullo de la armada japonesa se encontró con su destino *en su primera noche en el mar*.

Esta historia nos recuerda al *Titanic*. Los capitanes del Shinano y el Titanic tuvieron un exceso de confianza y creyeron que sus barcos eran indestructibles.

La confianza es un rasgo positivo. Pero el exceso de confianza hace que las personas se vuelvan descuidadas y los resultados suelen ser costosos.

—No necesito estudiar. Soy el más listo de la clase.

—¿Para qué tengo que arreglarme para la entrevista de trabajo? A la gente no le importa cómo me visto.

—Tengo una salud de hierro. Puedo comer lo que quiera.

Aprovecha todas las oportunidades. No intentes tomar atajos. Nadie es indestructible, ni siquiera tú.

El tesoro perdido

Sométanlo todo a prueba y retengan lo bueno.
1 Tesalonicenses 5: 21

Cuando Kent Birmingham oyó que la escuela de iglesia necesitaba dinero para hacer reformas, decidió donar algunos libros valiosos de su colección para que los vendieran a beneficio de la escuela. Después de escoger qué libros donaría, el Sr. Birmingham entró en Internet y averiguó el precio medio de cada volumen. Luego los introdujo en una caja y los llevó a la escuela.

El primero de ellos se vendió por más de trescientos dólares. Pero luego algo salió mal.

Los obreros de la construcción que reformaban una parte de la escuela descubrieron las cajas de libros y pensaron que había que arrojarlas a la basura. Y así lo hicieron.

Cuando se descubrió el error, la dirección de la escuela hizo una llamada urgente a la empresa que gestionaba los residuos.

—Uno de sus camiones se ha llevado unos libros valiosos que no tenían que ser arrojados a la basura. Díganle al conductor que no vacíe la carga en el vertedero.

El empleado hizo todo cuanto pudo para identificar qué camión basurero se había llevado los libros. Pero los libros nunca se encontraron. Hacia el atardecer, en algún vertedero de Ohio se enterraron 37,000 dólares en libros valiosos, nadie volvería a verlos jamás.

Los obreros de la construcción pensaron que los libros eran para tirar. Solo se dieron cuenta de lo que habían hecho cuando el tesoro se había perdido.

Cada día, los adolescentes desperdician tesoros. Se alejan de Dios. Se arruinan la salud con las drogas y otros malos hábitos. Pierden la libertad transgrediendo las leyes. Mueven barullo en la escuela y desperdician importantes oportunidades de aprender y conseguir una buena educación.

Los tesoros se pueden perder. Aprende a apreciarlos y protégelos bien.

Completo

Por eso, deben ustedes renunciar a su antigua manera de vivir y despojarse de lo que antes eran [...] y revestirse de la nueva naturaleza.
Efesios 4: 22, 24

EN MATEO 12 Jesús cuenta una parábola que ilustra la importancia de sustituir los malos hábitos con otros buenos. La historia empieza con un hombre que está controlado por un espíritu malo. Un día el hombre decide que quiere empezar una nueva vida y por eso expulsa el mal espíritu.

El espíritu espera un poco de tiempo y regresa para ver qué ha sucedido con su antigua morada. Se da cuenta que el lugar que ocupaba en la vida del hombre todavía está vacío. Nada ha llenado el hueco. Así que envía invitaciones a siete de sus amigos malos.

—Vengan conmigo —dice—. El lugar que antes ocupaba está limpio y todavía nadie lo ha reclamado para sí. ¿Qué se apuestan a que ahora hay lugar para todos nosotros?

Así que los siete espíritus malos se unen a su amigo y el pobre hombre que quiso librarse del mal por sus medios acaba con más problemas que antes.

En esta historia Jesús explica que no basta con dejar de hacer cosas malas. Cuando en nuestra vida hay algo que necesita un cambio, debemos expulsar el mal hábito y luego sustituirlo con algo bueno.

Si, por ejemplo, Brad tiene un problema con el lenguaje grosero, debería pedir a Dios que lo ayude a sustituir las malas palabras con otras positivas. Cuando sienta la tentación de jurar, podría repetir un versículo de la Biblia, decir palabras de ánimo para los demás, dar gracias a Dios por sus bendiciones o cantar una canción edificante.

Cuando Dios nos pide que hagamos un cambio en la vida, lo hace porque tiene algo mejor para nosotros. Quiere sustituir las cosas que nos hacen daño con hábitos que harán que nuestra vida sea más feliz y productiva.

Un trabajo de primera categoría

Que la bondad del Señor, nuestro Dios, esté sobre nosotros. ¡Afirma, Señor, nuestro trabajo! ¡Afirma, sí, nuestro trabajo!

Salmo 90: 17

CUANDO EL CURSO ACABA, muchos jóvenes empiezan a buscar un trabajo para el verano. Pero, cuando hay tantos que buscan uno, no siempre es fácil encontrarlo. No puedo ayudarte a encontrar un trabajo, pero me gustaría darte algunas ideas sobre cómo conservarlo una vez lo hayas encontrado.

1. Sé puntual. Una vez tuve un jefe que decía: «Si no llegas al menos cinco minutos antes, llegas tarde». Ser puntual le dice al empresario que te tomas en serio el trabajo.
2. Mantente ocupado. Cuando construíamos nuestra casa, dos obreros a tiempo parcial captaron mi atención. Steve pasaba la mayor parte del tiempo entreteniendo a los demás. Se apoyaba en la pala y empezaba a contar chistes mientras los demás trabajaban. Me sorprendió. Rob era justo lo contrario. Estaba ocupado cada minuto mientras estaba en el trabajo. Cuando completaba una tarea, no esperaba a que el capataz le dijese qué tenía que hacer luego. Siempre encontraba algo por hacer. No me sorprendió que el capataz me dijera que quería contratar a Rob en plantilla.
3. Haz más de lo que se espere de ti. Si siegas el césped, perfila alrededor de los árboles y barre las aceras cuando hayas terminado. Las niñeras pueden quitar el polvo y pasar la aspiradora o fregar los platos.
4. Hazte imprescindible. No rechaces un trabajo si puedes hacerlo. Y hazlo de manera que puedas estar orgulloso de él. El empresario que no tiene que comprobar que el trabajo se hizo correctamente es feliz.
5. Sé honrado en todos los aspectos. Si trabajas a horas, observa un horario estricto. No te quedes con cosas que no te pertenecen. Si cuidas niños, no te acerques al refrigerador a menos que los dueños de la casa te hayan dado permiso para abrirlo.

Quizá haya escasez de empleos, pero los trabajadores que dan el 110% siempre están muy solicitados.

5 JUNIO

Un sueño imposible

Que el adorno de ustedes no consista en cosas externas, [...]
sino en lo íntimo del corazón, en la belleza incorruptible
de un espíritu suave y tranquilo. Esta belleza vale mucho delante de Dios.
1 PEDRO 3: 3, 4

TODO EL MUNDO QUIERE SER ATRACTIVO. Pero basta con echar un vistazo a los modelos de las revistas y te darás cuanta de que no das la talla. La buena noticia es que los modelos tampoco dan la talla.

En un documental sobre la imagen corporal, un especialista en procesamiento de gráficos por computadora demostró que se puede rehacer totalmente una persona valiéndose de las maravillas de la digitalización de imágenes. Empezó con una fotografía de una mujer de aspecto corriente. Usando la computadora, le cambió el color del pelo, le ensanchó los hombros, la adelgazó cinco kilos y la hizo crecer diez centímetros. Luego se dedicó a reducir su nariz, borrar las arrugas de su frente y levantarle los pómulos. Cuando hubo terminado, había creado una persona que no existe.

Las empresas publicitarias usan las fotografías modificadas para vender los productos. Quieren que nos sintamos tan inferiores que compremos los productos que venden.

Prueba con este experimento. Ve al centro comercial o a cualquier lugar en el que la gente se reúna. Mira a todos los que te rodean. ¿Hay alguien que se parezca a los modelos de los anuncios? Seguro que descubrirás que la mayoría de la gente tiene un aspecto corriente. Quizá veas una o dos personas que son muy atractivas, pero son una excepción, no la norma.

La gente que está muy preocupada por su aspecto se vuelve ególatra. Esas personas tienen que compararse constantemente con los demás.

La vida es mucho más divertida si dejas de preocuparte por tu apariencia exterior. Dedica tus energías a tener un interior bello. Porque, al fin y al cabo, lo que cuenta es el interior.

¿Se lo dijiste?

El Señor afirma: «Ustedes son mis testigos, mis siervos, que yo elegí».
Isaías 43: 10

ADAM WATSON TENÍA SOLO OCHO AÑOS cuando sus papás lo enviaron a un internado cristiano para niños indios americanos. Nunca antes había oído nada sobre Jesús. En su casa no había lugar para la religión. Pero cuando asistía a los servicios de culto de la mañana y la noche, Adam quedó fascinado por la historia de un Hombre que murió por él. No pasó mucho tiempo antes que Adam se bautizara.

En su primera visita a casa, Adam habló a su familia sobre Jesús. Pero su papá no quería tener nada que ver con la religión.

El papá de Adam bebía mucho y cuando lo hacía que la vida de su familia y las otras personas fuese miserable. La cárcel era como su segunda casa.

Pero Adam insistía. Cada vez que Adam volvía a casa contaba a su familia lo que había aprendido de Jesús. Al cabo de un tiempo su papá empezó a prestarle atención.

Finalmente, el Sr. Watson consintió en recibir estudios bíblicos. Cuanto más leía la palabra de Dios, más cambiaba su vida. Dejó de beber y se convirtió en una persona completamente nueva. Hoy el papá de Adam es un evangelista que presenta a otras personas ese Salvador a quien su hijo empezó a amar.

Cuando pensamos en compartir nuestra fe, a menudo dudamos de dar testimonio a los miembros de nuestra familia. Llegar a ellos puede ser más difícil que a las personas de la puerta de al lado. Pero las personas que tenemos más cerca pueden ser las que más necesiten escuchar el evangelio.

Pídele a Dios que te muestre cómo dar testimonio a tu familia. Podrías ser quien los acerque a Jesús.

Escucha la voz

Si hoy escuchan ustedes lo que Dios dice, no endurezcan su corazón.
HEBREOS 4: 7

SE CUENTA LA HISTORIA de un abuelo y su nieto menor que trabajaban codo con codo mientras cavaban un camino hacia el granero. Juntos araban un futuro semillero.

De repente, un sonido metálico rompió el silencio de la tarde. La azada había chocado con algo que se encontraba oculto en la tierra.

—¿Qué encontraste, abuelo? —preguntó el niño.

El anciano cavó con la azada hasta que liberó la roca y la sacó a la superficie.

—Solo es una piedra grande —dijo.

Se agachó y, con las dos manos, tomó la roca y se dispuso a arrojarla a un lado. Pero una idea pasó por su cabeza y la volvió a dejar a sus pies.

—Jack —dijo—, soy viejo. Mi vida se acaba pero la tuya acaba de empezar. ¿Te importa si te doy un consejo?

El jovencito sonrió y el abuelo continuó.

—Cuando yo era joven no pensaba que tuviese tiempo para Dios. Estaba demasiado ocupado en hacer lo que me apetecía. Crecí y seguí sin prestar atención a esa voz que escuchaba en mi cabeza. El corazón se me endureció más y más. Ahora es como esta roca.

Al decir esto, el hombre golpeó la roca. Clanc. Clanc. Clanc.

Mirando a los ojos del chico, continuó hablando.

—No endurezcas el corazón como yo. Es una decisión que se toma una y otra vez. Cada vez que escogemos hacer las cosas a nuestra manera y no a la de Dios nos volvemos más insensibles a su dirección.

No endurezcas *tu* corazón. Escucha la voz de Dios.

Purgar lo bueno

Por lo tanto, cuiden mucho su comportamiento. No vivan neciamente, sino con sabiduría. Aprovechen bien este momento decisivo, porque los días son malos.

Efesios 5: 15, 16

HACE UNAS SEMANAS plantamos el huerto. Disfruté cada minuto. Pero hoy tuve que hacer algo que me disgustó mucho. Tuve que arrancar más de la mitad de mis remolachas. A esa operación se la llama "purgar".

No había nada malo en las remolachas. Eran plantas buenas. Cada vez que arrancaba una pensaba en la remolacha que habría dado. Parecía un despilfarro desechar una planta perfecta.

¿Pero por qué tenía que purgarlas? Porque las remolachas necesitan mucho espacio para crecer. Si hubiese dejado las plantas en el suelo se habrían entorpecido unas a otras y el crecimiento se habría echado a perder.

Mientras arrancaba las plantitas, me acordé de la vida. Las hileras de remolachas son como las oportunidades que tendrás este verano.

Cuando empiecen las vacaciones de verano, tendrás la sensación de tener todo el tiempo del mundo para cumplir tus objetivos. Quizá quieras aprender a tocar la trompeta, ir de compras, aprender a montar, jugar al fútbol, ir a visitar a los abuelos, tener un empleo de verano, ir de vacaciones con la familia, aprender a conducir, salir con los amigos, ir a un campamento de verano, ir de pesca y muchas más cosas.

Pero probablemente no puedas hacer todo lo que tenías en la lista. Por tanto, tendrás que elegir. Tendrás que purga lo bueno, de manera que puedas hacer lo mejor.

Sea cual sea tu elección, no te olvides de hacer que el tiempo con Dios sea tu principal objetivo. Pasar tiempo con él cada día es la mejor de todas las elecciones.

9 JUNIO

Un ciego guía a otro ciego

¿Acaso puede un ciego servir de guía a otro ciego? ¿No caerán los dos en algún hoyo?
Lucas 6: 39

MIENTRAS ESTABA DE SERVICIO en la patrulla de tráfico, un policía de Jackson, Misisipi, vio un automóvil que iba haciendo eses. Sospechando que el conductor iba bebido, puso en marcha la sirena y las luces. Siguió al automóvil durante un tiempo antes de que el conductor acabara deteniendo el vehículo en la cuneta.

—Muy bien. Deme su permiso de conducir y la documentación del vehículo, por favor –dijo al conductor.

El conductor se revolvió en el asiento.

—No tengo permiso —reconoció.

—¿Se lo retiraron? —preguntó el policía.

—No, nunca tuve. Soy ciego.

El policía no podía creer lo que oía.

—¿Es ciego y conduce un automóvil? —preguntó.

El ciego intentó dar una explicación.

—Mi amigo ha bebido demasiado y por eso yo conduzco por él. Él ve y yo conduzco.

El policía ni se inmutó. Envió a ambos a la cárcel.

El versículo de hoy no habla de gente que no puede ver. Se refiere a personas que están ciegas a la verdad.

Que una persona esté al volante de un automóvil no quiere decir que sepa qué hace. De la misma manera, si alguien dice que conoce a Dios no quiere decir que lo conozca realmente. Debemos tener cuidado con la elección de la guía espiritual.

No hay nada malo en aprender de los demás. Pero asegúrate de que lo que dicen esté de acuerdo con la Biblia. Las nuevas verdades siempre están de acuerdo con las antiguas.

El resto de la historia

Señor, tú me has examinado y me conoces.
Aún no tengo la palabra en la lengua, y tú, Señor, ya la conoces.
SALMO 139: 1, 4

HABÍAMOS LLEVADO A LOS ALUMNOS de noveno y décimo a un retiro de salud. Durante dos días estuve dudando en tomar una gran decisión. ¿Escribía otro libro o no? El último día del retiro, durante el culto matutino, decidí llamar a mi editora y contarle que había cambiado de opinión respecto de escribir el libro.

Pero tan pronto como el culto matutino acabó y antes de que yo pudiera acercarme al teléfono, se me acercó una mujer.

—¿Es usted la señora Renee Coffee, la autora de la matutina?

Le respondí que sí.

—Verá, encontramos el libro en la librería y nos ha encantado. Lo usamos cada día para el culto familiar.

Habían pasado diez años desde la primera edición del libro. No podía creer que alguien todavía lo leyera. ¿Acaso Dios intentaba decirme algo? ¿Era su manera de hacerme saber que quería que escribiera otro libro?

Después de que la mujer se fuera, quise pensar que la conversación había sido solo una coincidencia. Pero unos minutos más tarde alguien más se me acercó. Esta vez era una joven que todavía no había cumplido los veinte años.

—Mi mamá acaba de hablar con usted. Me dijo que es la autora de la matutina que usamos en casa. Quería decirle lo mucho que me gustan sus historias.

Eso fue la gota que colmó el vaso. No cabía duda de que Dios había usado a dos extrañas para hacerme llegar un mensaje. No llamé a mi editora y tú estás leyendo el libro que debía escribir.

Esa experiencia me demostró que Dios sabe que sucede en nuestra vida. Incluso conoce nuestros pensamientos. Cuando pienses que solo eres un número, una persona entre miles de millones, recuerda que Dios lo sabe todo de ti, tu pasado, tu presente y tu futuro.

Sinceramente equivocado

La discreción y la inteligencia serán tus constantes protectoras; ellas te librarán del mal camino y de los hombres perversos.
Proverbios 2: 11, 12

DURANTE EL SIGLO XIX, Clement Vallandigham, un ex congresista, dejó la política para dedicarse a la abogacía en Ohio, su estado. Uno de sus clientes, Thomas McGehan, había sido acusado de asesinato pero McGehan aseguraba que era inocente. De hecho, afirmaba que nunca había disparado el revólver.

El abogado pensaba que tenía una buena explicación de lo que había sucedido. Creía que la víctima se había disparado su propio revólver por accidente.

La víspera del juicio Vallandigham se reunió con sus socios en la habitación del hotel y les contó la estrategia que iba a usar durante el juicio. Tomó un revólver descargado de encima de una cómoda y apuntando a su pecho, tiró del gatillo. Por desgracia había habido dos revólveres en el estante y había tomado el equivocado, el que estaba cargado.

—¡Me he disparado! —gritó atónito mientras caía al suelo. Pocas horas después murió.

Vallandigham creía sinceramente que el revólver que había tomado no era peligroso. Pero por mucha sinceridad que hubiera, era imposible cambiar el daño causado por la bala.

Cuando se les advierte de los peligros de la música inmoral, de los programas de televisión y de las películas, algunos jóvenes quieren racionalizar sus malas elecciones diciendo: «me gusta la música, no escucho las palabras». «¿Sexo y violencia? Se trata solo de una película. Ya soy lo bastante mayor para entenderlo». Pero al igual que el abogado, por más que nosotros creamos que tenemos razón, no la tenemos.

Todo lo que entra a través de nuestros sentidos nos cambia para mejor o para peor. Asegúrate de que lo que ves y escuchas edifica tu carácter en lugar de destruirlo.

Nuestra única ayuda

Dios es nuestro refugio y nuestra fuerza; nuestra ayuda en momentos de angustia. Por eso no tendremos miedo.

Salmo 46: 1, 2

DURANTE LA SEGUNDA GUERRA MUNDIAL, se encontró un soldado enemigo muerto en la batalla. Cuando alguien buscó su identificación, se hizo evidente que era muy supersticioso.

De su cuello colgaba un Buda de oro. En cada mano llevaba tres anillos de la suerte. De la cinta del casco pendían 22 billetes de la buena suerte. Pegado a la pierna izquierda llevaba un encantamiento contra las mordeduras de serpiente y la malaria. Finalmente, en los bolsillos del uniforme llevaba catorce pedazos de seda con palabras mágicas que tenían que protegerlo de las balas enemigas.

El soldado había pensado que había protegido todas las bases, pero las balas dieron igual en el blanco. Tenía un sentimiento de falsa seguridad.

Después de que el pueblo de Dios anduviera por el desierto, se estableció en Canaán tal y como Dios había prometido. Pero en lugar de confiar en él a la hora de cubrir todas sus necesidades, empezó a seguir el ejemplo de las naciones idólatras que lo rodeaban.

Los cananeos creían en muchos dioses. Ningún dios era suficientemente poderoso para ocuparse de todo. Así que cada dios estaba asignado a un aspecto de la vida, como la fertilidad del campo o el éxito militar. También había dioses de la tierra que estaban encargados de distintos lugares.

Israel empezó siguiendo al Dios del cielo. Pero, gradualmente, empezó a añadir falsos dioses. Los israelitas no pensaban que el verdadero Dios fuese suficiente. Necesitaban un poco más de seguridad.

Por eso su lealtad hacia él desapareció y Dios se convirtió en uno más entre muchos dioses. Finalmente, Israel fue como cualquier otra nación.

La única manera de encontrar la verdadera seguridad es exponerte completamente bajo el cuidado de Dios. Si lo tienes, no necesitas nada más.

13 JUNIO

Sé tú mismo

Me mostrarás el camino de la vida. Hay gran alegría en tu presencia; hay dicha eterna junto a ti.
Salmo 16: 11

LA OBSERVACIÓN DE LOS PÁJAROS es una afición que capta la atención de gente de todas las edades. Una amiga de la iglesia me confesó que pensaba que la observación de los pájaros era un pasatiempo para personas que no sabían hacer nada más. Pero cuando los amigos la llevaron de paseo una tarde de sábado, descubrió cuán divertido es. Dijo que la observación de los pájaros es una de las cosas más emocionantes que jamás había hecho en toda su vida.

El desafío de la observación de los pájaros es poder escuchar el canto de un pájaro, identificar a cuál pertenece y luego descubrir dónde se esconde el ave. La mayoría de los pájaros se pueden identificar por el canto porque nunca cambia. Pero el sinsonte es una excepción.

El sinsonte, conocido como el ventrílocuo del mundo de las aves, es capaz de reproducir más de 25 cantos distintos. Puede llegar a imitar a los perros, los gatos, las ranas y otros pájaros.

Algunas personas actúan como sinsontes. En lugar de ser ellas mismas, intentan ser como otros. Copian las acciones y las maneras de los demás y visten una ropa que es incómoda e inadecuada. No se esfuerzan demasiado en los trabajos de la escuela porque no quieren ser mejores que sus amigos. Gastan dinero en cosas que no pueden pagar; y siguen a la multitud, haciendo cosas que los dejan con un sentimiento de culpa en la conciencia.

Es muy difícil ser alguien que no se es. Nunca ha habido ni habrá otro tú. Tu combinación especial de talentos y habilidades no se repetirá en otra persona. Eres único. ¿Por qué desperdiciar tiempo intentando ser otro, cuando puedes ser tú mismo?

Piensa en el precio

Dejemos a un lado todo lo que nos estorba y el pecado que nos enreda.

Hebreos 12: 1

¿TE HAS FIJADO cómo los publicitarios usan la palabra 'gratis'? «Compre un Saturn y conseguirá una computadora Dell gratis». «Por un tiempo limitado, obtenga tres meses de servicio de Internet gratis si se inscribe por un año».

En ambos casos, tienes que comprar algo antes de obtener el producto "gratis". Siempre hay cuerdas atadas. Lo mismo sucede con el pecado.

Satanás nos dice que podemos chapotear en el pecado sin consecuencias. Pero nunca es gratis. Siempre hay que pagar un gran precio.

Cuando sientas la tentación de hacer algo mal, piensa en el precio que deberás pagar. ¿Mentir a los papás vale más que el sentimiento de culpa por haberlo hecho? ¿Ver una película inmoral compensa la marca que deja en el carácter? ¿Fumar un cigarrillo es mejor que una adicción de por vida?

Teri Cook y su mamá Ruth miraban las rebajas de vuelta a la escuela en el centro comercial de Crossroads. Un montón de pantalones cortos llamó la atención de Teri. Tomó tres.

—¡Uau! ¡Mamá, qué ganga! Solo cuestan siete dólares el par. ¿Me los compras?

La Sra. Cook le dijo a Teri que si quería los pantalones cortos debería pagarlos con su propio dinero.

Teri se detuvo para calcular cuánto tiempo tendría que trabajar para ganar 21 dólares. El trabajo de verano en la tienda de jardinería Dickerson era muy duro. Para ganar suficiente dinero para pagar los pantalones tendría que trabajar casi cuatro horas trasplantando flores en un invernadero húmedo y bochornoso. Teri los devolvió al mostrador. Al fin y al cabo no eran ninguna ganga.

Cuando el pecado parezca atractivo y te sientas tentado a ceder a sus encantos, párate a considerar el precio. El pecado nunca es gratuito. Siempre hay que pagar un precio muy, muy grande.

15 JUNIO

Hábitos útiles

Tuya, Señor, es la misericordia, pues tú pagas a cada uno conforme a su obra.
SALMO 62: 12

EL PEQUEÑO FORD MUSTANG BLANCO era justo lo que necesitaba, y lo que quería. La medida justa para ir y volver a la universidad. El precio exacto. Solo había un problema: la palanca de cambios.

Papá me puso delante del volante. Yo no tenía ni idea de cómo coordinar el pedal del acelerador, el embrague y el cambio de marchas. Tan pronto como soltaba el embrague, el motor se calaba. Después de intentarlo seis veces, habíamos avanzado un metro. Papá perdió la paciencia, y con ella se fueron mis esperanzas de comprar el automóvil.

Cinco años más tarde compramos un Toyota con cinco marchas. Después de un poco de práctica por calles poco transitadas, finalmente, "conseguí" cambiar las marchas. En pocos días llegué a no tener que pensar en el cambio; se había convertido en un hábito.

La palabra 'hábito' tiene connotaciones negativas, pero los hábitos son solo acciones que aprendemos a hacer sin pensar. Cuando los hábitos son buenos, ahorran tiempo.

Imagina qué pasaría si no pudiésemos desarrollar hábitos. Tendríamos que pensar todos y cada uno de nuestros movimientos. Para levantarte por la mañana, tendrías que decirte a ti mismo: «Alarga la mano y apaga el despertador. Siéntate en la cama. Pon el pie derecho en el suelo. Ahora el izquierdo. Ponte de pie. Desperézate. Gira a la izquierda. Ve a la puerta. Abre la puerta».

Si tuviésemos que pensar todos y cada uno de los movimientos, la vida sería una tortura. Los hábitos nos permiten poner el piloto automático y pensar en otras cosas.

Es muy importante que desarrolles buenos hábitos mientras eres joven. Te ayudarán a hacer bien las cosas sin esfuerzo. Cuando los papás nos corrigen los modales en la mesa o nos recuerdan que debemos cepillarnos los dientes, nos ayudan a adquirir buenos hábitos. El tiempo que dediques a adquirir buenos hábitos mientras eres joven te devolverá unos buenos dividendos en el futuro.

Haz de mí una bendición

Cuando me encuentro en peligro, tú me mantienes con vida.

SALMO 138: 7

CUANDO LOS BOMBEROS LO ENCONTRARON, el pobre gato estaba más muerto que vivo. Era una de las víctimas de los incendios forestales que sufrió Alaska en 1996. Había perdido las dos patas de atrás y todos los dedos de las de delante. Aun así, cuando la brigada de salvamento lo rescató empezó a ronronear.

Bumpus, que así es como pronto lo llamaron, se recuperó de sus graves heridas y pronto volvió a andar. Sharon, que era miembro de la brigada de salvamento, lo adoptó.

Sharon era voluntaria de la sociedad humanitaria local y a menudo cuidaba de animales heridos en su casa. Cheerio, un gatito que había perdido una pata, era uno de sus proyectos DB (después de Bumpus).

Cuando el gatito quería andar, caía al suelo. Se escondía debajo de la cama y mordía todo cuanto estaba a su alcance. Constantemente se lamentaba. Sharon se dio cuenta de que Cheerio estaba deprimido y decidió probar a ver si Bumpus podía ayudarlo.

Cuando le abrió la puerta de la "enfermería" de Cheerio, Bumpus saltó, se acercó al gatito y lo abrazó con lo que le quedaba de sus patas delanteras. Entonces Bumpus empezó a lamer la cara del gatito. El gatito dejó de lamentarse y empezó a ronronear.

Ambos gatos llegaron a ser grandes amigos. Cheerio dejó de esconderse debajo de la cama. Aprendió a correr con tres patas y no pasó mucho tiempo hasta que una familia lo adoptara.

Bumpus pudo empatizar con el gatito a causa de las heridas que había sufrido en el incendio. Cheerio pudo sentir que Bumpus había pasado por dificultades.

Cuando tenemos problemas nos quedan tres posibilidades. Podemos no prestarles atención, podemos sentirnos apenados o podemos usar la experiencia para ayudar a otros.

Jesús nos ayudará en las dificultades. Por eso, para nosotros es un privilegio ser una bendición para los demás y hacer que sepan que hay esperanza.

17 JUNIO

En la calma

Habla, que tu siervo escucha.

1 Samuel 3: 9

A MENUDO, la gente cree que es inevitable quedarse sordo cuando se envejece. Pero los que se protegen los oídos de los ruidos estridentes no suelen tener problemas de sordera.

Las personas que viven en lugares silenciosos tienen un oído excelente. Por ejemplo, los bosquimanos del desierto Kalahari pueden oír un avión a más de cien kilómetros. Los ruidos como la música a gran volumen, los equipos electrónicos de alta velocidad y las pistolas hacen que los pelillos del oído interno se doblen. A medida que se doblan una y otra vez van perdiendo la capacidad de enderezarse de nuevo; de modo que acaban por quedar doblados. El resultado es una pérdida de la capacidad auditiva.

Con los oídos espirituales sucede lo mismo. Si permitimos que el mundo nos bombardee con su ruido, nos va a costar oír la tranquila voz de Dios que habla a la mente.

La mayoría de los estudiantes empiezan el día con el ruido de un despertador quizá enciendan el televisor o la radio mientras se preparan para ir a la escuela.

Luego van a clase y allí se pasan siete horas escuchando a sus profesores (eso espero) y hablando con sus amigos. Cuando la escuela acaba, probablemente pasen mucho tiempo escuchando música, viendo más televisión o hablando por el celular con sus amigos. Al final del día, cuando se meten en la cama, ¿cuántos de ellos se quedan dormidos viendo un programa de televisión o escuchando su canción favorita de su *iPod*? Es como si tuviéramos miedo del silencio.

Es importante que tengamos un tiempo tranquilo para poder comunicarnos con Dios. La oración es el medio de hablar con él y él habla con nosotros a través de la Biblia y a través de las ideas que nos inspira. Si tú estás dispuesto a escuchar, él está dispuesto a hablar.

Un trabajo bien hecho

Entonces sale el hombre a su labor y trabaja hasta la noche.

SALMO 104: 23

TODO EL MUNDO QUIERE SER FELIZ. Pasamos la mayor parte del tiempo buscando gente, comida o actividades que hagan que la vida sea más agradable. Pero quizá nos hayamos olvidado de una importante fuente de felicidad.

No hay duda. Dar a Dios el primer lugar en la vida es la base de la felicidad. Pero hay muchas otras cosas que hacen que la vida sea agradable o desagradable.

Los investigadores han descubierto que una de las maneras más sencillas de determinar si una persona tendrá una vida feliz es comprobar su actitud ante el trabajo. Eso es a causa de que, junto al sueño, no hay nada de lo que hacemos ocupa tanto tiempo como el trabajo. Si llegas a vivir 75 años, habrás trabajado unas 166,000 horas, que equivalen a 19 años completos. En lugar de sustraerse del trabajo, las personas inteligentes lo consideran como una oportunidad de hacer algo y, quizá, aprender una nueva habilidad.

Cada verano, cuando se acababa la escuela, mi mamá hacía una lista de todos los proyectos que mi hermana y yo teníamos que completar cada día antes de que pudiésemos tener tiempo libre. Karen y yo refunfuñábamos y protestábamos y la acusábamos de usarnos como esclavas. Pero mamá no nos hacía caso. Se limitaba a añadir más proyectos. Ahora que ya soy mayor, le agradezco a mamá que nos enseñase a trabajar y nos mantuviese ocupadas haciendo algo útil.

Cuando los papás y los maestros te ponen tareas, te hacen un favor. Mientras haces bien los pequeños trabajos te preparas para asumir responsabilidades mayores.

Demasiadas personas van al trabajo para ganar un sueldo. Ven su empleo como un mal necesario y solo viven para el fin de semana. Si ahora quieres hacer algo para aumentar la probabilidad de ser feliz el resto de tu vida, aprende a disfrutar del trabajo.

19 JUNIO

Tómame

Yo te busco de todo corazón; no dejes que me aparte de tus mandamientos.
SALMO 119: 10

CARLOMAGNO ERA CONSIDERADO uno de los mayores líderes militares de la Edad Media. Tras la muerte en 768 de su padre, el rey de los francos, él y su hermano gobernaron un país que incluía lo que hoy conocemos como Bélgica, Francia, Luxemburgo, Holanda y parte de Alemania.

Carlomagno no estaba satisfecho con ese territorio. Por eso extendió sus fronteras conquistando otros países y añadiéndolos a su reino.

De todos sus adversarios, los sajones eran los más rebeldes. Eran un grupo de paganos que vivían en el noroeste de Alemania. Para conquistarlos necesitó casi treinta años.

Una vez los tuvo bajo su control, Carlomagno obligó a los sajones a hacerse cristianos. Estuvieron de acuerdo. Pero cuando se bautizaron, no se sumergieron completamente bajo el agua. Los guerreros mantuvieron el brazo derecho fuera del agua. No estaban dispuestos a darse completamente a Dios. Querían mantener el control del brazo con que luchaban.

¿Tienes miedo de darlo todo a Dios? ¿Hay algo que no quieres poner bajo su cuidado? ¿Le dices a Dios que puede tener tu tiempo en sábado pero que no estás dispuesto a darle una décima parte de tu dinero? ¿Estudias la lección de la escuela sabática pero sigues viendo tus programas de televisión preferidos aunque sabes que promueven cosas que no están bien? ¿Te vistes con modestia pero tratas a tus hermanos y hermanas con crueldad?

Cualquier cosa a la que te aferres nunca se podrá comparar con la felicidad de rendirte completamente a Jesús. Si todavía no se lo has dado todo, hazlo hoy.

Realmente bendecido

La bendición del Señor es riqueza que no trae dolores consigo.

PROVERBIOS 10: 22

DESPUÉS DE DISCUTIR EL DIEZMO en clase, Torrence levantó la mano.

—Señora Coffee, usted dice que Dios bendice a las personas cuando pagan el diezmo. Yo no lo creo. Dios no me ha bendecido.

Según Torrence, ser bendecido significa tener montones de dinero, vivir en una casa grande y conducir un automóvil deportivo.

Cuando miramos la televisión y vemos la vida de los ricos y famosos nos hacemos una idea equivocada de qué es una buena vida. Comparar los ingresos de tus papás con los millones que ganan los deportistas y los artistas puede hacer que sientas lástima de ti mismo y te impida ver las bendiciones reales de que disfrutas.

Torrence me hizo pensar. Esa noche hice algunas investigaciones para ver quiénes son verdaderamente pobres en el mundo. Aquí tienes algunas estadísticas que ilustran cómo es la vida de algunos niños del planeta:

- Uno de cada cuatro niños vive en la miseria.
- Cada hora noventa niños mueren o son heridos en una guerra.
- Veintisiete millones son esclavos.
- Ciento treinta millones no pueden ir a la escuela.
- Doscientos cincuenta millones tienen que trabajar para sobrevivir.
- Trescientos millones se acuestan hambrientos cada noche.

Incluso las personas más pobres de los países modernos son ricas cuando se las compara con la mayoría de la gente que vive en el mundo.

Si codiciamos las posesiones de los ricos nunca estaremos satisfechos. Solo cuando apreciemos lo que tenemos nos daremos cuenta de lo mucho que Dios nos ha bendecido.

21 JUNIO

Respeta las normas

Señor, ponle a mi boca un guardián; vigílame cuando yo abra los labios.
SALMO 141: 3

EN ENERO mencioné la torre inclinada de Pisa y dije por qué se inclinó. Mientras estuvimos de viaje por en Europa, Tom y yo pudimos subir a la famosa atracción turística.

Si la torre hubiese estado en los Estados Unidos, a su alrededor habría habido un pasamano de protección para asegurarse de que nadie cayera por la baranda. Pero hace tiempo, antes de que la gente pusiera pleitos, nadie se preocupaba por estas cosas. Si los turistas lo hubiesen deseado, podrían ir de un lado a otro de los pisos de la torre y caer al vacío. Según el guía, varias personas habían muerto de esa manera.

Después de escuchar lo que sucedió a las personas que se acercaron demasiado a la baranda, la mayoría de nosotros permanecimos junto al pilar central. Pero, claro, había algunos que querían acercarse tanto como pudieran a la baranda y mirar hacia abajo sacando el cuerpo por encima.

Algunas personas también se acercan al borde del precipicio con las palabras que dicen. Quizá no juren o usen palabras obscenas, pero usan lo que yo llamo malas palabras "vegetarianas". Son palabras que sustituyen a las que son de verdad. Son palabras como 'ostras', 'mecachis', 'Sus', 'caray', 'jolines' y 'jopé'.

Si investigas un poco, te darás cuenta de que 'ostras', 'mecachis' y 'Sus' hacen referencia a la religión, a Dios y a Jesús, y se consideran un eufemismo. Por su parte, 'caray', 'jolines' y 'jopé' sustituyen a otras tantas palabras obscenas.

Cuando dices palabras como estas es más fácil caer en el hábito de usar palabras obscenas y tomar el nombre de Dios en vano. Quienes respetan a Dios, a los demás y a sí mismos evitan el lenguaje ofensivo. Respetan las normas y se mantienen lo más alejados posible del borde.

Un mundo completamente nuevo

El que trabaja, dominará.

Proverbios 12: 24

HELEN KELLER nació en 1880. Era una niña normal. Pero antes de su segundo cumpleaños, perdió la vista y el oído. Frustrada por la incapacidad de comunicarse, Helen se convirtió, como diría más tarde, en una niña «rebelde e ingobernable [...] que lo arreglaba todo a patadas y arañazos».

Cuando Helen tenía siete años, Annie Sullivan, una joven que, a su vez, había tenido que luchar con una ceguera parcial, abrió un mundo completamente nuevo para Helen. Le dio la posibilidad de comunicarse enseñándole el alfabeto manual, según el cual las letras se simbolizan con distintas posiciones de las manos.

Helen aprendió rápidamente a deletrear y empezó a escribir sus pensamientos. También aprendió a leer en Braille.

Durante tres años Helen solo pudo comunicarse con los demás mediante el lenguaje de signos o la escritura. Pero decidió que quería aprender a hablar como las demás personas. Por eso empezó a recibir lecciones de dicción. Tocando la boca y el cuello de sus profesores, Helen aprendió a articular sonidos y, finalmente, a hablar.

Cuando Helen tenía veinte años fue a Radcliffe, una universidad exclusiva para señoritas. En cuatro años se graduó con matrícula de honor y el número uno de su promoción.

Helen nunca habló con claridad, pero viajó por todo el mundo y dio conferencias a beneficio de los ciegos en más de 25 países. También escribió siete libros y aprendió *cinco idiomas más*.

Si una mujer ciega y sorda pudo conseguir eso durante su vida, piensa en qué podrías lograr tú. No dejes que la pereza, el miedo al fracaso o las dificultades aparentes te impidan ser la persona que Dios quiere que seas. Aprovecha al máximo los dones que él te ha dado.

23 JUNIO

El gran Zamora

Tras el orgullo viene el fracaso; tras la altanería, la caída.
PROVERBIOS 16: 18

A PRINCIPIO DE LOS AÑOS VEINTE del siglo pasado, Ricardo Zamora, español, era considerado el mejor portero de fútbol del mundo. Cuando su equipo fue a los Juegos Olímpicos de París de 1924, seguro de sí mismo, se cuenta que prometió que ningún equipo le metería un gol.

Durante el primer partido de la competición, el equipo de Zamora jugaba contra los italianos. Ambos equipos estaban muy igualados. Fiel a la palabra dada, Zamora paraba todos los balones que le lanzaban los italianos. Pero los italianos también bloqueaban los intentos del equipo de Zamora.

Como el marcador estaba cero a cero, parecía que el partido tendría que ir a la prórroga. Pero sucedió algo impensable.

El capitán del propio equipo de Zamora, Pedro Vallana, accidentalmente, pateó el balón en dirección al famoso guardameta. Los desconcertados aficionados vieron desde la grada cómo el balón sobrepasaba a Zamora y besaba la red. El portero estaba tan furioso que cayó al suelo y empezó a llorar de rabia e impotencia, por el que luego sería el famoso «antigol de Vallana».

El partido fue para los italianos y el equipo de Zamora quedó eliminado de la competición. Para el célebre guardameta debió ser muy humillante ver que, a fin de cuentas, no era tan grande. Aquella fue la primera de las derrotas que Italia iba a infligir a España durante 84 años... hasta la Eurocopa de 2008, en la que los españoles derrotaron a los italianos en los penaltis, y luego acabaron siendo campeones.

Se dice, con razón, que el orgullo es el pecado más mortal. El orgullo estuvo en el origen del pecado. Lucifer empezó a enorgullecerse y muy pronto se convenció de que, si pudiera gobernar el universo, lo haría mejor que Dios. Desde entonces, las fuerzas del bien y del mal están en guerra.

El orgullo no trae más que problemas. En su lugar practica la humildad. Agradece los dones y las habilidades que has recibido. Pero úsalos para honra y gloria de Dios, no la tuya propia.

Con los ojos puestos siempre en él

Por eso, todos nosotros, ya sin el velo que nos cubría la cara, somos como un espejo que refleja la gloria del Señor, y vamos transformándonos en su imagen misma.

2 Corintios 3: 18

LA SRA. BOOTHBY, la directora del coro, nos distribuyó algunas partituras.

—Muy bien, muchachos —dijo—. Intenten leer a primera vista la primera frase.

El piano tocó la introducción y los cantantes titubearon durante unas páginas. Cada uno cantaba una melodía distinta.

—Es suficiente —dijo mientras se acercaba al reproductor de CD.

Pulsó un botón y de repente el coro escuchaba a otro coro que cantaba la misma canción que habíamos intentado antes.

—Así es como se supone que tiene que sonar —dijo Casey—. Ya lo tengo.

El resto de los cantantes asintieron con la cabeza mientras recordaban la melodía.

—Intentémoslo de nuevo, Sra. Boothby. Podemos hacerlo. Es fácil.

¿Sabes? *Era* fácil. Bastó con un buen ejemplo para mostrarles cómo tenían que cantar la canción.

Los ejemplos también pueden ayudarnos a saber cómo debemos vivir la vida. Las historias de la Biblia nos dan una gran muestra de buena y mala conducta. Si estamos dispuestos a aprender de los errores ajenos, podremos ahorrarnos montones de sufrimiento y lamentaciones. Y si seguimos el ejemplo de los que eligieron bien, seremos mejores personas.

Pero incluso las mejores personas tienen debilidades. Por eso necesitamos estudiar la vida de Jesús y hacer que él sea nuestro principal ejemplo.

Él es el único que jamás haya vivido una vida perfecta. Si mantenemos los ojos puestos en él y estudiamos su vida, él nos mostrará cómo vivir y nos dará el poder de hacer lo correcto.

25 JUNIO

El valor de hacer lo correcto

Quien se conduce con integridad, anda seguro.
Proverbios 10: 9, NVI

ERA LA CUARTA RONDA de un concurso nacional de ortografía celebrado en Washington, D.C. Rosalie Elliot, una concursante de once años de Carolina del Sur, escuchó la siguiente palabra: 'declaración'. Rosalie deletreó la palabra, pero a causa de su acento, los jueces no pudieron determinar si la deletreó *d-e-c-l-a-r-a-**c**-i-ó-n* o *d-e-c-l-a-r-a-**s**-i-ó-n*.

El concurso se detuvo mientras los jueces deliberaban. Pidieron la grabación magnetofónica del concurso para escuchar de nuevo cómo Rosalie había deletreado la palabra. Pero no pudieron determinar si había deletreado la última sílaba como *-sión* o como *-ción*.

Como último recurso, el presidente del jurado, John Lloyd le preguntó a la única persona que sabía la verdad.

—Rosalie, ¿la letra que va delante de la *i* es una *c* o una *s*?

Para entonces, Rosalie ya había escuchado a los susurros de los otros concursantes respecto de la palabra y sabía cómo se tenía que deletrear. Pero habló con claridad y dijo al juez que se había equivocado al deletrear la palabra. Había dicho *-sión* y no *-ción*.

Cuando Rosalie abandonó el escenario, todo el público, impresionado por su honradez, le brindó una cerrada ovación. Pocos se acuerdan del nombre del ganador de ese concurso de ortografía. Pero muchos recordarán durante años a la joven que tuvo el valor de hacer lo correcto aun cuando ello supusiese que perdería la competición.

Por desgracia, no siempre se respeta a los que viven de manera íntegra. Hace unos años, un hombre encontró un sobre que contenía cinco mil dólares. Lo llevó a la policía, la cual localizó al propietario. Cuando, al cabo de un tiempo, lo entrevistaron, el héroe dijo a los periodistas que había recibido toda clase de llamadas telefónicas de personas que le decían que era tonto por haber devuelto el dinero.

No podemos basar nuestros actos en la opinión de los demás. Tenemos que andar de manera íntegra y hacer lo correcto porque es lo correcto.

Dale la vuelta

Ustedes pensaron hacerme mal, pero Dios cambió ese mal en bien para hacer lo que hoy vemos.

Génesis 50: 20

WARRIOR BROWN ERA CONOCIDA en su pueblo de Nueva Zelanda por la facilidad con que causaba problemas. Cuando estaba borracha era una terrible luchadora. Su nombre lo decía todo: guerrera.

Pero algo tocó el corazón de Warrior. Ese algo era Jesús.

El Ejército de Salvación fue el responsable de llevar el evangelio a Warrior. Durante una de sus reuniones, le pidieron que diera testimonio de cómo Jesús había entrado en su vida y la había cambiado.

Cualquiera que hubiese sido un bebedor tan empedernido y tan pendenciero como Warrior, con toda certeza, estaría cargado de enemigos. Uno de ellos esperaba que saliera al frente.

Cuando Warrior habló de su conversión, su enemigo empezó a insultarla a gritos. Warrior no le hizo caso. Pero cuando su enemigo sacó una patata y se la arrojó a la cabeza, todos contuvieron la respiración, a la espera de la reacción de Warrior. ¿Habría cambiado realmente?

Al acabar su testimonio, Warrior se agachó y tomó la patata. No dijo una palabra más y regresó a su asiento.

Pasaron los meses y el incidente de la patata se olvidó. La gente estaba ocupada cuidando de sus huertos. Una mañana, mientras los lugareños se reunían en la plaza para vender el excedente de sus productos, Warrior se les unió. Traía un cesto lleno de patatas y las compartió con sus vecinos.

Cuando alguien convierte una situación desagradable en algo bueno se dice que le ha dado la vuelta. Warrior hizo exactamente eso con la patata. En lugar de enfurecerse y devolver un mal con otro mal, hizo que la patata echara brotes, la cortó en pedazos y cultivó sus propias patatas. Con la ayuda de Dios, lo que tenía que ser un mal se convirtió en una bendición.

¿Quieres ser mi vecino?

Yo los amo a ustedes como el Padre me ama a mí; permanezcan, pues, en el amor que les tengo.
JUAN 15: 9

UNA VEZ PREGUNTÉ EN CLASE si les gustaría tener a Jesús de vecino.

—A mí no me gustaría —admitió Dan—. ¿Cómo podría divertirme si me observara todo el tiempo?

—Yo me sentiría culpable cada vez que encendiera la televisión o me pelease con mi hermana —dijo Jenny.

La mayoría de los demás alumnos estuvieron de acuerdo con los dos que habían hablado. Por alguna razón pensaban que una persona tendría que ser casi perfecta para sentirse cómoda en presencia de Jesús. Pero, ¿es esa la manera en que la gente se sentía cuando Jesús vivía en la tierra?

Muchos de los seguidores más cercanos de Jesús pertenecían a la clase de personas que no gustan a tus papás. Eran lo que se llamaría mala gente. Pero les encantaba estar con él.

Un hombre estaba tan controlado por Satanás que tenía asustado a todo su pueblo. Pero después de que Jesús lo liberara del control de Satanás el hombre no quiso separarse de Jesús. En lugar de sentirse culpable en presencia de Jesús, el hombre se sentía satisfecho y seguro.

¿Y qué decir de María Magdalena? En los tiempos bíblicos, las mujeres tenían muy poco valor en la sociedad. Pero las mujeres como María, bueno, eran lo peor de lo peor. Si alguien hubiese querido vivir lejos de Jesús, esa debería haber sido María. Aunque le costaba horrores separarse de él. ¿Recuerdas cuando Marta se quejaba a Jesús de que María descuidaba sus obligaciones en la cocina?

Jesús lo sabía todo de María pero, a diferencia de todo el mundo, no la miraba con desprecio. Ella nunca vio que la mirase con espíritu de crítica. De él solo recibía amor, aceptación y esperanza. ¿No es eso lo que andamos buscando?

En lugar de huir de Jesús cuando hacemos algo que está mal, deberíamos correr hacia él. Ya murió por nuestros pecados. Espera para perdonarnos y liberarnos del control de Satanás. Creo que me gustaría un vecino como Jesús.

Hombres de verdad

Tú me proteges y me salvas, me sostienes con tu mano derecha; tu bondad me ha hecho prosperar.

Salmo 18: 35

TODOS SUS AMIGOS decían que Eric Álvarez era un imprudente.

—Le gustaba fanfarronear y demostrar que era un hombre.

—Quería hacer lo que ningún otro muchacho había hecho antes.

Tomaba el metro hacia la Chelsea Vocational School de Nueva York y, casi cada día, abría las puertas mientras el tren todavía se movía para saca el cuerpo al exterior.

Pero cometió un grave error. Según dijo uno de sus amigos, quiso hacerlo aún más difícil.

Un día se quitó la gorra, el jersey y la cadena de plata y se lo entregó a su novia. Eric abrió la puerta tal como había hecho tantas veces; pero esta vez trepó hasta el techo del tren.

Pero Eric no había tenido en cuenta los soportes de acero del sistema del metro. Mientras estaba en el techo, el tren pasó bajo uno de esos soportes. Eric recibió un golpe que lo arrojó a la vía y otro tren que venía detrás lo atropelló.

Ser un hombre no es cosa de correr riesgos. Tiene que ver con hacer lo correcto y vivir según los principios de Dios. Los hombres de verdad no atraen la atención sobre sí mismos, viven cada día para honrar y servir a Dios. Saben que la grandeza procede de ser como Jesús.

> La mayor necesidad del mundo es la de hombres que no se vendan ni se compren; hombres que sean sinceros y honrados en lo más intimo de sus almas; hombres que no teman dar al pecado el nombre que le corresponde; hombres cuya conciencia sea tan leal al deber como la brújula al polo; hombres que se mantengan de parte de la justicia aunque se desplomen los cielos (*La educación*, p. 54).

La grandeza está al alcance de todos, hombres y mujeres, a condición de que pongan a Dios en el primer lugar de su vida.

29 JUNIO

La ayuda está disponible

**Tú eres mi refugio: me proteges del peligro,
me rodeas de gritos de liberación.**
SALMO 32: 7

NO PUDO EVITAR GOLPEAR AL PERRO. El conductor se sentía fatal, pero el animal había irrumpido en la calzada y se fue gimiendo.

El conductor siguió su camino, pero Jasper, el perro, necesitaba ayuda. Por eso, cojeando, se dirigió al hospital, a más de quince kilómetros.

Cuando llegó, Jasper se quedó junto a la entrada del hospital y miró cómo la gente entraba y salía. Se dio cuenta de que las puertas se abrían cuando las personas ponían el pie en la alfombra negra. Así que pisó la alfombra y entró.

Al principio nadie se daba cuenta de su presencia, así que se echó junto a la cabina telefónica. Luego, se levantó y se acercó al mostrador de recepción.

Cuando descubrieron que un perro herido había ido al hospital, los empleados sintieron lástima por Jasper. Juntaron dinero y lo llevaron al veterinario. El veterinario lo observó y le curó las heridas. ¿Pero qué harían con él? Uno de los ayudantes del veterinario adoptó a Jasper y se lo llevó a casa.

Pero Jasper no se quedó demasiado tiempo. Tan pronto como sintió que podía viajar, se liberó del collar y regresó a casa. Anduvo por la autopista interestatal y siguió caminos desconocidos. Finalmente, Jasper se presentó en la puerta de su antigua familia. Su historia atrajo la atención de las televisiones nacionales.

Jasper no tuvo miedo de pedir ayuda. Pero muchos humanos sí lo temen. Tenemos miedo de parecer débiles por admitir que tenemos un problema. También pensamos que si no le hacemos caso acabará por desaparecer.

Presséntale tus problemas a Dios. Pídele consuelo y guía. Busca también un adulto de confianza que esté dispuesto a escuchar. La ayuda está disponible. No hay razón para que sufras solo.

Un día de reflexión

El Señor les respondía cuando ellos pedían su ayuda.
Salmo 99: 6

HOY TE INVITO a regresar al 31 de enero, al 28 de febrero, al 31 de marzo, al 30 de abril y al 31 de mayo. Lee las listas de tus peticiones especiales y piensa cómo ha respondido Dios esas oraciones. Cuando hayas acabado, escribe en esta página las respuestas más significativas que hayas recibido en este año.

Cómo ha respondido Dios a las oraciones:

1 JULIO

Es casi la hora de irse

Sí, vengo pronto, y traigo el premio que voy a dar a cada uno conforme a lo que haya hecho.

Apocalipsis 22: 12

—JOVENCITAS, PREPÁRENSE. Nos vamos en unos minutos.

Esto siempre sucedía cuando íbamos de visita a la casa de otras personas. Los adultos hablaban con facilidad unos con otros, pero a mi hermana y a mí nos costaba familiarizarnos con sus hijos.

Al final, acabábamos por bajar las escaleras y ponernos a jugar. Justo en el momento en que empezábamos a divertirnos, teníamos que volver a casa.

Sabía que al menos, habría dos avisos antes de irnos de verdad. Por eso, cuando llegaba el primero, echaba un vistazo alrededor y miraba con qué no había jugado todavía.

—¡Uau, un automóvil con control remoto! Siempre quise jugar con uno. ¡Oh, y ahí hay un par de zancos!

—Karen, Renee, no lo repetiré. Nos vamos *ya* —este era el segundo aviso.

A regañadientes, mi hermana y yo subíamos las escaleras, dando la espalda a todas las cosas divertidas con las que no habíamos podido jugar.

¿Alguna vez te sientes así cuando piensas en ir al cielo? Seguro que quieres ir, porque ¡hay tantas cosas que querrías hacer antes de dejar la tierra! Sé que mis alumnos esperan ir a la universidad, tener un buen empleo y comprarse un automóvil. Me han dicho que tienen la esperanza de que Jesús espere unos cuantos años más para regresar.

Satanás intenta confundirnos para que pensemos que toda la acción está en la tierra. No quiere que tengamos lo que él perdió. Por eso hace que nos embarquemos en grandes planes para el futuro aquí en la tierra en lugar de ansiar la eternidad en el cielo.

Cuando lleguemos al cielo, «las cosas de la tierra se desvanecerán de manera extraña». No nos quejaremos de que Jesús viniese demasiado pronto. Desearemos que hubiese regresado mucho antes.

El secreto del éxito

Hermanos, no digo que yo mismo ya lo haya alcanzado; lo que sí hago es olvidarme de lo que queda atrás y esforzarme por alcanzar lo que está delante, para llegar a la meta y ganar el premio celestial que Dios nos llama a recibir por medio de Cristo Jesús.

FILIPENSES 3: 13, 14

ENCIENDE LA TELEVISIÓN cualquier domingo por la mañana y, si la miras suficiente tiempo, te encontrarás con un espacio informativo comercial en el que alguien te dirá, por la cómoda cantidad de 39.95 dólares al mes durante tres meses, más gastos de envío, cómo tener éxito más allá de lo que te puedas imaginar. Para la mayoría de la gente tener éxito significa ganar mucho dinero. Los que salen en la televisión afirman que lo puedes hacer comprando y vendiendo casas, jugando en la bolsa o invirtiendo en cualquier estructura para hacerse rico en poco tiempo.

Pero el éxito de verdad no tiene nada que ver con el dinero. Tiene mucho que ver, de hecho es, hacer la obra que Dios nos ha encargado. Creo que podríamos resumir nuestra tarea en siete palabras: amar a Dios, amar a los demás. Eso lo es todo en la vida.

Cada mañana cuando empieces el día, piensa en cuán diferente serían las cosas si, en lugar de planificar el día según tus deseos y lo que te haría feliz, te preguntaras dos cosas: «¿Qué puedo hacer hoy para demostrar a Dios lo mucho que lo amo?» y «¿Qué puedo hacer hoy para demostrarle a alguien que lo amo?»

Los dos mayores mandamientos, «Ama al Señor tu Dios con todo tu corazón, con toda tu alma, con todas tus fuerzas y con toda tu mente» y «Ama a tu prójimo como a ti mismo» son la clave del éxito. Si pudiéramos dejar de pensar en nosotros mismos, empezaríamos a hacernos una idea de cómo será el cielo. En el cielo no nos preocuparemos por si recibimos muchas cosas, sino por lo que podamos dar.

¿Qué puedes hacer hoy para mostrarle tu amor a Dios? ¿Qué puedes hacer hoy para mostrarle amor a alguien?

3 JULIO

Obedecer órdenes

Tú has ordenado que tus preceptos se cumplan estrictamente.
Salmo 119: 4

TINA, UNA ELEFANTA del Zoológico de Central Park, estaba muy unida al cuidador Robert Brockell. Aunque había otros cuidadores en el zoológico, Tina le era fiel.

Cuando a Robert le diagnosticaron un cáncer, dejó de trabajar. Y eso fue un problema. Tina no quería obedecer a nadie más. Así que cuando se le ordenaba que se fuera al establo, no lo hacía.

A medida que hacía más frío, el personal del zoológico se preocupaba cada vez más por Tina. El nuevo cuidador intentó forzarla a entrar y Tina se rebeló golpeándolo.

Alguien tuvo una idea. Si Tina escuchase la voz de Robert, quizá cooperaría. Por eso, un empleado del zoológico fue al hospital y grabó a Robert en una cinta magnetofónica diciéndole que entrara. Reprodujeron la cinta delante de ella. Pero no obedeció.

A causa de su preocupación por su amiga la elefanta, Robert fue en ambulancia al zoológico. Lo llevaron en una camilla junto a Tina y dijo: «Tina, entra en el establo». Tina obedeció. La devoción de tina por su cuidador hizo que fuera sorda a cualquier otra voz que quisiese captar la atención.

Durante los cuarenta años que vagaron por el desierto, los israelitas jamás aprendieron la lección de la devoción. Escuchaban las críticas de los que pensaban que podían ser mejores líderes que Moisés. Escuchaban a los quejicas que menoscababan todo cuanto Dios hacía por ellos. Escuchaban a las naciones paganas que los rodeaban y los introducían en el culto a los ídolos.

¿A quién escuchas? ¿Escuchas el ruido del mundo o te has entregado tanto a Dios que solo escuchas su voz?

Un favor devuelto

Hagan ustedes con los demás como quieren que los demás hagan con ustedes.
Lucas 6: 31

A LOS CUATRO AÑOS, Roger Lausier estaba de vacaciones con sus papás en una playa junto a Salem, Massachusetts. Roger jugaba en la arena mientras sus papás descansaban tomando el sol. Cuando los castillos de arena dejaron de interesarlo, Roger fue al agua.

Braceó hacia otros niños que estaban jugando en las olas. Pero la corriente era demasiado fuerte y perdió el equilibro, cayendo de cara en el agua.

Roger intentó sacar la cabeza del agua, pero las olas se la mantenían hacia abajo. Le cubrían la cara y no podía respirar. De repente, sintió que algo lo sacaba del agua y lo llevaba a un lugar seguro.

Alice Blaise andaba junto a la orilla cuando vio al niño que se debatía con las olas. Después de rescatarlo, llevó a Roger junto a sus papás que lo buscaban inquietos.

Avancemos unos cuantos años. Ahora Roger ya tiene trece. Ha vuelto a la misma playa en que, nueve años antes casi pierde la vida, pero esta vez el agua ya no es una amenaza para él porque es un buen nadador.

Mientras Roger está de pie en la orilla, oye un grito de auxilio. Un hombre lucha con las olas para conservar la vida. Roger toma una balsa neumática, rema hacia el nadador y tira de él hasta subirlo en la balsa. Roger se echa al agua y remolca la balsa hasta la orilla.

Salvar a alguien de morir ahogado es un logro extraordinario. Pero cuando Roger descubrió a quién había salvado tuvo aún mucho más significado. El hombre a quien había salvado era el esposo de Alice Blaise.

Los actos de hoy pueden tener un efecto de gran alcance en el futuro. Jamás sabremos cómo un pequeño favor puede llegar a cambiar la historia, la nuestra o la de alguien más.

El negocio de toda una vida

Cuídense ustedes de toda avaricia;
porque la vida no depende del poseer muchas cosas.
LUCAS 12: 15

LEÓN TOLSTÓI CONTABA LA HISTORIA de Paholk, un granjero ruso que había oído hablar de una tribu que poseía una gran cantidad de tierras junto a los montes Urales. Los baskires eran gente generosa, pronta a vender sus propiedades por casi nada. Por eso, Paholk decidió hacer negocios con ellos antes de que recuperasen el sentido común.

Después de viajar a su aldea, Paholk se reunió con su jefe.

—Un pedazo de terreno cuesta mil rublos —dijo el jefe.

—¿Pero cómo es de grande ese pedazo? —preguntó Paholk.

—No importa. Siempre tiene el mismo precio —le dijo—. Por mil rublos puedes poseer todo cuanto alcances a andar en un día.

Paholk no podía creer lo que oía. Al fin su sueño de riqueza se haría realidad.

Todo lo que tenía que hacer era empezar a andar cuando saliese el sol, dar una vuelta alrededor de la tierra que quería, dejando un mojón de vez en cuando, y regresar al punto de partida antes de la puesta.

—Pero —advirtió el jefe— si no vuelves a tiempo, perderás el dinero y la tierra.

—No hay problema —dijo Paholk.

Así que, al día siguiente, al alba, Paholk empezó a andar por la rica tierra que pronto sería suya. Cuidadosamente, iba clavando estacas alrededor de la tierra que haría de él el hombre más feliz de toda Rusia. A cada paso veía cómo crecía su riqueza.

Adquirir cosas nuevas es divertido. Pero, como aprenderemos mañana, cuando nos volvemos avariciosos perdemos la capacidad de estar satisfechos.

No sigas buscando más cosas que te hagan feliz. Aprende a apreciar lo que ya tienes.

Un poco más

La muerte, el sepulcro y la codicia del hombre jamás quedan satisfechos.

Proverbios 27: 20

PAHOLK VIO QUE EL SOL TODAVÍA ESTABA MUY ARRIBA en el cielo. Sabía que debería empezar a dirigirse al punto de partida. Pero detestaba regresar tan pronto.

—Avanzaré un poco más y subirá a esa pequeña colina —se dijo.

Pero, tan pronto como alcanzó ese punto, vio un hermosísimo arroyo a unos cien pasos más allá. No podía dejarlo fuera. Por eso avanzó un poco más para añadirlo a su reclamación.

Tomó la cantimplora y echó atrás la cabeza para beber otra vez. Pero se había quedado sin agua. No había planeado que fuese a hacer tanto calor.

—Debo regresar —dijo—. Tendré que conformarme con lo que ya tengo.

Pero cuando iba a regresar, se desvió a la derecha y clavó otra estaca junto a un espeso bosque que le daría muchos troncos para la nueva casa que se iba a construir. Comprobó la posición del sol. El pánico se apoderó de él. El sol estaba a punto de ponerse y le quedaba mucho camino por recorrer antes de que se agotara el plazo.

Arrojó el hacha y el resto de las estacas y apretó el paso. Estaba cansado. Ojalá no se hubiese fijado en el arroyo y el bosque. Si no se daba prisa, lo perdería todo.

A grandes zancadas, Paholk corrió de regreso. Los aldeanos lo vitorearon. Con su último aliento, se arrojó a la línea de llegada y cayó en el suelo. Muerto.

La historia acaba con esta frase: «Cavaron una tumba que media solo dos metros de largo desde la cabeza a los talones. Así pues, ¿cuánta tierra necesita un hombre?»

La avaricia es esclavizadora. Nos impide conformarnos con lo que tenemos y nos obliga a hacer cosas que normalmente no haríamos. Nunca está satisfecha.

No pienses en las cosas como la respuesta a la felicidad. Encuentra placer en la amistad con Jesús y, tengas mucho o poco, serás feliz.

Buenas noticias para todo el mundo

Pero ¿cómo van a invocarlo, si no han creído en él?
¿Y cómo van a creer en él, si no han oído hablar de él?
¿Y cómo van a oír, si no hay quien les anuncie el mensaje?
Romanos 10: 14

HACE MUCHOS AÑOS, un viejo lobo de mar inglés se metió en una pelea mientras su barco estaba amarrado en Savannah, Georgia. Él y algunos de sus amigos fueron arrestados y llevados al calabozo de la ciudad.

La mayoría de la gente que va a la cárcel puede quedar de nuevo en libertad pagando una fianza. Esto quiere decir que entregan una cierta cantidad de dinero como garantía de que cuando llegue la fecha del juicio estarán ahí para enfrentarse al juez. Si se presentan a la audiencia, se les devuelve el dinero. Si no, lo pierden y tienen problemas aún mayores.

Bien, el viejo lobo de mar no tenía dinero suficiente para pagar la fianza; así que tuvo que permanecer arrestado mientras se hacían las gestiones necesarias para liberarlo. Pero, mientras estaba en la cárcel, enfermó y murió.

Durante la investigación que siguió a su muerte, las autoridades descubrieron que el viejo era el heredero de una pequeña fortuna. Una tía lejana de Inglaterra le había dejado en herencia varios millones de dólares. Pero los abogados que administraban sus propiedades habían sido incapaces de encontrar al marino y darle la buena noticia de la herencia. Por eso el marino murió sin saber que había recibido un regalo.

Muchas personas desconocen el inapreciable regalo de la vida eterna que les hizo Jesús. Presuponemos que todos conocen a Jesús. Pero hay gente a tu alrededor que ni siquiera han escuchado su nombre.

Pídele a Jesús que te use para llevar buenas noticias de salvación a los que no las han escuchado. Haz que sepan que son herederos del reino de Dios y que la salvación es suya, si la piden.

Malas buenas personas

**Todos nosotros somos como un hombre impuro;
todas nuestras buenas obras son como un trapo sucio;
todos hemos caído como hojas marchitas,
y nuestros crímenes nos arrastran como el viento.**

Isaías 64: 6

MIRA EL NOTICIARIO de la noche. No pasará mucho tiempo hasta que te des cuenta de que hay muchas malas personas andando por las calles. Estoy muy satisfecha de ser una persona decente.

La policía debe estar encantada con personas como yo. Conduzco con prudencia, pago mis multas y respeto la propiedad de los demás. Pero, aun así, soy una pecadora sin esperanza. No porque haga cosas malas, sino por las cosas que soy capaz de hacer.

¿Te acuerdas de los fariseos? Eran la policía religiosa de la época de Jesús. Centraban su vida en guardar la ley. Creían que si todo el pueblo de Dios fuese capaz de guardar la ley un solo día, vendría el Mesías. Por eso se esforzaban con ahínco para guardar los mandamientos. Su apariencia exterior era la de personas tremendamente espirituales. Pero cuando las circunstancias fueron las adecuadas, revelaron su verdadero carácter y mataron a Jesús.

Ese pensamiento asusta. La buena gente, religiosa, seguidora de Dios, capaz de asesinar...

Siempre he sido cristiana. Para mí era fácil pensar que no necesitaba un salvador. Recuerdo que pensaba. «Jesús no tiene que preocuparse por mí. Leo la Biblia, guardo los mandamientos y voy a la iglesia el día correcto. Puedo cuidar de mí misma. Puede pasar el tiempo intentando salvar a los pecadores empedernidos».

Pero todos somos pecadores empedernidos, incluso los que vamos a la iglesia y deseamos vivir correctamente. Todos tenemos una tendencia natural al pecado. Incluso dejando de cometer malas acciones seríamos pecadores por naturaleza. Nuestra única esperanza es darnos cuenta de nuestra verdadera condición y pedirle a Jesús que nos dé su justicia.

Soluciones perfectas

Porque el Señor cuida a los justos y presta oídos a sus oraciones, pero está en contra de los malhechores.
1 Pedro 3: 12

A PRINCIPIO DEL SIGLO XVI, Margarita de Austria, la hija del emperador alemán Maximiliano, gobernaba Holanda. Temerosa de que alguien pudiese tramar su muerte, constantemente buscaba súbditos desleales.

En aquellos tiempos, el envenenamiento era una forma sutil de asesinato. Por eso Margarita insistía en beber de un vaso hecho de cristal de roca puro. Se creía que un vaso de cristal de roca pondría al descubierto cualquier cosa peligrosa que pudiese haber sido arrojada dentro.

Un día, mientras Margarita alargaba la mano para tomar el vaso de la mano de un sirviente, se le cayó de la mano y se hizo añicos contra el suelo de piedra. Rápidamente, el sirviente barrió los pequeños fragmentos de cristal y los arrojó a la basura. Pero una astilla de cristal había caído dentro del zapato de Margarita.

Sin causar dolor, hizo su trabajo dentro del zapato y causó una infección. Como pensaba que se sanaría, Margarita no hizo nada al respecto. Pero empeoró. Para cuando llamó a un médico, la gangrena se había cebado en el pie. Los médicos intentaron salvarle la vida amputándole la pierna, pero, a pesar de la operación, murió.

Margarita pensaba que el vaso era la respuesta a su problema. Pero acabó por destruirla.

El mundo nos dice que la solución a nuestros problemas se encuentra en el placer y la excitación: los juegos de azar, las drogas, la acumulación de riqueza, la bebida y el sexo. Pero buscar la felicidad en el lugar equivocado siempre acaba por empeorar el problema. En algunos casos, incluso puede destruirnos.

Si tienes un problema, haz oración y pide la ayuda de Dios. Sus soluciones siempre son perfectas y nunca harán que te sientas mal.

Oración poderosa

Si alguno está enfermo, que llame a los ancianos de la iglesia, para que oren por él y en el nombre del Señor lo unjan con aceite.

Santiago 5: 14

JAI RAM, UN EX HINDÚ que se había convertido en adventista del séptimo día, era el único cristiano bautizado de su aldea. Todos los demás adoraban a los ídolos.

Durante cinco años Jai Ram esperó que viniera un maestro y hablase de Jesús a la gente. Finalmente su sueño se hizo realidad. Cuando el maestro Singh y su esposa llegaron a su aldea, Jai Ram les cedió su sencilla casa. Salió y durmió en el suelo.

Poco después del inicio del curso escolar, la esposa del maestro Singh contrajo unas fiebres. Las medicinas no podían hacer nada para rebajar su temperatura.

El maestro Singh envió un mensaje al pastor P. K. Simpson, quien estaba al cargo de la misión. Pidió al pastor que ungiera a su esposa enferma.

El pastor Simpson llegó a la aldea y la tarde del viernes, justo antes de la puesta de sol, empezaron a hacer los arreglos necesarios para el servicio especial de sanación. La gente de la aldea sentía curiosidad por ver qué sucedería. Así que se reunieron fuera de la casa y esperaron.

Después de la oración del pastor Simpson, Jai Ram preguntó si podía decir una corta oración. Empezó recordando a Dios lo mucho que la aldea necesitaba un maestro. Pidió al Señor que bajara del cielo y sanara a la mujer enferma. Acabó diciendo: «¡Gracias, Jesús! ¡Gracias, Jesús! ¡Gracias, Jesús! Amén».

Al instante, la fiebre de la Sra. Singh desapareció. Ella dijo que la oración de Jai Ram la había sanado.

—Cuando dio tres veces las gracias a Jesús y dijo 'amén', algo como una mano me tocó. Una descarga eléctrica pasó por todo mi cuerpo y la fiebre se fue.

Jai Ram era un hombre sencillo con una fe extraordinaria. Un hombre a quien Dios honró con muchos milagros. Mañana sabremos más cosas de él.

11 JULIO

Dios puesto a prueba

Pidan, y Dios les dará.
Mateo 7: 7

DESPUÉS DE QUE SE ABRIERA la escuela en la aldea, Jai Ram continuó compartiendo el amor de Jesús con quien quisiera escucharlo. Un joven, después de escuchar las historias de la Biblia, mostró interés en ser bautizado.

Pero tenía un gran problema. Tenía que trabajar siete días a la semana para el hombre más importante de la aldea a fin de pagar la gran deuda que su padre había contraído con él.

Jai Ram y el maestro Singh fueron a ver al terrateniente y le preguntaron si podía liberar al joven de sus obligaciones todos los sábados, de manera que pudiese santificarlos.

—De ninguna manera —dijo el hombre—. La sequía es muy grave y tiene que regar los campos a diario. Bastaría con que dejásemos de hacerlo un solo día para que la cosecha se echase a perder.

Jai Ram no veía dónde estaba el problema.

—¿Ha escuchado alguna vez la historia de Elías y aquella gran sequía que duró años?

Por supuesto, el adorador de ídolos jamás había leído la Biblia. Jai Ram le contó la historia y le hizo una pregunta.

—Si oro a Dios y él envía lluvia, ¿permitirá que el joven guarde el sábado?

El hombre pensó un momento.

—Bueno, quizá pueda darle fiesta un sábado, pero uno solo.

Jai Ram sacudió la cabeza.

—No, necesita que le dé fiesta todos los sábados. ¿Qué le parece si pedimos a Dios que traiga mucha lluvia, tanta que no tenga que regar durante meses?

El terrateniente se calmó.

—Si llueve tanto, podrá librar todos los sábados. Pero eso no sucederá. Hemos rogado a nuestros dioses y no nos han enviado lluvia. Vuestras oraciones tampoco funcionarán.

Jai Ram sabía que todo es posible para el Dios del cielo. En pocas horas el terrateniente también lo sabría. (Continuará.)

Un Elías de nuestro tiempo

Él envía la lluvia a la tierra, y con ella riega los campos.

Job 5: 10

EL VIERNES POR LA NOCHE, antes de la ceremonia bautismal, en la aldea de Jai Ram se celebraron unas vísperas especiales. Todos los candidatos al bautismo se reunieron con el pastor Simpson. Repasó los votos que iban a pronunciar y se aseguró de que todos comprendían qué significaba dar sus corazones a Jesús.

Al final de la reunión, Jai Ram habló a los demás del deseo del joven por ser bautizado.

—Pero el terrateniente no quiere excusarlo del trabajo en sábado. Dice que necesita que lleve el agua a los campos. Le pregunté: «¿Qué pasaría si Dios trajese mucha lluvia? ¿Estaría de acuerdo en permitir que el chico guarde el sábado?» Dijo que sí. Así que tenemos que orar.

Y eso hicieron.

Cuando era la hora de irse, Jai Ram, el maestro Singh y el pastor Simpson acompañaron al joven a su casa. Al llegar a su destino, los cuatro se volvieron a arrodillar y Jai Ram pidió a Dios que enviara un gran chaparrón para que el terrateniente supiera que el Dios del Cielo es el verdadero Dios. Terminó su oración diciendo: «Gracias, Jesús. Gracias, Jesús. Gracias, Jesús. Amén».

Los hombres regresaron a su aldea y se retiraron para descansar. A las cinco de la madrugada siguiente el cielo se volvió negro.

Rugieron los truenos, los rayos traspasaron la oscuridad y empezó a caer una lluvia torrencial. Una vez más Dios había respondido las humildes y sencillas oraciones de su siervo Jai Ram.

Lo que hizo que la lluvia fuese aún más espectacular es que la tormenta quedó reducida a un área de tan solo seis kilómetros cuadrados y medio. La lluvia solo cayó sobre los campos del terrateniente, la aldea de Jai Ram y las propiedades vecinas. La tormenta fue tan localizada que una persona podía poner un pie en el barro y otro en el polvo seco.

Después de cuatro horas, la lluvia cesó y salió el sol. El joven sirviente se bautizó ese mismo día y jamás tuvo que volver a preocuparse por trabajar en sábado. Mañana seguiremos hablando de Jai Ram y su testimonio en la India.

13 JULIO

Fe sencilla

Que se haga conforme a la fe que ustedes tienen.
MATEO 9: 29

LA ÚNICA POSESIÓN DE VALOR que tenía Jai Ram era un búfalo de agua. Lo ayudaba a ganarse un pequeño sueldo.

Cuando Jai Ram cayó enfermo de malaria, pidió a los jóvenes de la aldea que alimentasen a su búfalo. Pero los jóvenes cometieron un grave error. Le dieron de comer unas calabazas venenosas. Cuando el búfalo se echó en el suelo y murió, los jóvenes, presa del pánico, corrieron a ver a Jai Ram.

Los aldeanos escucharon la conmoción y acudieron de todas partes para ver qué sucedía. Cuando vieron al búfalo. Se miraron unos a otros con expresión de ya-te-lo-decía. Sabían por qué había muerto el búfalo. Jai Ram era castigado por despreciar a los dioses hindúes.

Jai Ram introdujo la mano en el cuello del búfalo y sacó pedazos de calabaza venenosa. Masajeó su vientre hinchado como un balón. No sirvió de nada.

Corrió a la escuela y le contó al maestro Singh lo que había sucedido.

—Hay que ungirlo con aceite para que Dios pueda devolverle la vida al búfalo.

El maestro intentó disuadirlo.

—Jai Ram, no ungimos a los animales.

—Es que les he dicho a todos que Dios puede devolverme el búfalo —protestó Jai Ram.

El maestro y los 24 alumnos de la escuela siguieron a Jai Ram a donde yacía el búfalo. El maestro Singh oró mientras Jai Ram y los niños ponían las manos sobre el animal muerto. Nada sucedió. Jai Ram oró. Pidió a Dios que obrara un milagro. Acabó diciendo: «Gracias, Jesús. Gracias, Jesús. Gracias, Jesús. Amén».

En el momento en que Jai Ram terminó la oración, el búfalo abrió los ojos y se levantó. Los jóvenes salieron disparados en todas direcciones a la vez que el búfalo trotaba hacia un campo de maíz.

El búfalo de Jai Ram vivió muchos años como prueba de que todavía suceden milagros si las personas ponen su fe en el Dios que ve, escucha y responde.

Poco a poco

Porque de las muchas ocupaciones vienen los sueños.

Eclesiastés 5: 3

¿ALGUNA VEZ HAS VISTO a un karateka quebrando una tabla con la cabeza o rompiendo un ladrillo con la mano? No es algo que quieras intentar sin un entrenamiento especial y mucha práctica prudente.

Unas de las exhibiciones más impresionantes de kárate tuvo lugar en Bradford, Inglaterra. Un grupo de quince karatekas aceptó el desafío de demoler una casa de seis habitaciones usando solo los pies, las manos y la cabeza.

La casa, que tenía 150 años, no era fácil de derribar. Era sólida y estaba bien construida, especialmente la vieja chimenea.

Pero los hombres la martillearon con las manos, la patearon y llegaron a usarse unos a otros como arietes para derribar las paredes. Poco a poco, pedazo a pedazo, redujeron la casa a un montón de escombros. Después de completar la tarea, los karatekas honraron a su oponente derrotado volviéndose hacia las ruinas y haciendo una reverencia. La moraleja de esta historia es que puedes conseguir casi todo lo que quieras si no abandonas en el intento.

Cuando empezaste primero, fue bueno que no te detuvieras a pensar en las 15,000 horas que habrías pasado en el aula cuando te graduases en duodécimo. Si hubieses sabido que te habrían puesto más de 13,000 tareas los siguientes doce años, te habrías convertido en carne de parvulario. Pero al ir a la escuela y hacer unos cuantos deberes cada día avanzas hacia el objetivo de graduarte en el instituto.

La mayoría de las personas no consiguen alcanzar sus objetivos. No porque no sean suficientemente inteligentes o tengan bastante talento, sino porque abandonan demasiado temprano.

No seas un fracasado. Fija tus objetivos y no abandones en el intento.

Abandonarnos a nosotros mismos

Dejen todas sus preocupaciones a Dios, porque él se interesa por ustedes.
1 Pedro 5: 7

—HAY UN COLIBRÍ en el garaje —dijo Tom mientras entraba corriendo a la casa—. Dame el plumero del polvo.

Mientras volaba, el pajarillo se metió en nuestro garaje y no sabía cómo encontrar el camino de regreso a la libertad. Una y otra vez volaba hacia el techo, se golpeaba la cabeza, caía y volvía a subir. Tom quería usar el plumero para guiar al pájaro para que pudiera salir del garaje, pero seguía volando hacia el techo.

Sabíamos que al final acabaría agotado. Nuestra esperanza era que, entre tanto, no se hiciese daño.

Entramos en casa durante unos minutos y cuando regresamos no se oía el aleteo.

—Mira por ahí —dijo Tom apuntando hacia la luz del techo. El pajarillo estaba colgando cabeza abajo, con las patas enredadas en una telaraña.

Con suavidad, Tom puso sus manos alrededor del exhausto cautivo y lo liberó de la telaraña. Entonces lo llevó al comedero para colibríes y metió su pico en el agua azucarada. No estábamos seguros de si el colibrí tendría suficientes fuerzas para beber. Pero empezó a mover ligeramente las plumas del cuello. Cuando, unos momentos más tarde, Tom abrió las manos, el colibrí levantó el vuelo de vuelta a los árboles.

Exactamente como el pajarillo, los humanos insistimos en hacer las cosas a nuestra manera y meternos en verdaderos líos. No nos es preciso —o no queremos— que nadie nos ayude, ni siquiera Dios. Pero él es paciente. Y cuando finalmente nos rendimos, siempre está ahí para ayudarnos.

Eres más rico de lo que piensas

**Te alabo porque estoy maravillado,
porque es maravilloso lo que has hecho. ¡De ello estoy bien convencido!**
SALMO 139: 14

HACE AÑOS ALGUIEN CALCULÓ el valor de una persona en dólares. Si mal no recuerdo, no llegó a los cincuenta. Seguro que eso hizo mucho en favor de mi autoestima.

Por suerte, Harold J. Morowitz, un bioquímico de Yale, hizo unos cálculos completamente distintos. Definitivamente, considerando sus conocimientos sobre el cuerpo humano, era el hombre perfecto para el trabajo. Armado con un catálogo de una empresa de productos químicos, empezó a calcular el total de la factura.

Hemoglobina, al precio de 285 dólares por gramo; insulina, a 47.50 dólares por gramo; ADN humano, a 76 dólares; colágeno, 15 dólares; y fosfatasa alcalina, 225 dólares. Luego abordó los precios altos. La bradiquinina se pagaba a 12,000 dólares por gramo; la hormona estimuladora de los folículos, a 8 millones de dólares por gramo; y la prolactina, otra hormona, alcanzaba la cifra de 17 millones y medio de dólares por gramo.

Cuando la lista estuvo completa, Morowitz calculó cuánto contiene el cuerpo humano de cada uno de esos productos químicos. Tomando su propio peso como referencia, calculó que su propio valor químico estaría alrededor de 6,000,015.44 dólares. Básicamente, seis millones y un poco de calderilla.

Como Morowitz utilizó un catálogo de hace más de veinte años, deberíamos añadirle un poco para compensar la inflación. Por eso no sería nada disparatado imaginar que, con los precios actuales, tú vales una cantidad que ronda los siete millones de dólares. ¿Cómo te sientes siendo millonario?

Nunca tendrás nada más valioso que tu propio cuerpo. ¿Verdad que tiene mucho sentido hacer todo cuanto sea posible para protegerlo?

¿Qué tienes en el plato?

Miren, a ustedes les doy todas las plantas de la tierra que producen semilla, y todos los árboles que dan fruto. Todo eso les servirá de alimento.
Génesis 1: 29

EL DENTISTA TENÍA MALAS NOTICIAS.

—Parece como si hubieses hecho chirriar los dientes mientras duermes, Brent. Tendrás que ponerte un protector dental si no quieres quedarte sin esmalte.

El Dr. O'Callaghan hizo el protector dental. Pero cuando Brent se lo probó, casi se atraganta.

—Es como si me metiese un panecillo entero en la boca. ¿Cómo puede la gente ponerse estas cosas? —protestó Brent.

—Te acostumbrarás —le aseguró el dentista.

Y sí, eso es lo que sucedió. De hecho, Brent se acostumbró tanto al protector dental que sentía la boca extraña si se iba a dormir sin él.

Lo mismo sucede cuando se trata de aprender hábitos saludables. Al principio puede que parezcan difíciles, pero con un poco de práctica acaban por formar parte de la vida.

Una de las cosas más importantes que puedes hacer por tu salud es comer mucha fruta y verdura. Seguro que ya lo has escuchado un millón de veces, pero es cierto. Tu cuerpo no está diseñado para atiborrarse de patatas fritas, hamburguesas y cerveza de raíz.

¿Pero qué pasa si no te gustan la fruta y las hortalizas? No hay problema. Puedes entrenarte para que te gusten.

Primero reduce los alientos ricos en grasas y azúcar. Cuantos menos postres y aperitivos tomes, más disfrutarás de los alimentos naturales. Prueba con distintas frutas y hortalizas. Si encuentras algo que no te gusta, no te rindas. Puedes conseguir que te guste casi todo si lo pruebas diez veces.

Aprende a disfrutar de los alimentos que Dios incluyó en la dieta original. Tu cuerpo te lo agradecerá.

El seguro de vida de Dios

Querido hermano, pido a Dios que, así como te va bien espiritualmente, te vaya bien en todo y tengas buena salud.

3 Juan 2

AYER HABLAMOS de cómo puedes conseguir que te gusten los nuevos alimentos. Hoy quiero decirte por qué comer lo correcto cuando eres joven es tan importante.

El Dr. Charles Attwood, un médico conocido a lo largo y ancho de los Estados Unidos, cree que comer la clase adecuada de alimentos durante toda la vida es un gran seguro de vida. La investigación demuestra que las arterias ya pueden empezar a taponarse a partir de los tres años de edad. Y cuando se alcanza la adolescencia el asunto todavía se pone más feo. Quienes comen muchos alimentos fritos, postres, carne, queso y otros productos lácteos son candidatos perfectos para sufrir un ataque de corazón, cáncer y convulsiones.

Si, en su lugar, escoges comer fruta, legumbres, semillas, frutos secos, cereales y hortalizas, podrás vivir más y te sentirás mejor. Pero quizá pienses: «Todo el mundo tiene que morir algún día. ¿Por qué hay que esforzarse por mantenerse sano? ¿Por qué no bebemos y comemos lo que nos apetezca y disfrutamos de la vida?»

Estaría bien si pudiésemos conservar la salud y seguir activos hasta el día en que muramos. Pero, para la mayoría de la gente, eso no sucede.

Quienes no protegen su salud suelen estar postrados durante veinte años o más antes de que su cuerpo se rinda. Sufren dolores, no pueden disfrutar de la comida y no tienen fuerzas para salir a la calle y divertirse.

Dios quiere que disfrutemos al máximo de la vida. Quiere que tengamos salud y seamos felices. Por eso nos aconsejó qué debemos comer. Si le hacemos caso, tendremos un seguro de vida tan bueno que el dinero no puede comprarlo.

No es tan dulce

No hace bien comer mucha miel.
Proverbios 25: 27

CUANDO ERA NIÑA, tenía mucha envidia de mi amiga Nancy Greski. Era tan afortunada... Nancy era hija única y parecía que sus papás le daban todo cuanto se le antojaba.

Una cosa que a Nancy le encantaba era la comida basura, en especial el refresco de limón. Siempre que iba a casa de Nancy en el porche había varias cajas de refrescos apiladas. ¡Cajas, imagínate! Mi mamá ni siquiera compraba alguna lata de vez en cuando.

—No es bueno para los dientes —decía.

A mí no me importaban en absoluto los dientes. Yo solo quería el placer de una botella bien helada de 7 Up, cerveza de raíz o refresco de uvas.

Después de la graduación de octavo fui a un internado y perdí el contacto con los amigos del barrio. Durante las vacaciones de Navidad de mi primer año, mamá mencionó que había visto a Nancy en la tienda de comestibles.

—No podía creerlo —dijo—. A Nancy no le quedaba ni un diente en la boca. Me dijo que se los tuvieron que arrancar todos porque estaban muy deteriorados. Está a la espera de unos dientes postizos.

Todo cuanto pude pensar fue en cómo la abuela se sacaba la dentadura cada noche y la metía en un vaso, encima de la mesilla de noche. Me costaba imaginar que alguien de mi edad hiciese lo mismo. Al fin y al cabo, quizá Nancy no era tan afortunada.

El azúcar tiene un buen sabor, pero no les hace ningún favor a los dientes. También debilita el sistema inmunitario, lo cual hace que tu cuerpo no pueda combatir tan bien las enfermedades.

Si quieres sentirte estupendamente y tener el mejor aspecto, no te preocupes por el azúcar. Si te apetece algo dulce, prueba con una fruta.

Cosas del sueño

Cuando descanses, no tendrás que temer;
cuando te acuestes, dormirás tranquilo.
Proverbios 3: 24

—OIGAN, MAÑANA NO HAY ESCUELA. Esta noche nos quedaremos levantados hasta tarde.

Quedarse levantado después de la hora de ir a la cama es excitante. Hace que te sientas mayor. Pero perder horas de sueño es un mal hábito. Según la Fundación Nacional del Sueño, «el sueño es el alimento del cerebro». Si no duermes lo suficiente, puedes tener graves problemas.

Cuando eras pequeño, quizá tus papás se aseguraban de que fueras a dormir a la hora. Pero a medida que crezcas tomarás más decisiones por ti mismo. Aunque cada noche necesitas unas nueve horas de descanso, es fácil acostumbrarse a dormir menos.

Dormir demasiado poco hace que estemos de mal humor y perdamos la concentración. Pasar una noche en blanco puede causar una confusión mental parecida a la de una persona borracha. Quienes quieran estar alerta a las tentaciones de Satanás deben asegurarse de que su cerebro funciona a la perfección durmiendo lo suficiente.

Podrás decir si has dormido bastante por la manera como te despiertes por la mañana. Si para levantarte necesitas un despertador, no duermes lo suficiente. Prueba yendo a la cama más temprano.

Aquí tienes algunos trucos para dormir mejor:

- No cenes demasiado tarde. Mientras el estómago digiere los alimentos indica una acción refleja que hace que te remuevas y des vueltas en la cama mientras duermes. Si comes demasiado, a la mañana siguiente seguirás cansado.
- Baja el ritmo antes de la hora de ir a dormir. Escucha una música tranquila o lee un libro que no te excite.
- Intenta acostarte cada día a la misma hora, incluso los fines de semana. Cuando sigas un horario regular te resultará más fácil dormirte.

Dormir lo suficiente es una más de las cosas que puedes hacer para obtener una ventaja extra.

21 JULIO

Fuera de control

¡Ay de ustedes, que madrugan para emborracharse, y al calor del vino se quedan hasta la noche!
Isaías 5: 11

A INICIOS DEL SIGLO XX, una vid procedente de Asia, llamada *kudzu*, fue importada a los Estados Unidos para reducir el problema de la erosión del suelo que sufrían algunos Estados del sur. Sus profundas raíces impedían que el agua se llevara la tierra.

La gente se asoció para plantar *kudzu* en distintos lugares y el Servicio de Conservación del Suelo la entregaba gratis a los granjeros. Pero las plantas de *kudzu* tomaron la iniciativa.

La planta crece hasta treinta centímetros al día. Pon algo en su camino, un edificio o un árbol, y la parra trepará hasta cubrirlo. En un verano puede crecer más de dieciocho metros en todas direcciones.

Cuando la gente empezó a darse cuenta de que la parra se estaba saliendo de control, quisieron matarla. La cortaron con hachas y sierras. La envenenaron con herbicidas, incluso quisieron quemarla, pero no moría. Las plantas de *kudzu* se han extendido por doce Estados del sur, cubriendo una extensión de terreno de más de 2.8 millones de hectáreas. Por suerte, un producto de Dow Chemical ha sido capaz de matar las raíces. Pero no es seguro que se haya podido eliminar del todo la plaga.

El alcohol tiene un efecto parecido en la vida de las personas. Cuando la gente empieza a beber, ayuda a relajarse. Pero, a medida que el tiempo pasa, el alcohol, como la parra *kudzu*, puede escapar al control. El alcohol afecta a la capacidad de pensar con claridad. No es de extrañar que la bebida sea la causa de un rendimiento bajo en el trabajo, la ruptura de relaciones, malos tratos a los niños, dificultades económicas y graves problemas de salud.

El alcohol no mejora la vida de nadie. Pero ha destruido millones de vidas. Si permaneces alejado del alcohol jamás tendrá la posibilidad de apoderarse de tu vida.

Un honor extraordinario

Porque Dios es el que en vosotros produce así el querer como el hacer, por su buena voluntad.

Filipenses 2: 13, RV95

HACE YA MUCHOS AÑOS que no soy miembro del Club de Conquistadores, pero todavía recuerdo lo mucho que me divertía. Cada domingo nuestro club se reunía en la escuela de iglesia para pasar inspección, practicar la marca y trabajar para obtener honores.

Todos queríamos ganar tantos honores como pudiésemos. Algunos de nosotros, durante la semana, se esforzaban en casa por obtener honores extra. Todo cuanto había que hacer era cumplir los requisitos y pasar un examen. Al final del curso escolar, el hermano Fleming, el director de Conquistadores de nuestra Asociación, nos entregaba los honores que habíamos ganado a lo largo del curso.

Cuando crecí, sucedió que veía la salvación como un honor más que podía ganarse. Si cumplía todos los requisitos y pasaba el examen, algún día Dios volvería y me haría entrega de la vida eterna. Pero no podía imaginar qué esperaba Dios de mí.

Una mañana, mientras oraba, le pedí a Dios qué debía hacer para tener la vida eterna. Su respuesta fue muy clara:

> «La salvación no es algo que se gane. Es un don que doy a todos los que confían plenamente en mí. Todo cuanto tienes que hacer es creer que te amo y sé qué es lo mejor para ti. Cuando lo hagas, podré despojarte de tu *yo* pecador y hacer de ti una nueva persona».

No tenemos que trabajar duro para obedecer una lista de normas; sino que tenemos que escuchar al Espíritu Santo cuando nos hable a través de la Biblia y los pensamientos. Él nos mostrará qué hay que hacer y nos ayudará a hacerlo.

El enemigo más temible

Si alguno quiere ser discípulo mío, olvídese de sí mismo, cargue con su cruz y sígame.
MARCOS 8: 34

CUANDO TODAVÍA ERAS MUY PEQUEÑO, tus papás tenían que advertirte de los enemigos que amenazaban tu seguridad. Muchas veces te dijeron que no hablaras con desconocidos y que nunca fueses a ninguna parte con ellos. También te dijeron que te alejaras de la calzada, que no pusieses las manos en la estufa y que tuvieras mucho cuidado con los animales que no conocías.

Ahora que ya eres mayor, te advierten de un montón de nuevos enemigos. Tienes que alejarte de ciertos muchachos que serían una mala influencia y evitar sustancias como las drogas, el alcohol y el tabaco.

Pero la lista de enemigos no se acaba aquí. También nos preocupan los terroristas, los conductores borrachos y la gente que roba todo lo que no está atado o bajo llave.

Si pensásemos en todos los peligros que nos acechan, jamás querríamos salir de casa. Pero el peor enemigo de todos está en casa. No, no es Satanás. Es la persona que cada día ves en el espejo del baño: eres tú.

Si no alcanzamos la vida eterna no será porque hayamos pecado demasiadas veces. Será porque habremos dado la razón a Satanás al respecto de que Dios no merece ocupar el primer lugar de nuestra vida.

Cuando Satanás causó problemas en el cielo lo hizo convenciendo a una tercera parte de los ángeles de que no tenían que obedecer a Dios. Les prometió que si lo convertían en su líder, se liberarían del control de Dios y podrían hacer lo que les apeteciese. Ya sabes el resto de la historia...

Cada día tenemos que luchar con nosotros mismos. ¿Seguiremos nuestros deseos pecaminosos o pondremos a Dios en primer lugar?

¡Qué sensación!

Realicen su trabajo de buena gana, como un servicio al Señor y no a los hombres. Pues deben saber que cada uno, sea esclavo o libre, recibirá del Señor según lo que haya hecho de bueno.

Efesios 6: 7, 8

SI QUIERES SER FELIZ durante una hora, échate una siesta.
Si quieres ser feliz durante un día, ve a pescar.
Si quieres ser feliz durante un mes, cásate.
Si quieres ser feliz durante un año, hereda una fortuna.
Si quieres ser feliz toda la vida, ayuda a alguien.

Proverbio chino

Cuando Jesús enseñaba a sus discípulos la importancia de servir a los demás, no les daba otra tarea que cumplir. Les daba una de las llaves de la felicidad.

Hace algunos años, la revista *Psychology Today* publicó un artículo que trataba de los beneficios que se obtienen al servir a los demás. Se estudiaron voluntarios que iban por ahí ayudando a otras personas y siendo amables con ellas.

Se descubrió que en casi todos los casos, los voluntarios experimentaban un aumento de las endorfinas, las sustancias del cerebro que hacen que nos sintamos bien. Cuando hacían algo para otro, experimentaban un placer y una excitación naturales. Pero si les daban dinero o recibían cualquier otra recompensa por lo que habían hecho, la sensación agradable desaparecía.

Y lo que es más, también se descubrió que meses después de haber hecho las buenas acciones, la mayoría de los voluntarios conseguían una nueva dosis de endorfinas al recordar sus experiencias pasadas.

Pero los beneficios del servicio no se detienen con una sensación agradable. Hacer algo por los demás también puede aliviar la depresión y el dolor y alargar la vida de una persona. Servir a los demás, no es solo un regalo para otras personas, también lo es para ti.

25 JULIO

Una decisión meditada

Si retraes del sábado tu pie, de hacer tu voluntad en mi día santo, y lo llamas "delicia" [...] entonces te deleitarás en el Señor. Yo te haré subir sobre las alturas de la tierra.
ISAÍAS 58: 13, 14

LOS MOMENTOS MÁS FELICES para Laurie Neal eran las clases de cuarto nivel de equitación. Estuvo en cuarto de equitación durante tres años e hizo muchos nuevos amigos que sentían mucha curiosidad por sus creencias religiosas.

—¿Por qué no puedes venir a la fiesta el viernes por la noche?

—¿No probaste el camarón? ¿Qué tiene que ver con tu religión?

—¿A qué iglesia dices que vas, la adven... qué?

Una tarde, mientras Laurie se entrenaba para la competición de jóvenes en cuarto de la feria local, su jefe la elogió.

—Sigue así, Laurie. Si cabalgas así, llegarás a la competición estatal.

—¿Cuándo es? —preguntó Laurie. Su sueño era clasificarse algún día para una competición estatal.

—Dos semanas después de la feria, el viernes y el sábado.

Era lo último que Laurie quería oír. En su mente empezó a librarse una batalla.

«¿Sería tan terrible si fuese a una exhibición en sábado? Siempre podría pedir perdón cuando se acabase. Por otra parte, mi jefe y todos mis amigos saben que yo no compito en sábado. ¿Cómo podría cambiar de repente mis creencias por un campeonato?»

Laurie continuó entrenándose para la demostración hípica local. Sabía que no podía racionalizar el hecho de competir en sábado. Por eso dejó de preocuparse por ello y se concentró en prepararse para la feria. (Continuará.)

Hacer lo correcto

Ustedes no han pasado por ninguna prueba que no sea humanamente soportable. Y pueden ustedes confiar en Dios, que no los dejará sufrir pruebas más duras de lo que pueden soportar. Por el contrario, cuando llegue la prueba, Dios les dará también la manera de salir de ella, para que puedan soportarla.

1 Corintios 10: 13

EL DÍA DE LA FERIA Laurie se mantuvo ocupada para no tener tiempo de pensar en la competición estatal. Durante toda la tarde fue ganando escarapela tras escarapela. Y sucedió lo que tenía que suceder. El vocal del jurado tomó el micrófono.

—Laurie Neal ha acumulado suficientes puntos para competir en el campeonato estatal que tendrá lugar en dos semanas. Felicidades, Laurie.

El público aplaudió mientras Laurie se daba cuenta de que había llegado el momento de la verdad. Antes de cambiar de idea, desmontó, entregó las riendas al jinete que estaba junto a ella y anduvo hacia el estrado de los jueces. Oró pidiendo a Dios que le diera la fuerza necesaria para hacer lo correcto.

—¿Puedo ayudarte en algo? —dijo el ayudante del vocal.

—Esto... soy... Laurie Neal y necesitaría que borraran mi nombre de la lista de clasificados para la competición estatal para que otra persona pueda ir en mi lugar.

La señora miró a Laurie durante unos segundos. Luego se encogió de hombros y tachó el nombre de Laurie.

Laurie llevó su caballo al establo. Su jefe y los demás jinetes de su club nunca entenderían por qué se había retirado. Pero estaba bien. Laurie sabía que había hecho lo correcto. (Mañana hay más.)

27 JULIO

No es una simple coincidencia

Hermanos míos, ustedes deben tenerse por muy dichosos cuando se vean sometidos a pruebas de toda clase. Pues ya saben que cuando su fe es puesta a prueba, ustedes aprenden a soportar con fortaleza el sufrimiento.
SANTIAGO 1: 2, 3

UNOS MESES DESPUÉS de la decisión que Laurie tomó de no asistir a la competición hípica estatal, relató su experiencia en un trabajo escrito que puse a mis alumnos de lengua inglesa. Envié su historia a la revista *Insight*. Un tiempo después, Laurie recibió una llamada de los editores. Querían comprar su historia y usarla en el siguiente número.

Laurie estaba excitada pensado en que quizá su experiencia pudiese ayudar a alguien que debiese enfrentarse a una decisión difícil respecto del sábado. Ese verano Laurie se presentó para un empleo como auxiliar de enfermería.

Después de un mes en el curso de formación, pasó a la orientación laboral. Cuando su supervisor le entregó la programación, a Laurie se le hundió el mundo bajo los pies. La habían programado para el sábado siguiente.

Laurie habló con su supervisor y le explico que era adventista del séptimo día y que no podía trabajar en sábado. Si le asignasen un día distinto…

El supervisor la interrumpió.

—Si no puedes trabajar en sábado, no puedes tener un empleo con nosotros.

Una vez más Laurie se encontraba frente a la decisión de honrar o no el sábado. Parecía tan injusto. Había seguido toda la formación y necesitaba el dinero para pagar la matrícula del internado.

Entonces Laurie miró otra vez a la programación que tenía en la mano. El sábado en que se suponía que tenía que trabajar era el 27 de julio, el mismo día en que su historia aparecería en *Insight*. Laurie cree que eso no era ninguna coincidencia.

—Era la manera que tenía Dios de recordarme el compromiso de guardar el sábado. Usó mi propia historia para darme fuerzas para hacer lo correcto.

No hay ninguna duda

Pues el evangelio nos muestra de qué manera Dios nos hace justos: es por fe, de principio a fin. Así lo dicen las Escrituras: «El justo por la fe vivirá».

Romanos 1: 17

¿ALGUNA VEZ DESEASTE PODER VER A JESÚS y saber seguro que existe? Al principio del libro te hablé de Bill, el hombre que vio los tres ángeles alrededor del pastor. Cuando me contó lo sucedido recuerdo que pensé: «Ojalá hubiese podido ver lo que él vio. Ver un ángel seguro que aumentaría mi fe».

No olvidamos de que Dios ya nos ha dado montones de pruebas en las que basar nuestra confianza. Cuando entro en el patio trasero de mi casa, no tengo que ver un mirlo de ala roja para saber que está ahí. Todo cuanto tengo que hacer es escuchar su canto. El canto es la prueba.

No tengo que ver un ciervo para creer que viven en el bosque de al lado. Las huellas de los ciervos que cruzan la entrada de mi casa son suficiente prueba.

No necesitamos que Dios nos visite para saber que existe. Tenemos pruebas a todo nuestro alrededor.

Planta un huerto y tendrás la satisfacción de ver a Dios trabajando a medida que una pequeña semilla se vuelve en tantos calabacines que se podría alimentar a tres barrios enteros. Hazte un corte en el dedo y mira cómo tu cuerpo se repara sin dejar ni una cicatriz.

Mira a Jesús trabajando por medio de los amigos que te quieren a pesar de tus defectos. Siente su presencia cuando responde tus oraciones y te da la capacidad de permanecer tranquilo cuando estás tentado de perder los nervios.

No necesitamos ver a Jesús para demostrar que el cielo está interesado en nuestra vida. Todo lo que tenemos que hacer es abrir los ojos a las evidencias que hay a nuestro alrededor. Si buscas una prueba, seguro que la encuentras.

29 JULIO

Es imposible ser más generosos que Dios

Den a otros, y Dios les dará a ustedes.
Les dará en su bolsa una medida buena, apretada, sacudida y repleta.
Lucas 6: 38

¿ALGUNA VEZ TE SENTISTE EMPUJADO a dar algo que significaba mucho para ti? Cuando Pam Adams, flautista de la Sinfónica de Fort Worth, supo que su iglesia abría un fondo de construcción quiso poner su granito de arena. Por eso le preguntó a Dios cuánto quería que diera. Y Dios le respondió que, en lugar de un donativo en dinero, diera su flauta.

Pam no podía creer que Dios le pidiera que abandonase algo que tenía tanto valor para ella. En primer lugar, era un instrumento muy caro y ella no tenía el dinero necesario para comprar otro. En segundo lugar, le pagaban por tocar la flauta. ¿Cómo podría ganarse la vida si se deshacía de ella?

El día que la congregación tenía que llevar sus donativos y sus compromisos, Pam llevó su flauta a la iglesia. Tocó una música especial. Luego, cuando el pastor pidió a la congregación que llevaran sus ofrendas para el fondo de construcción, Pam caminó hasta el estrado y puso su flauta en la cesta de las ofrendas.

Después de la iglesia, Pam se fue a casa. Sin su amada flauta.

Pero esa noche recibió una llamada telefónica del pastor. Uno de los miembros de la iglesia había quedado tan impresionado con el donativo de Pam que había ofrecido pagar el precio de la flauta para que ella pudiera recuperarla.

Pam recuperó su flauta y la iglesia recibió un cheque con una fuerte suma de dinero. Pam aprendió que cuando estamos dispuestos a dar a Dios lo que nos pida, él siempre nos supera.

Los perezosos nunca prosperarán

Pero el que siga firme hasta el fin, se salvará.
Mateo 24: 13

EN EL PERIÓDICO LOCAL apareció el siguiente anuncio:

«Bicicleta estática: 50 dólares; cinta para correr, 250 dólares; máquina de remar, 75 dólares. Todo en perfecto estado de uso. Casi nuevo. 657-5674.»

No conozco a las personas que vendían esos objetos, pero estoy casi segura de que en algún momento de su vida (quizá cuando hacían los propósitos para el año nuevo) decidieron que se pondrían en forma. Por eso, quizá, primero compraron la bicicleta estática. Pero cuando la bicicleta dejó de ser algo divertido, probaron con la cinta para correr. Y luego la máquina de remar. Aparentemente, no usaron mucho ninguna de las máquinas porque admitían que estaban casi nuevas.

Es muy fácil excitarse con un nuevo proyecto, en particular cuando nos da un motivo para gastar dinero. Pero después de haber trabajado un poco en él, la novedad desaparece y buscamos algo nuevo que nos dé un poco más de emoción.

Una de las características de la madurez es la capacidad de seguir haciendo algo aun cuando ya no nos divierta. Quizá sea un empleo de verano aburrido que nos obligue a hacer lo mismo un día tras otro. O puede que sea tu trabajo de historia, cuando lo que preferirías es ir a esquiar con los amigos. También sería el equipo de voleibol después de no ganar ni un solo partido y ser el peor jugador de toda la liga.

Cuando nos comprometemos a hacer algo, debemos cumplir la palabra dada. Nos ayuda a aprender a ser disciplinados y hace que en el futuro sea más fácil llevar adelante los proyectos.

El compromiso es también una parte vital de la salvación. En un momento u otro, muchas personas aceptarán a Jesús y dirán de sí mismas que son cristianas. Pero solo permanecerán en la familia de Dios los que continúen su relación con él. Ahora que has empezado un viaje increíble, no permitas que nada te detenga.

31 JULIO

Un día de gratitud

Quien es digno de confianza, será alabado.
PROVERBIOS 28: 20

VUELVE A SER HORA de reflexionar sobre las maneras en que Dios te ha bendecido. Espero que alabar a Dios se esté convirtiendo en un hábito. Descubrirás que es como aprender a tocar un instrumento. Cuanto más lo practiques, más hábil eres.

Gracias, Señor, por:

Peticiones especiales:

De vuelta a la base

El Señor ama a su pueblo.
DEUTERONOMIO 33: 3

ZELMA EDWARDS es una excelente profesora de música. Cada semana trabaja con sesenta alumnos, enseñándoles los virtuosismos del piano.

Sus alumnos aprenden a adoptar una postura y una posición de las manos correctas. Hace que practiquen escalas y ejercicios de dedos, además de aprender teoría, eso tan aburrido. La mayoría de sus alumnos están ansiosos por aprender nuevas canciones. Pero la Sra. Edwards sabe que antes de que puedan tocar bien deben conocer la base.

La base también es muy importante en la escuela. En clase de Matemáticas o de Historia, ¿alguna vez no te sentiste frustrado con los deberes porque te parecían un verdadero despilfarro de tiempo? «¿Por qué tendré yo que aprender eso?» Seguro que lo pensaste más de una vez. «Cuando deje la escuela jamás tendré que calcular el área del triángulo».

Quizá tengas razón. Quizá nunca uses toda la información que aprendiste en una lección en particular. Pero a veces las lecciones sobre temas como las matemáticas se deben aprender siguiendo un orden determinado. Si primero no aprendieses el área del triángulo, más tarde no podrías calcular el volumen de un prisma triangular.

Cuando la Sra. Edwards estaba en la universidad, se levantaba a las 4:30 de la mañana para poder hacer escalas durante *dos horas* antes de desayunar. Sabía que las escalas son el fundamento de todas las composiciones para piano.

Todas las verdades de la Biblia también tienen un fundamento. Ese fundamento es: «Jesús me ama». Si no creemos que Jesús nos ama, la muerte n tiene sentido. El sábado no tiene sentido. El santuario del cielo no tiene sentido.

Todo lo que creemos debe empezar y terminar con el amor de Jesús, un concepto suficientemente sencillo para que lo pueda entender un niño, aunque tan complejo que desconcierta a las mentes más brillantes.

2 AGOSTO

¡Imagina!

Y así destruimos las acusaciones y toda altanería que pretenda impedir que se conozca a Dios. Todo pensamiento humano lo sometemos a Cristo, para que lo obedezca a él.

2 Corintios 10: 4, 5

IMAGÍNATE QUE ESTÁS DE PIE en el tejado de un rascacielos. Alguien ha puesto un tablón desde donde tú estás hasta otro edificio alto justo en la acera de enfrente.

Tu misión es andar por el tablón y llegar al otro lado de la calle sin caer. ¿Listo? Ponte en el extremo del tablón. Mira al otro edificio y comprueba a qué distancia está. Ahora da el primer paso. Con cuidado, el ancho de la tabla solo mide un palmo.

Desliza el pie derecho por la tabla. Luego pon delante el izquierdo. Poco a poco; no pierdas el equilibrio. Un movimiento equivocado y te estrellarás contra el asfalto de la calle.

De repente, cuando estás a medio camino, el tablón empieza a oscilar. Primero lentamente. Pero cuando das el siguiente paso, empieza a subir y bajar. Desesperado, intentas mantener el equilibrio. Pero te das cuenta de que no hay nada a qué agarrarse. Te inclinas demasiado a la derecha. Sin pensarlo, desplazas tu peso hacia la izquierda. Instantáneamente los pies te resbalan fuera del tablón y sales disparado por el aire.

Te oyes gritando mientras la calle se precipita sobre ti. Fin de la historia.

¿Cómo te sientes ahora? Si usaste realmente tu imaginación, quizá tengas una sensación extraña en el estómago. No corrías ningún riesgo pero, de algún modo, algo en tu cerebro convenció al cuerpo de que tu vida estaba en peligro. Ese es el poder de la imaginación.

El mal, ya sea real o imaginario, siempre causa un efecto negativo sobre la mente, por no mencionar el resto del cuerpo. Tómate un espiro. Mantén el pensamiento centrado en las cosas buenas.

Conoce la verdad

Conocerán la verdad, y la verdad los hará libres.

JUAN 8: 32

UNA DE LAS ESTRATEGIAS DE GUERRA más importantes es la capacidad de tener tropas en el lugar y el momento precisos. Durante la Segunda Guerra Mundial, las fuerzas aliadas, después de tomar el control del norte de África, planearon atacar a Hitler desde Sicilia. Pero las fuerzas del Eje eran demasiado poderosas. Los Aliados decidieron preparar un ataque por sorpresa. Con la ayuda de un soldado británico muerto lo consiguieron.

El soldado, el mayor William Martin, había muerto de neumonía en Inglaterra. Las fuerzas aliadas decidieron usarlo para engañar a sus enemigos con información falsa.

Un submarino llevó el cuerpo hasta la costa de España. El mayor Martin estaba vestido con un uniforme militar y llevaba los bolsillos repletos de "documentos secretos". Aquellos papeles afirmaban que los siguientes ataques aliados se darían en Grecia y Cerdeña.

El mayor Martin fue arrojado al agua junto con una balsa neumática. Los Aliados querían que pareciese que había muerto en un accidente de aviación.

Cuando el cuerpo llegó a la orilla, los soldados del Eje descubrieron los documentos en los bolsillos del hombre. Convencidos de que habían interceptado información confidencial, los alemanes reagruparon y movieron miles de sus hombres hacia Grecia y Cerdeña.

Los Aliados tomaron Sicilia sin apenas resistencia. Todo a causa de una información falsa.

Todo cuanto hacemos está influido por lo que creemos que es la verdad. Nuestra vida depende de la capacidad de descubrir la verdad, creer en ella y vivirla.

Si llenamos la cabeza con programas de televisión, películas, música malvada y libros y revistas inmorales, nos exponemos a las mentiras de Satanás. Finalmente, nuestras defensas contra el pecado acabarán por debilitarse y seremos vencidos con facilidad. Por eso el estudio de la Biblia es tan importante. En ella encontrarás la verdad. Y la verdad hará que sigas siendo libre.

Negocio arriesgado

Conserva siempre el buen juicio, hijo mío,
y no pierdas de vista la discreción [...].
Podrás andar confiado por el camino y jamás tropezarás.
Proverbios 3: 21, 23

BEN LEMONS VOLVÍA A CASA con Jerry, su mejor amigo. Cuando Jerry quiso adelantar al automóvil que iba delante de ellos, el conductor del otro auto aceleró y pronto estuvieron conduciendo uno junto al otro por la carretera. La excitación sustituyó al sentido común y ambos conductores se desafiaron para ver quién sería el primero en tener miedo y frenar.

Cuando llegaron a una colina, Jerry y Ben chocaron frontalmente con otro automóvil. Los jóvenes sobrevivieron al accidente, pero las heridas que sufrieron tardaron meses en sanar.

Katie Brooks había ido de Misuri a Chicago con ochenta compañeros de escuela para visitar el Museo de la Ciencia y la Industria. Cuando ella y otros amigos bajaban a un piso inferior, Katie miró por el ojo de la escalera en espiral y pensó que sería mucho más divertido hacerlo deslizándose por la barandilla.

Se subió al pasamanos y empezó a bajar. Pero algo salió mal. Katie resbaló y cayó al suelo, muriendo en el acto.

Daniel Reiss, un estudiante universitario, buscaba un poco de diversión cuando él y siete amigos fueron a la playa el jueves pasado, a las 11:30 de la noche. Querían jugar con las olas.

El viento soplaba con fuerza. Las olas alcanzaban alturas de dos a cinco metros. Los jóvenes anduvieron hasta el fin del muelle y luego corrieron alrededor del faro para ver si podían hacerlo sin que una ola los alcanzase. Pero sucedió algo. Una gran ola pilló desprevenido a Daniel y lo arrojó al agua. Todavía no han encontrado su cuerpo.

Todos los jóvenes de estas historias sabían que lo que hacían estaba mal. Pero la emoción de correr un riesgo hizo que se olvidaran del sentido común.

Correr riesgos innecesarios puede traer daños graves o la muerte. No pongas tu vida en juego por unos pocos momentos de excitación. Cuida la vida que Dios te dio.

¡Atrapa ese pensamiento!

Hablaré de tu grandeza, mi Dios y Rey; bendeciré tu nombre por siempre. Diariamente te bendeciré; alabaré tu nombre por siempre.

Salmo 145: 1, 2

EL PASTOR DAN era el tipo de persona que a la gente le gusta tener cerca. Siempre estaba contento y se preocupaba por los demás.

Cuando, un día, un amigo lo vio hablar consigo mismo lo interrumpió y le preguntó qué sucedía.

—Oh —dijo el pastor Dan—, le contaba a Jesús lo maravilloso que es. Siempre que me siento desanimado o deprimido, me olvido de mí mismo y empiezo a decirle qué significa él para mí.

—¿Y eso te levanta el ánimo? —preguntó el amigo.

—Siempre —respondió.

¡Qué gran idea! Piensa en cómo cambiaría nuestra vida si, tan pronto como detectásemos un pensamiento negativo, volviésemos la atención hacia Dios. La clave está en atrapar el pensamiento negativo tan pronto como se asome, y cortarle el paso.

Como el pastor Dan, cuando en el cerebro nos entre un pensamiento depresivo, podemos sustituirlo con pensamientos sobre la grandeza de Dios. Cuando sintamos la tentación de ridiculizar a otras personas podemos orar por ellas y pedir a Dios que las bendiga. Cuando tengamos miedo, podemos agradecer a Dios que no tengamos nada que temer si lo seguimos a él.

Orar sin cesar no quiere decir que tengamos que estar de rodillas las 24 horas del día. Quiere decir estar dispuesto a comunicarnos con Dios en todo momento.

Atrapar nuestros pensamientos y redirigirlos hacia Dios nos ayudará a sentir su presencia durante todo el día y nos dará la paz y la felicidad que está buscando todo el mundo.

Una nueva criatura

¿Hay alguien todavía que no sepa que Dios lo hizo todo con su mano? En su mano está la vida de todo ser viviente.
Job 12: 9, 10

CUANDO EMPIEZA EL CURSO mis alumnos saben que es la hora de buscar orugas de mariposa monarca. Buscar esas orugas a franjas amarillas, negras y blancas es muy adictivo. No importa cuántas encuentres, siempre esperas descubrir una más.

Ponemos los gusanos en un acuario. Luego les ponemos unas ramitas para que puedan trepar un poco de planta de algodoncillo para que coman. El toque final es una pantalla que impide que los gusanos se escapen.

Cada día retiramos las plantas de algodoncillo secas y la sustituimos por otras frescas. Las orugas comen y crecen constantemente.

El instinto les dice que trepen hacia la parte de arriba del acuario. Una vez allí, tejen un botón de seda sobre la pantalla, se enganchan a la seda con el gancho posterior y se cuelgan cabeza abajo tomando la forma de una J.

A medida que pasan las horas, las orugas empiezan a dejar caer la cabeza y se enderezan. Luego, si tienes suerte, verás que sucede algo impresionante. Una de las orugas empezará a hincharse hasta que se le rasga la piel.

Con movimientos de vaivén el gusano verde empuja hacia arriba su antigua piel y la recoge junto a los ganchos de su parte trasera. Justo antes de que la piel se retire completamente, sale un nuevo gancho, llamado cremáster, que fija a la criatura verde en el botón de seda.

La oruga se suelta de la antigua piel y vuelve a su movimiento de vaivén hasta que la piel a rayas cae al fondo del acuario. Entonces, todo su cuerpo adopta una forma adecuada y, en pocos minutos, un caparazón duro envuelve al gusano dándole una nueva casa, llamada crisálida.

Si cerca de tu casa tienes algodoncillo, mira a ver si puedes encontrar orugas de monarca para disfrutar viendo cómo obra el poder creador de Dios.

Una nueva vida

Por lo tanto, el que está unido a Cristo es una nueva persona. Las cosas viejas pasaron; se convirtieron en algo nuevo.

2 Corintios 5: 17

CUANDO TIENES ENTRE VEINTE Y TREINTA CRISÁLIDAS de monarca colgando a la vez en el acuario, cuesta mucho mantener la cabeza centrada en el trabajo de la escuela. No quieres perderte el momento en que nace una mariposa. Pero eso sucede muy rápidamente. Si no andas con cuidado, puede que te lo pierdas.

La pista más clara de que una mariposa está a punto de salir es el cambio de color de la crisálida. Cuando la crisálida se forma, tiene un color verde claro y una corona dorada en la parte superior. Pero, a medida que pasan los días, se vuelve casi negra. Lo que ves son las alas negras y calabaza de la mariposa que se están formando en el interior.

Cuando la mariposa está apunto para deja su confortable hogar, empuja las paredes de la crisálida hasta que se resquebraja. Luego sale fuera. Pero no te sorprendas de ver lo que veas. Una mariposa recién nacida no se parece en nada a la criatura en que se transformará finalmente.

Aferrándose a su crisálida de fino papel, la mariposa, con el abdomen hinchado y las alas encogidas, empieza a balancearse adelante y atrás. Mueve la sangre desde el cuerpo hacia las alas, las cuales, lentamente, se expanden y toman forma. En unos minutos, la criatura deforme y extraña se transforma en una monarca real. La criatura, que unos días antes trepaba por una planta de algodoncillo, ahora puede volar por el aire.

Cada vez que veo el nacimiento de una mariposa monarca me acuerdo de lo que Jesús quiere hacer por cada uno de sus hijos. Bastaría con que se lo permitiésemos para que nos librase de nuestro yo pecador y nos convirtiera en criaturas completamente nuevas.

Instintivamente, las orugas de monarca se someten a una transformación. Nosotros, sin embargo, debemos escoger el cambio. ¿Lo has escogido?

8 AGOSTO

No eres mi jefe

**Así que quien se opone a la autoridad,
va en contra de lo que Dios ha ordenado.**
ROMANOS 13: 2

«NO ME DIGAS QUÉ TENGO QUE HACER. Tú no eres mi jefe». ¿Alguna vez escuchaste a alguien que dijera eso? Y tú, ¿lo dijiste, quizá a un hermano o una hermana mayor? A nadie le gusta que alguien le diga qué tiene que hacer. De hecho, si se nos dejase, acabaríamos con toda autoridad. Libertad total. Ninguna norma que seguir, nadie dándonos la tabarra diciendo que hagamos tal o cual cosa. Si nos dejasen, votaríamos por eso. ¿O no?

Piensa en cómo sería si la gente fuese libre de hacer lo que le viniera en ganas. Si tuvieses una magnífica tabla de *snow* o una carísima bicicleta de montaña el vecino de al lado se la podría llevar.

Si las personas no tuviesen que obedecer las normas de circulación podrían conducir a cualquier velocidad sin respetar las señales de alto. Jamás te sentirías seguro al cruzar la calle.

Las tiendas tendrían que cerrar. Si todas las normas fuesen suprimidas, la gente podría robar lo que quisiera. Toda la economía se colapsaría. Cuando se eliminan las normas, la seguridad y la prosperidad desaparecen.

Después de que los Israelitas salieran de Egipto, Jetro, el suegro de Moisés, lo aconsejó que buscara líderes que lo ayudaran a llevar la responsabilidad de guiar al pueblo de Dios. Tan pronto como el plan de organización fue puesto en práctica, las cosas fueron mucho mejor.

La sociedad funciona mejor cuando cooperamos con los que tienen la autoridad, ya sean nuestros padres, los maestros, los supervisores del trabajo, los policías o los líderes del gobierno. Cuando respetamos a los que tienen la responsabilidad honramos a Dios y ayudamos a construir una comunidad mejor.

La reforma definitiva

Pero quiero que conozcan el designio secreto de Dios: No todos moriremos, pero todos seremos transformados en un momento, en un abrir y cerrar de ojos, cuando suene el último toque de trompeta. Porque sonará la trompeta, y los muertos serán resucitados para no volver a morir. Y nosotros seremos transformados.

1 Corintios 15: 51, 52

NO IMPORTA QUIÉN SEAMOS. A todos nos gustaría cambiar algunas cosas de nosotros mismos. Incluso las súper modelos. Nadie está completamente satisfecho con su aspecto.

Uno de los programas de televisión más populares de los últimos años era uno en el que gente normal tenía la oportunidad de cambiar su aspecto mediante cirugía plástica especializada, distintos maquillajes y nuevo corte de pelo y la ropa adecuada. Al final del programa podías comparar el aspecto de esas personas antes y después y ver cómo habían cambiado.

Cuando miras un programa como ese empiezas a pensar: «Si ahora pudiese cambiarme algo, empezaría por...»

Una de las ventajas de la segunda venida de Jesús es que Dios nos hará a todos una última remodelación. Ya no tendremos orejas de soplillo, las narices tendrán la medida correcta y los problemas de piel desaparecerán. Todos tendremos un aspecto fantástico. Pero los mejores cambios serán algo más que una remodelación de nuestro aspecto.

Las personas ancianas recuperarán la juventud. Los dolores desaparecerán. Los ciegos verán, los sordos oirán y los paralíticos andarán.

Todo cuanto recuerde al pecado desaparecerá. No solo tendremos buen aspecto, sino que tendremos una energía que nunca antes habremos experimentado. Nuestra mente será capaz de pensar de una nueva manera y aprenderemos nuevas habilidades, a la vez que mejoraremos las que ya tenemos.

Todos nosotros queremos sacarle el mejor provecho a la vida. Pero no importa el éxito que tengamos en la tierra, jamás llegaremos a acercarnos al gozo y la realización personal que Dios tiene esperando al otro lado de la esquina.

10 AGOSTO

Gente de verdad

Ahora vemos de manera indirecta, como en un espejo, y borrosamente; pero un día veremos cara a cara. Mi conocimiento es ahora imperfecto, pero un día conoceré a Dios como él me ha conocido siempre a mí.

1 Corintios 13: 12

AYER HABLAMOS DE CÓMO DIOS va a cambiar nuestro aspecto físico cuando regrese. ¿No te inquieta un poco?

Las personas que pasan por la cirugía plástica tienen que esperar días, y a veces semanas, para poder ver cuánto han cambiado. La inflamación debe desaparecer y los ojos amoratados deben sanar. Poco a poco se van habituando a su nuevo aspecto. Pero cuando Jesús venga, el cambio sucederá en un abrir y cerrar de ojos.

¿Piensas que tendrás problemas para reconocer a tus amigos y a los miembros de tu familia después de que Jesús los haya renovado? ¿Puedes imaginarte a la abuelita con el aspecto de una joven que podría ser tu hermana mayor? ¿En el cielo tendremos todos un aspecto tan diferente que las personas tendrán que llevar etiquetas con el nombre para poder saber quiénes son?

Cada semana el periódico dominical tiene fotografías de parejas que celebran las bodas de oro. A veces también incluyen una fotografía tomada el día de su boda. Ninguno de ellos tiene exactamente el mismo aspecto que tenía hace cincuenta años, pero su aspecto es muy parecido. Yo pienso que en el cielo será así.

Las personas que conocemos en la tierra serán todavía ellas mismas, solo que mejor. Por primera vez en la vida, nuestra naturaleza pecaminosa no se entrometerá en nuestras amistades.

El cerebro nos funcionará a la perfección y nos entenderemos mejor. No nos sentiremos celosos o inseguros. Confiaremos unos en otros y no temeremos decir nada inconveniente.

¿Nos conoceremos unos a otros en el cielo? Yo creo que no seremos capaces de conocernos unos a otros *hasta* que lleguemos al cielo.

Perdedores y ganadores

En cambio, los que quieren hacerse ricos caen en la tentación como en una trampa, y se ven asaltados por muchos deseos insensatos y perjudiciales, que hunden a los hombres en la ruina y la condenación.

1 TIMOTEO 6: 9

«OYE, CHICO, SI GANASE LA LOTERÍA mis problemas quedarían resueltos. Un día de estos me llevaré el bote. Lo habré conseguido. La calle será mía». Ni lo sueñes.

Los autores de *Your Money Or Your Life* (La bolsa o la vida) hablaron de un estudio que siguió a mil ganadores de la lotería durante diez años. Los investigadores descubrieron que muy pocos eran más felices después de ganar esas grandes cantidades de dinero. Muchos dijeron que al cabo de seis meses de haber ganado la lotería eran *menos felices* que antes de ganarla.

Y luego tenemos el problema de saber cómo manejar grandes cantidades de dinero. Cuando la gente no tiene que trabajar para ganar dinero, es muy fácil gastarlo. Nueve de cada diez personas que recibieron grandes sumas de dinero repentinamente lo han gastado todo al cabo de cinco años. Tal como vino, se fue.

Los ganadores descubrieron que llevarse el bote también puede arruinar las relaciones. La familia y los amigos esperan que compartan con ellos las ganancias. Los ganadores nunca están seguros del todo de si las personas quieren ser sus amigos o si solo quieren echarle el guante al dinero. Muchos ganadores se vuelven solitarios para evitar que les pidan préstamos.

Los juegos de azar y el deseo de ser ricos van contra los principios de la Biblia. «No te esfuerces por hacerte rico». «Más vale ser pobre y honrar al Señor, que ser rico y vivir angustiado». «El que ama el dinero, siempre quiere más; el que ama las riquezas, nunca cree tener bastante».

Aprende a ser feliz con lo que tienes. Tendrás una enorme ventaja sobre las personas que solo se contentan con llevarse el bote de la lotería.

12 AGOSTO

Ensancha mi mundo

Les doy este mandamiento nuevo: Que se amen los unos a los otros. Así como yo los amo a ustedes, así deben amarse ustedes los unos a los otros.

Juan 13: 34

ES MUY FÁCIL QUE OCUPARNOS de nuestra propia vida nos impida pensar en los millones de personas con quienes compartimos este planeta. Ya lo dice el refrán: «Ojos que no ven, corazón que no siente».

Cuando escuchamos que ha habido una catástrofe nuestra reacción natural es: «¿Para mí es una amenaza posible?» Si no lo es, damos gracias a Dios porque todo en nuestro mundo esté en su sitio y seguimos adelante con lo que nos ocupaba.

Hace poco, tomé un periódico y leí un titular: «Un tornado asola una ciudad. Diez muertos». Inmediatamente leí el artículo. ¿Fue cerca de nuestra región? ¿Alguno de mis amigos vivían en el camino del tornado? Después de confirmar que el tornado no había sido una amenaza para nadie que yo conociese, giré la página para ver el parte meteorológico.

De repente me di cuenta de qué había hecho. Había restringido mi mundo a mí misma, mis amigos y mi familia. ¿Qué pasaba con las diez personas que habían muerto? Si cada una de ella tuviese cien amigos y miembros de familia, en ese momento mil personas estarían llorando la pérdida de alguien querido.

Como cristianos, ¿no deberíamos sentir tristeza porque diez personas por las que Jesús murió hubiesen perdido la vida? ¿No debería yo sentir compasión por los cientos de personas que tendrían que enfrentarse con las consecuencias de tan terrible tormenta?

Cuanto más nos acerquemos a Jesús, más nos preocuparemos por los demás. Al fin y al cabo, el amor que siente por ellos es el mismo que siente por nosotros. Quizá no todos crean en él, pero su valor no se basa en su coeficiente de inteligencia espiritual. Se basa en lo que Jesús hizo por salvarlos.

Al otro lado de la valla

No amen al mundo, ni lo que hay en el mundo.

1 Juan 2: 15

YO CRECÍ EN UN HOGAR CRISTIANO. Cada sábado iba a la iglesia y asistía a una escuela sabática con dos clases. El verano antes del séptimo curso decidí que ya era hora de ver un poco de mundo. Quería decir adiós a mi aburrida y pequeña escuela y dar la bienvenida al gran instituto.

Leí montones de historias sobre institutos. Por supuesto, no eran reales, pero estaba convencida de que el instituto público sería mucho más emocionante que la escuela de iglesia. Había fiestas, montones de nuevos amigos, un almuerzo caliente cada día y un viaje en autobús hacia la escuela y de vuelta a casa.

Inmediatamente empecé a conquistar a mis papás.

—Piensen en el dinero que se ahorraría si yo fuese a un instituto público. ¡Es gratis! Y tampoco tendrían que llevarme. Podría tomar el autobús. Por favor, déjenme ir.

No sé cómo lo hice, pero los convencí para que me matriculasen en Lakeshore Jr. High.

El primer día de clase, llegué a la parada antes que nadie. Por primera vez en la vida no tendría que pelearme con mi hermana por quién iría en el asiento de delante del automóvil. Iría a clase en autobús, como los niños normales.

Pero para cuando el autobús me dejó en el instituto, ya me había dado cuenta de que los autobuses escolares son ruidosos e incómodos. A partir de ese momento, el día fue de mal en peor.

Los compañeros de clase no me hicieron ningún caso. A la hora del almuerzo me senté sola y miré la loncha de jamón que tenía en el plato. Esas magníficas historias que había leído sobre los institutos eran, definitivamente, una ficción.

Satanás, valiéndose de engaños, me había alejado de la influencia cristiana de mi pequeña escuela de iglesia. Pero, por suerte, mis papás me permitieron volver un mes más tarde.

Aprendí de primera mano que al otro lado de la valla la hierba no es más verde. Estar donde Dios quiere que estés es el mejor lugar.

Ten en cuenta la fuente

Estoy seguro de que Dios, que comenzó a hacer su buena obra en ustedes, la irá llevando a buen fin hasta el día en que Jesucristo regrese.

Filipenses 1: 6

AYER, DURANTE LA CLASE DE BIBLIA tuvimos una gran discusión sobre algunos temores que tienen los adolescentes cuando piensan en la salvación. Tiffany admitió que está preocupada por ser fiel a Jesús.

—A veces me preocupo por que, después de ser cristiana toda la vida, lo eche todo a perder al final y acabe perdiéndome.

—¿Y —añadí— tu siguiente pensamiento probablemente es algo como «También puedo abandonar mis creencias y salir en busca de la diversión que me ofrece el mundo»?

Le pregunté a Tiffany quién quería desanimarla. Ella sonrió.

—Satanás, supongo.

Tiene razón. ¿Te imaginas a Jesús diciéndole a alguien que no tiene esperanza? ¿Sugeriría él a un seguidor que abandonase el increíble viaje y buscase la felicidad en las tentaciones de Satanás?

El versículo de hoy nos recuerda que mientras nos pongamos en manos de Dios no tendremos que preocuparnos por si estamos o no salvados. Jesús es el Único que empieza el proceso de hacernos más parecidos a él. Y él es el Único que hará que llegue a buen fin.

Cuando las dudas y los temores hacen que te preguntes si serás salvo cuando Jesús venga, recuerda quién es la fuente de los pensamientos desalentadores. Luego ve a la Biblia y llena tu mente con aliento y verdad.

Si no tienes éxito a la primera

Para el perezoso, el camino está lleno de espinas; para el hombre recto, el camino es amplia calzada.

Proverbios 15: 19

LA MAYORÍA DE LA GENTE no esperaba mucho de Roger Crawford. Había nacido sin manos. En el extremo del brazo derecho salía un dedo de la muñeca. Tenía la pierna izquierda inútil y fue preciso amputarla. Por eso llevaba una pierna ortopédica.

Para escribir, Roger tenía que usar ambos brazos para sostener el bolígrafo. Necesitaba mucho tiempo para escribir los deberes. Pero no pedía que hicieran concesiones especiales. Trabajaba el doble de duro que los demás.

A Roger le encantaban los deportes. A la edad de doce años entró al equipo de fútbol. Uno de sus recuerdos favoritos era el día en que atrapó la pelota y corrió para hacer un *touchdown*.

A diez yardas de la línea de meta, Roger sintió que un oponente lo agarraba por el pie. Roger siguió corriendo y dejó atrás la pierna. Cruzó la línea a la pata coja y anotó el tanto mientras el jugador del otro equipo estaba sentado en el césped con la pierna ortopédica de Roger.

Aunque le gustaban distintos deportes, el tenis fue su gran amor. Roger jugaba al tenis en la universidad, y ganaba dos de cada tres partidos. Fue el primer jugador de tenis discapacitado que obtuvo el título de instructor de tenis.

Roger aprendió que había pocas cosas que no podía hacer. Pero eso no le impedía dar lo mejor de sí mismo en lo que sí podía hacer.

Lo que conseguimos en la vida está determinado por nuestra actitud, no por nuestras capacidades. Las capacidades de Roger eran limitadas, pero su visión positiva y emprendedora de la vida lo ayudó a vencer sus discapacidades.

Cuando algo es difícil, ¿abandonas? ¿O acaso sigues intentándolo hasta que lo consigues?

16 AGOSTO

La primera mentira

Además, los que viven saben que han de morir, pero los muertos ni saben nada ni ganan nada.

Eclesiastés 9: 5

EL PASTOR JOHN GLASS comprobó su agenda. Cita con el dentista, el martes a las 3:30. Ir al dentista no era, precisamente, algo divertido; en particular cuando lo que había que hacer era una extracción. Pero un hombre tiene que hacer lo que tiene que hacer.

Cuando el pastor John llegó al dentista, se sentó en la silla.

—Antes de empezar a trabajar en sus dientes, le daré algo que le quitará el dolor —dijo el dentista.

«Ahora viene lo peor», pensó el pastor. Y se dispuso a recibir el "pequeño pinchazo", como decía el dentista.

Pero algo fue mal. El dentista debió tocar un nervio porque, de repente, el pastor John estaba flotando sobre la silla del dentista y mirándose a sí mismo. Tenía una experiencia extracorpórea.

La historia acabó bien. El pastor regresó a la tierra y se fue a casa sin nada más que una mandíbula hinchada y una nueva comprensión de las experiencias extracorpóreas.

A veces, las personas tienen experiencias extracorpóreas cuando están a punto de morir. Las personas que no saben qué dice la Biblia sobre la muerte, presuponen que esas experiencias son la prueba irrefutable de que el "alma" abandona el cuerpo y se va al cielo.

La historia del pastor John demuestra que esas extrañas experiencias no son más que una interferencia en el cerebro. La primera mentira de Satanás fue: «No moriran» y todavía la promueve hoy en día.

Si queremos saber la verdad sobre la muerte, no debemos preguntar a las personas. Tenemos que ir a la Biblia y ver qué dice. Podemos confiar en ella porque es la Palabra de Dios y todo lo que él dice es verdad.

Pagar bien por mal

No paguen a nadie mal por mal.

ROMANOS 12: 17

ANDRÉ ERA APRENDIZ en una joyería de París. Hace años, la gente aprendía un oficio trabajando con un artesano hasta que era capaz de independizarse y empezar su propio negocio.

Por alguna razón, André estaba resentido con el perro guardián del propietario, un enorme pastor de Terranova que se llamaba Malakoff. Un día, después del trabajo, a André y sus amigos se les ocurrió la manera de deshacerse del perro. Sacaron a Malakoff de la tienda y se lo llevaron a la orilla del río. Alguien encontró una piedra muy grande. La ataron al cuello del perro y lo arrojaron al agua.

Malakoff se debatió con todas sus fuerzas para no hundirse. Arrastrando la piedra tras él nadó hasta la orilla. Ya casi había llegado cuando escuchó el ruido de alguien que se zambullía.

Era André, que había perdido el equilibrio y había caído en el mismo río en que había arrojado a Malakoff. André no sabía nadar y se hundía con rapidez.

Malakoff, que todavía arrastraba la pesada piedra, dio la vuelta y nadó hacia su agresor. André estiró una mano y se agarró del perro. Malakoff se debatía para mantenerse a flote con André hasta que los amigos de André pudieron sacarlos del agua. Una vez estuvieron seguros en la orilla, André abrazó al perro y se puso a llorar, pidiéndole perdón por lo que había hecho.

La historia del valiente perro se esparció por todo París. Años después, cuando el perro murió, casi todos los aprendices de la ciudad acudieron al cortejo fúnebre.

Cuando alguien hace algo que nos duele, nuestra primera reacción es devolver el daño que nos causó. Pero nada duele tanto a un enemigo como devolver una agresión con una muestra de amabilidad inesperada.

La amabilidad no es muestra de debilidad. Es la prueba de que hemos aprendido a hacer lo que es correcto pase lo que pase.

18 AGOSTO

¿Qué lees?

El hacer muchos libros no tiene fin, y el mucho estudio cansa.

Eclesiastés 12: 12

ME ENCANTA IR A LAS VENTAS DE GARAJE. Hace unos años, de camino al aeropuerto, me detuve en una casa. La mujer que estaba en la caja me preguntó qué buscaba. Le dije que me gustan los libros.

—Tengo muchos a la venta. —dijo, apuntando hacia las cuatro bolsas de la compra repletas de grandes novelas románticas.

—A usted le debe de encantar la lectura —comenté.

—Es lo único que hago —rio—. Leo uno al día.

Quise replicar: «Eso es muy malo». Pero no lo hice.

Alguien dijo: «No tengo tiempo para leer buenos libros, solo puedo leer los mejores».

Hace treinta años se calculaba que la nueva información se acumulaba a razón de dos mil páginas mecanografiadas por minuto. Si alguien quisiese leer todo ese material, aùnque lo hiciese durante veinticuatro horas al día y cincuenta años, llevaría un retraso de un millón y medio de años. Eso era en los años setenta del siglo pasado, antes que apareciesen las modernas computadoras. ¡Piensa en cuánta información se genera hoy en día!

Se cree que el total del conocimiento impreso se dobla cada ocho años y que en los últimos treinta años se ha producido más información nueva que en los anteriores cinco mil.

Con tanta información esparcida por ahí, tienes que tener mucho cuidado con lo que eliges. Cuando tomes un libro o una revista, pregúntate si leerlo te moverá a ser una persona mejor. ¿Te enseñará una habilidad útil? ¿Marcará una diferencia positiva en la vida? O, ¿solo es entretenimiento? O, peor aún, ¿es algo que podría interferir tu amistad con Dios?

Cuando te tomes tiempo para leer, no lo hagas por nada que no sea lo mejor.

El viaje al cielo

No tengan miedo ni se asusten [...] porque esta guerra no es de ustedes sino de Dios.

2 Crónicas 20: 15

EN SU LIBRO *EL PEREGRINO*, John Bunyan cuenta la historia de Christian, un hombre que decide dejar su casa en la ciudad de Destrucción para ir en busca de un lugar maravilloso llamado Ciudad Celestial.

A lo largo del camino, Christian se encuentra con una prueba tras otra. Cae en el Pozo del Desaliento, cruza la Feria de las Vanidades y pasa un tiempo en el Castillo de la Duda. Parece como si, tan pronto consigue salir de una dificultad, se metiese en otra.

La historia de Bunyan es nuestra historia. Los que hemos empezado el increíble viaje descubriremos que no es un paseo por el parque. Toda nuestra vida será una serie de altibajos. Pero, como Christian, debemos seguir avanzando.

Satanás intentará que abandonemos, que nos rindamos. Querrá convencernos de que si fuésemos cristianos de verdad no nos sentiríamos tentados a hacer el mal y, por supuesto, no cederíamos a la tentación.

Pero ser cristiano no tiene nada que ver con vivir una vida perfecta. Tiene que ver con ser amigos del Único que vivió esa vida perfecta por nosotros.

Cada vez pongas la vista en tus actos para ver si lo haces cada vez mejor, te desanimarás. Hacer una lista de tus fracasos tampoco te ayudará. La única manera de cambiar es dejar de luchar contra el pecado valiéndote de tus propias fuerzas.

Nuestra tarea no es combatir el pecado. No podemos hacerlo porque Satanás nos supera en todo. Pero podemos pedirle a Jesús que combata el pecado por nosotros. Nuestra parte es tomar la decisión de poner a Jesús en primer lugar. Cuando eso suceda, el poder de Satanás sobre nosotros desaparecerá.

Planear los movimientos adecuados

Por eso, dispónganse para actuar con inteligencia; tengan dominio propio; pongan su esperanza completamente en la gracia que se les dará.

1 Pedro 1: 13, NVI

LOS CAMPISTAS Y EL PERSONAL de Camp Au Sable se alineaban a lo largo del muelle mientras Chuck Knorr, el saltador olímpico, avanzaba hacia el extremo del trampolín. Se dio la vuelta y quedó de pie sobre el borde del trampolín, dando la espalda al agua. Estiró los brazos y cerró los ojos. Durante unos segundos permaneció inmóvil. De repente, saltó del trampolín, se dobló y se enderezó de nuevo antes de entrar en el agua sin ninguna salpicadura.

Cuando se le preguntó por qué había cerrado los ojos antes de saltar, Chuck explicó que practicaba los saltos mentalmente antes de dejar el trampolín.

—Programo el cerebro para que cuando empiece el salto mi cuerpo haga automáticamente los movimientos adecuados.

El éxito de Chuck dependía de la preparación que hacía antes de saltar del trampolín. Los jóvenes también deben prepararse. No para saltar desde un trampolín, sino para las cosas que lo inciten a hacer los chicos de su edad.

¿Sabes qué harías si:

- alguien te ofreciese un cigarrillo o una bebida alcohólica?
- un amigo te invitase a ver una película indecente?
- un compañero de clase te pidiese que lo ayudases a copiar en un examen?

Sin una planificación previa, será casi imposible que hagas lo correcto. Harás lo más fácil y no lo que es correcto. Pero si, previamente, has decidido cómo te enfrentarás a la tentación, puedes estar preparado, como Chuck. Para hacer los movimientos adecuados.

Decir no

No vayas tras los pasos de los malvados, no sigas su mala conducta. Evita el pasar por su camino; apártate de ellos y sigue adelante.

Proverbios 4: 14, 15

¿QUÉ PUEDES HACER cuando los amigos te dicen que hagas algo que está mal? Sharon Scout, en su libro *Peer Pressure Reversal*, algo así como "Anulación de la presión del entorno", explica que si no tienes un plan, es muy probable que acabes haciendo lo que hace la multitud. Pero si conoces algunas maneras de responder a ella, puedes resistir a la presión del grupo. Funciona de este modo.

Imagínate que una amiga no ha hecho los ejercicios de matemáticas. Te acaba de pedir tu trabajo para copiarlo antes de clase. Tú no quieres dejarle que copie tus respuestas porque eso sería un fraude. Estas son algunas maneras de responder.

- *Fingir que no has oído lo que te dijo.* Ha sido la manera más sencilla de decir no. Probablemente interprete tu silencio como un "no", así que no es probable que te lo pregunte de nuevo. Pero si lo hace, puedes probar con alguna de las siguientes sugerencias.
- *Hacerte el sorprendido.* Mirarla con cara de «¿Pero estás loca?»
- *Soltarle una excusa.* Echarles la culpa a tus papás. Eso estaría bien. Decirle algo como: «Mis papás me castigarían toda la vida si lo descubriesen».
- *Sugerir algo más.* Podrías ofrecerle tu ayuda.
- *Bromear.* «Lo siento, no puedo, está protegido por derechos de autor».
- *Sencillamente, decir no.* Lo has escuchado millones de veces, pero funciona.

Muchos jóvenes que se meten en problemas no querían hacer nada mal. Es que no sabían cómo resolver la situación. Como aprendimos ayer, si lo planeas con antelación, nunca te atraparán con la guardia bajada y podrás conservar la integridad y los amigos.

22 AGOSTO

Alarma para los cimientos

Pero Dios ha puesto una base que permanece firme, en la cual está escrito: «El Señor conoce a los que le pertenecen».

2 TIMOTEO 2: 19

EN EL PERÍODO COMPRENDIDO entre los años 1300 y 1600, conocido en Europa como Renacimiento, algunas de las mayores mentes de todos los tiempos trabajaron en Florencia, Italia. Filippo Brunelleschi (bru-ne-les-qui) era un orfebre que se interesó por la arquitectura. Una de sus mayores contribuciones al campo de la arquitectura fue el trabajo que hizo al imaginarse cómo construir cúpulas en las iglesias y en otros grandes edificios.

Cuando Brunelleschi construyó la cúpula de la catedral de Florencia, estaba preocupado por sus cimientos. Si no eran fuertes, se produciría un grave daño estructural. Así que desarrolló una alarma extraordinaria para advertir del estado de los cimientos.

En la parte de arriba de la cúpula hizo una abertura para que pudiera entrar la luz del sol. Luego incrustó una placa de metal en el suelo de la iglesia.

Cada 21 de junio, la luz del sol pasa por una abertura de la cúpula e ilumina la placa de metal que está en el suelo. Es la prueba de que la estructura todavía es sólida y de que no se ha movido ni inclinado. Si la luz alcanzase otro punto distinto de la placa, los conservadores sabrían que algo anda mal en los cimientos.

El objetivo de los Diez Mandamientos es parecido. Dios los creó para que sirvan de alarma cuando algo va mal en los cimientos de nuestra vida. Cuando mentimos, robamos deshonramos a los papás o el sábado, es porque algo se ha interpuesto entre nosotros y Dios.

Cuando la alarma de los cimientos de tu vida se avería, pídele a Jesús que te ayude a ponerlo a él en primer lugar. Cuando esté en el trono de tu corazón, todo estará en perfecto equilibrio.

Puedes construir o destruir

Ustedes antes eran extranjeros y enemigos de Dios en sus corazones, por las cosas malas que hacían, pero ahora Cristo los ha reconciliado mediante la muerte que sufrió en su existencia terrena. Y lo hizo para tenerlos a ustedes en su presencia, santos, sin mancha y sin culpa.

Colosenses 1: 21, 22

CUANDO LAS TRECE COLONIAS BRITÁNICAS que finalmente se convirtieron en los Estados Unidos combatían para obtener la independencia de Inglaterra, los británicos quisieron debilitar el poder de la joven nación socavando su economía. Por eso pusieron en circulación dinero falso. Si podían circular suficientes billetes falsos, al valor de la moneda real disminuiría y los colonos tendrían dificultades para comprar los abastos que necesitaban.

El general George Washington que estaba al mando del Ejército Continental, descubrió que el dinero falsificado podía destruir las posibilidades de que las colonias obtuviesen su independencia. Por eso dio orden de perseguir y arrestar a los falsificadores.

Cuando descubrieron a los individuos que falsificaban el dinero en Nueva York, los juzgaron y los sentenciaron a morir ahorcados. Pero antes de que eso sucediese, el ejército británico tomó el control de Nueva York. Los falsificadores, que habían trabajado para los británicos, fueron puestos en libertad.

Pero durante los cuatro años que siguieron, al menos uno de los falsificadores cambió de bando. Henry Dawkins, el cabecilla de la banda de falsificadores, decidió que trabajaría con los colonos y no contra ellos. Dawkins empezó a grabar moneda genuina para el nuevo gobierno, ayudándolo a construir la economía.

Antes de ser cristianos, somos como Henry Dawkins, usamos nuestras capacidades de manera egoísta, sin preocuparnos por nadie más que nosotros mismos. Pero cuando Jesús entra en el corazón, empezamos a buscar maneras de apoyarnos y ayudarnos unos a otros.

Cada uno de nosotros tiene un gran potencial, tanto para el bien como para el mal. Cuando cada día nos entregamos a Jesús, él puede usarnos para construir su reino.

Es suficiente

Honra al Señor con tus riquezas.
PROVERBIOS 3: 9

LA SRA. POPP Y SU HIJA LAUREN se dirigían al centro comercial. Era hora de comprar ropa para el nuevo curso escolar. Pero su aventura comercial anual iba a ser ligeramente distinta a como había sido en años anteriores.

Lauren y su mamá habían hecho una lista de las cosas que Lauren debería comprar y calcularon que el valor total sería de 150 dólares. La Sra. Popp había dado a Lauren el dinero, junto con la responsabilidad de comprar el nuevo guardarropa.

Pero cuando estaban de camino, la Sra. Popp se dio cuenta de que Lauren no había apartado el diezmo del dinero. Si Lauren restaba el 10% de Dios le quedarían 135 dólares y, probablemente, no bastaría para pagar todo lo de la lista.

¿Debía mencionar el diezmo? Y si lo hacía, ¿cómo reaccionaría Lauren?

Cuando la Sra. Popp recordó a Lauren el diezmo, esta no solo estuvo de acuerdo en apartarlo, sino que dijo que le gustaría destinar otros cinco dólares para ofrendas. De ese modo, el presupuesto para ropa de Lauren se redujo de 150 a 130 dólares.

Cuando llegaron al centro comercial, madre e hija descubrieron con agrado que podían encontrar todo lo que buscaban comprándolo de rebajas. Al final de la tarde habían conseguido completar la lista, excepto una sola cosa, un par de zapatos para el sábado.

La Sra. Popp empezó a preocuparse. A Lauren solo le quedaban unos pocos dólares y eso, sin duda alguna, no bastaría para pagar un par de zapatos nuevos. Se preguntó: «¿Debería permitir que Lauren gaste el diezmo y las ofrendas?»

—Mira, mamá —la llamó Lauren emocionada mientras señalaba unos zapatos en el escaparate—. Son justo lo que buscaba. ¡Y también están de rebajas!

Con el 50% de descuento, Lauren tenía suficiente dinero para cubrir el gasto. El diezmo y las ofrendas todavía estaban seguros en el bolsillo.

Cuando honramos a Dios con nuestro dinero, él siempre suple nuestras necesidades.

Nada es demasiado difícil para Dios

**Dios es quien me salva; tengo confianza, no temo.
El Señor es mi refugio y mi fuerza, él es mi salvador.**

Isaías 12: 2

CUANDO EN LA VIDA nos sucede una tragedia, nuestra primera respuesta suele ser: «No, no puede ser verdad». Pero una vez que somos capaces de aceptarla, el siguiente pensamiento es: «¿Por qué sucedió?»

La gente suele sacar tres conclusiones distintas cuando cree en Dios pero no tiene fe en él. «Dios tiene que estar demasiado ocupado para darse cuenta de lo que sucede en mi vida. Me parece que no puedo depender de él. Tendré que cuidar de mí mismo». «Ya sé que Dios lo ve todo, pero quizá no se preocupe por lo que me sucede. Creo que tendré que ocuparme yo de mis asuntos». «Dios debe haberme castigado por que soy malo. Mejor me protejo de él».

¿Ves qué sucede cuando la gente pierde la fe en Dios? En lugar de acercarnos más a él, buscamos en nosotros mismos la solución a nuestros problemas. Por otra parte, si creemos que el amor de Dios y su cuidado nos cubren completamente, podremos estar seguros de que todo lo que ocurra habrá pasado por su inspección y lleva añadida una bendición.

Quienes aprenden a confiar plenamente en él no viven resentidos por lo que les sucede. No necesitan preocuparse por lo que les pueda traer el futuro. Tienen la completa seguridad de que él puede tomar la peor de las situaciones y usarla para que obre en nuestro favor. Quizá no podamos imaginarnos cómo Dios pueda volver una tragedia en una bendición, pero esto hace que todo sea más emocionante cuando sucede.

Rodeos

Llévame por el camino de tus mandamientos, pues en él está mi felicidad.
SALMO 119: 35

¿TÚ Y TU FAMILIA fueron de vacaciones el verano pasado? La mayor parte del tiempo, la gente tiene pensado un destino como Disney World, Yellowstone o Washington DC. Pero siempre es divertido dar un rodeo en el camino para romper la monotonía, en particular si el viaje es largo.

Si vivieras en Chicago y quisieses ir a Branson, Misuri, es muy probable que tu familia tomase principalmente la autopista 55. Pero es posible que diesen un rodeo para ir a St. Louis Arch, 3ABN o Six Flags Over Mid-America. Después de haber subido al arco, dado una vuelta por las instalaciones de 3ABN o cabalgado en Six Flags, volverían a la autopista 55 y continuarían su viaje a Branson.

Los rodeos están bien cuando estás de vacaciones, pero pueden ser un verdadero problema para quienes estamos haciendo el viaje increíble. Nuestro objetivo es seguir a Jesús y evitar cualquier cosa que nos aparte de él. Pero es fácil salirse del camino y alejarse de Dios.

Satanás dice: «¿A que sería divertido probar un poco de las diversiones que te esperan de camino hacia mi dirección? Ser cristiano debe ser duro. Necesitas una pausa de vez en cuando. Mira, deja la senda recta y estrecha por un tiempo. Diviértete un poco. Siempre podrás volver al camino y continuar el viaje».

Si no nos andamos con cuidado, escucharemos esta sugerencia y nos desviaremos para dar un rodeo por el pecado. Algunos se desvían y nunca más regresan. Otros toman un atajo durante un tiempo y luego se dan cuenta de que no valía la pena. Muchos de los que se van, luchan durante años para encontrar el camino de vuelta.

Jesús quiere que lo sigamos toda la vida. Cuando mantengamos los ojos puestos en él, él nos guiará al cielo y nos ayudará a no salirnos del camino.

¿Muerto o solo herido?

El Señor se aleja de los malvados, pero atiende a la oración de los justos.

Proverbios 15: 29

SE CUENTA LA HISTORIA de un rico propietario de una plantación y su siervo, Amos. El Sr. Stafford era aficionado a la caza. A menudo llevaba a Amos con él para que recobrara los patos después de haberlos abatido.

El Sr. Stafford no conocía a Dios. Pero Amos era un cristiano entregado que oraba cada día y cantaba himnos mientras trabajaba.

Siempre que tenía la oportunidad, el Sr. Stafford se burlaba de la fe de Amos. Y esa mañana no era distinta a las otras.

—No sé por qué lees la Biblia y crees toda esa palabrería religiosa —dijo el Sr. Stafford mientras flotaban en el bote de remos—. ¿Qué provecho sacas? No creo en Dios y soy el hombre más rico del condado. Tú, en cambio, eres cristiano y no tienes nada.

—Es verdad, Sr. Stafford. Pero tengo a Dios que cuida de mí —respondió Amos.

—¿Qué Dios hace eso? —inquirió el Sr. Stafford.

Amos se limitó a sonreír. El Sr. Stafford continuó.

—Y otra cosa. Te quejas por el modo en que el diablo siempre te pone a prueba. En cambio, a mí, nunca me molesta. Explícame eso.

Amos remó y acercó el bote a la orilla.

—Cuando usted sale a cazar patos, Sr. Stafford, ¿cuáles me pide que recupere primero los que están heridos o los que están muertos?

—Anda, los que están heridos, claro. Todavía pueden levantar el vuelo.

—Pues lo mismo sucede con usted y yo, Sr. Stafford. El diablo me persigue porque sabe que yo todavía puedo levantar el vuelo. Usted es un pato muerto. Ya no tiene que preocuparse por si se va o no.

28 AGOSTO

Conducir desde el asiento trasero

El ángel del Señor protege y salva a los que honran al Señor.
SALMO 34: 7

HACÍA MUY POCO que había acabado el curso y el estudiante universitario Melvin Eisele tenía intención de dirigirse en automóvil hacia el norte de Iowa. Allí empezaría a trabajar vendiendo libros cristianos.

Después de hacer el equipaje y limpiar su habitación, Melvin estaba cansado. Habría preferido empezar el viaje después de una noche de descanso, pero tenía una cita a la mañana siguiente. Así que cargó el automóvil y empezó el viaje de cuatrocientos kilómetros.

A medida que transcurrían las horas, se le hacía más difícil permanecer despierto. «Apenas puedo mantener los ojos abiertos», pensaba. «¿Cuándo acabará de una vez este viaje?»

Finalmente, vio una señal que indicaba: Des Moines, 40 millas (casi 65 kilómetros). Es lo último que recuerda.

El estruendo de la bocina de un camión atrajo su atención y se levantó y miró a través del parabrisas justo a tiempo de ver unas luces brillantes que se le echaban encima. Luego se acostó de nuevo.

Volvió a abrir los ojos cuando el automóvil pasaba bajo un puente. Más tarde, Melvin se despertó lo suficiente para ver algunas luces que pasaban de largo.

Eso no tenía sentido. Se suponía que no tenía que pasar por ninguna ciudad. De repente, algo lo sacó de sus sueños.

«¿Dónde estoy?», pensó. «Esto no es mi dormitorio. ¿Qué sucede?»

Se enderezó y vio que iba por la autopista. Giró el volante y se detuvo en la cuneta. ¿Quién había conducido mientras él dormía tumbado en el asiento delantero?

Después de mirar alrededor del vehículo, Melvin se dio cuenta de que estaba completamente solo. Bueno, no exactamente... En el asiento de atrás estaba sentado un conductor celestial que se había hecho cargo de la situación hasta que Melvin termino su siesta.

La honradez es la mejor política

Que me protejan mi honradez y mi inocencia, pues en ti he puesto mi confianza.

Salmo 25: 21

WARREN CLARK Y SU SOCIO habían trabajado duro para levantar una próspera compañía de seguros. Pero cuando una sociedad mayor les ofreció un buen precio por su negocio, decidieron que la competencia sería demasiado dura y aceptaron la oferta.

Después de unos años, Warren abrió otra compañía de seguros. Pero cuando los ejecutivos de la sociedad se enteraron, le dijeron que no podía hacerlo. Dijeron que había prometido que nunca más volvería a vender seguros.

—¿Dónde se dice eso en el contrato? —preguntó Warren.

—No está escrito —admitió uno de los ejecutivos—. Pero era un acuerdo verbal, tan vinculante como los escritos.

Warren dijo que él nunca había prometido quedarse al margen del negocio de los seguros. Por tanto, la sociedad lo demandó.

Después de escuchar a ambas partes, el juez habló.

—En este caso, todo se reduce en saber quién dice la verdad —dijo—. Antes de dictar sentencia, les contaré una historia. Hace años, asistí a un campeonato de golf en el que competía el Sr. Clark. En uno de los hoyos, su bola de golf fue a parar a unas hierbas. Para sacarla de ahí y hacer que llegara al *green*, le dio un golpe. Luego hizo un *putt*. Todos pensaron que había ganado la partida. Pero él le dijo al juez que había dado un golpe en falso, lo que añadía uno a su marcador. El Sr. Clark dijo la verdad cuando no tenía ninguna necesidad. Por eso me inclino a pensar que también ahora dice la verdad. Fallo a favor del demandado.

¿Cómo es tu trayectoria a la hora de decir la verdad? ¿Siempre eres honrado, a pesar del costo que esto pueda tener?

30 AGOSTO

Vendré otra vez

Vendré otra vez para llevarlos conmigo, para que ustedes estén en el mismo lugar en donde yo voy a estar.
Juan 14: 3

EN 1989 UN TERREMOTO SACUDIÓ ARMENIA. Fue tan fuerte que, en cuestión de minutos, murieron más de 30,000 personas.

Tan pronto como sucedió, un padre corrió hacia la escuela a la que había ido su hijo esa mañana. Para horror suyo, descubrió que el edificio estaba completamente derruido. Inspeccionó los cascotes y calculó dónde había estado la clase de su hijo y empezó a cavar.

La gente que pasaba por ahí le decía que se detuviese.

—No hay nada que se pueda hacer. Solo conseguirá hacerse daño. Mejor vuelva a casa.

—No puedo —decía el hombre—. Le prometí a mi hijo que siempre estaría junto a él.

Otros funcionarios de la ciudad intentaron desanimarlo. Pero él seguía con su tarea.

La gente pensó que abandonaría cuando cayese la noche. Pero él continuó cavando. Pasaron las horas. Veinticuatro horas más tarde, todavía cavaba. Finalmente, a las 38 horas, retiró algunos restos y escuchó una voz conocida.

—¡Papá!

—¡Armand! —gritó el hombre.

—Papá, estoy aquí, con otros catorce niños. No me rendí. Sabía que vendrías.

Cuando la escuela se derrumbó, Armand recordó la promesa de su papá. Él siempre mantenía la palabra dada.

Hace más de dos mil años Jesús hizo una promesa. Antes de volver al cielo, dijo a sus discípulos que un día volvería. No sabemos cuando sucederá, pero sabemos que no nos dejará. Él siempre cumple su palabra.

Un día de gratitud

Señor, has traído una gran alegría; muy grande es el gozo. Todos se alegran delante de ti como en tiempo de cosecha.

Isaías 9: 3

EN TIEMPOS DE LA BIBLIA, la época de la cosecha siempre fue motivo de gran alegría. Cuando los meses más cálidos se acercan a su fin, incluyen bendiciones que hacen único al verano.

Gracias, Señor, por:

Peticiones especiales:

De enemigo a amigo

La respuesta amable calma el enojo.

Proverbios 15: 1

—ASÍ QUE USTEDES SON LOS NUEVOS PROFESORES —dijo el hombre mirándonos a Tom y a mí—. Bien, les diré lo mismo que le dije al director el año pasado. Si esos diablillos meten una pelota en mi patio, no la recuperarán. Y si entran en mi propiedad llamaré a la policía.

Ese fue nuestro primer encuentro con el Sr. Hess, el hombre que vivía junto a la escuela.

—Es un viejo gruñón —dijo Jenny. El resto de la clase asintió con la cabeza.

—Bueno, veamos qué podemos hacer para cambiar eso —determinó Tom.

Al día siguiente, Tom fue a pedirle disculpas al Sr. Hess y le dijo que los alumnos se asegurarían de que no entraban en su propiedad.

—Verá, no solo me molesta que entren en mi propiedad —dijo el Sr. Hess—. También es el ruido. Hace poco operaron del corazón a mi esposa. Necesita descansar mucho; pero parece que cada vez que quiere echar una cabezadita, los críos se ponen debajo de su ventana y arman un gran barullo.

Tom le dijo que encontraría la manera de hacer menos ruido por la tarde.

Durante las siguientes semanas, los alumnos permanecieron alejados de la propiedad de los Hess. Iban al campo de atrás para jugar y saludaban al Sr. Hess cuando los miraba desde el porche.

Un día, durante el recreo, dos jovencitas le llevaron una rebanada de pan a la Sra. Hess. Ella insistió en que se quedaran un rato y le hicieran una visita. Ese fue el principio de una amistad entre nuestros alumnos y los Hess.

La pareja de ancianos vino al programa de Navidad. Los alumnos siguieron deteniéndose en su casa y haciéndoles visitas. El Día de los Enamorados, la Sra. Hess nos trajo un enorme pastel para todos. El Sr. Hess nos saludó cuando regresábamos a casa después de las clases. Y cuando una pelota rodó hacia su jardín, él nos la devolvió con una sonrisa.

A veces, para hacer que un enemigo se convierta en un amigo, todo cuanto se necesita es un poco de amabilidad. Nunca subestimes el poder del amor.

La línea de llegada

No presumas del día de mañana.

PROVERBIOS 27: 1

EN MARZO DE 1987, Eamon Coughlam, que en aquel entonces tenía el récord mundial de los mil quinientos metros, corría en una carrera clasificatoria para el Campeonato Mundial de Atletismo en Pista Cubierta de Indianápolis. Si se clasificaba, podría correr en la final.

A falta de menos de tres vueltas, Eamon tropezó y cayó. Los otros corredores lo adelantaron, pero no abandonó. Se levantó y arrancó a correr tras ellos.

A veinte metros de la línea de llegada, consiguió ponerse en tercera posición, lo cual le habría dado posibilidad de entrar a la final. Pero justo antes de cruzar la meta, Eamon miró por encima del hombro izquierdo para ver si alguien le presentaba desafío por el tercer lugar. Aliviado, redujo un poco el ritmo. Por desgracia, no vio al corredor que venía por su derecha, el cual lo adelantó a un paso de la línea de meta.

El exceso de confianza de Eamon hizo que se descuidara. Y su descuido lo llevó a la derrota.

El exceso de confianza es una noticia especialmente mala cuando tiene que ver con la tentación. La gente que pierde el respeto por el poder del pecado está abocada a meterse en grandes problemas.

Yo he oído a algunos que decían: «Puedo ir a un bar con mis amigos. No me siento tentado a beber». Eso es exceso de confianza. Eso es ponerte en medio de la tentación.

La semana pasada vi un rótulo en una iglesia que decía: «Dale a Satanás un centímetro y acabará por gobernarte». Cuando pensamos que la tentación no puede alcanzarnos le estamos dando a Satanás un punto de apoyo.

Escoge tu sufrimiento

Ellos han escogido sus propios caminos.

Isaías 66: 3, NVI

HACE UNOS AÑOS, Frank y Amy asistieron a nuestra academia de enseñanza secundaria. Seguían las mismas clases, pero no tenían los mismos objetivos. Frank quería pasárselo bien, así que no permitía que la escuela lo afectara en lo más mínimo. Por otra parte, Amy se esforzaba en todos los trabajos. Cada noche estudiaba, aun cuando todavía faltase una semana para el examen.

Amy está a punto de graduarse en biología. Su objetivo es colaborar en la mejora del medio ambiente trabajando en el área de la ecología. Frank nunca acabó la secundaria. Trabaja en una fábrica, con un empleo mal remunerado y sin futuro. La disciplina, o su falta, los llevó donde hoy están.

Nada que merezca la pena se consigue sin autocontrol. Si quieres ahorrar dinero, tienes que decirte no cuando tienes ganas de gastarlo. Si quieres estar en buena forma física, tienes que hacer ejercicio y comer los alimentos adecuados. Si quieres aprender a tocar un instrumento musical, tienes que ensayar.

Estaría bien poder vivir divirtiéndonos todo el tiempo. Pero la realidad no es así. Como digo a mis alumnos: No puedes escoger si tienes que sufrir o no, pero sí puedes escoger *cuando* tienes que sufrir.

Frank escogió divertirse primero y aplazar el sufrimiento. Pero su diversión no duró mucho. Cada mañana, cuando va al trabajo, siente el dolor de tener que soportar un trabajo que detesta.

Amy aceptó el dolor de la autodisciplina. Ahora tiene el gozo y la satisfacción de alcanzar los objetivos que se había marcado.

¿Qué escogerás, el dolor temporal de la autodisciplina, o el dolor a largo plazo de vivir al momento?

Alivio de la tensión

Él da fuerzas al cansado, y al débil le aumenta su vigor.

ISAÍAS 40: 29

EJERCICIO. TODOS LO NECESITAMOS. Pero, por desgracia, el ejercicio se parece mucho a pasar el tiempo con Dios. Sabemos que deberíamos hacerlo; pero, como no es urgente, no hacemos que sea prioritario.

Vivimos en un mundo lleno de tensiones. A menudo la gente usa drogas, legales e ilegales, para enfrentarse a la tensión. Pero el ejercicio es un excelente reductor de tensiones que no necesita ninguna prescripción y no tiene efectos secundarios dañinos. Además, es totalmente gratis.

Cuando tenemos que soportar una tensión excesiva, a menudo nos deprimimos. El ejercicio es una de las mejores cosas que puedes hacer para combatir la depresión. Cuando hacemos ejercicio aumentamos los productos químicos del cerebro que nos ayudan a relajarnos y sentirnos más positivos.

El investigador Carl Cotman afirma que «el ejercicio puede mejorar el estado de ánimo y el rendimiento mental de todo el mundo». Por tanto, no solo te sientes mejor, sino que también se aumenta tu capacidad de pensar.

El ejercicio también tiene muchos otros beneficios. Aumenta la energía, ayuda a resistir las enfermedades, hace que de noche duermas mejor, refuerza los huesos, ayuda a no engordar, nos hace más fuertes y reduce la posibilidad de sufrir de diabetes (una enfermedad que se ha convertido en un grave problema de sanidad, incluso entre los jóvenes).

No es preciso que compres un equipo caro, ni que te inscribas en un club de salud. Andar es uno de los mejores ejercicios y algo que la mayoría puede hacer. Además, es una gran excusa para que la familia pase un tiempo unida.

Haz que el ejercicio sea una de las prioridades de la vida. Con solo media hora al día te sentirás más feliz y saludable. Al mantenerte activo podrás reforzar la mente y el cuerpo que Dios te dio.

5 SEPTIEMBRE

Mayor de lo que te imaginas

Tú mismo me hiciste y me formaste;
¡dame inteligencia para aprender tus mandamientos!
SALMO 119: 73

CUANDO EL DR. ELDEN CHALMERS, psicólogo cristiano, terminaba el doctorado en una universidad pública, se descubrió que a veces estaba en desacuerdo con uno de sus profesores, el cual basaba su enseñanza en la teoría de la evolución. Después de una charla sobre el cerebro, el profesor planteó esta pregunta: ¿Por qué el cerebro humano es tan grande si solo usamos una pequeña parte?

Los otros alumnos sugirieron distintas teorías. El Dr. Chalmers no dijo nada. Finalmente, justo antes de que se acabara la clase, el profesor se dirigió a él.

—Elden, ¿Por qué piensa usted que tenemos un cerebro tan grande?

El Dr. Chalmers sabía que sus ideas eran muy distintas a las de los demás. Pero no tenía miedo de declarar su teoría.

—Creo que el hombre no fue creado para vivir solo setenta años —empezó diciendo el Dr. Chalmers—. Cuando fuimos creados, Dios nos dio un gran cerebro porque quería que viviésemos eternamente. Nos dio una mente que pudiese seguir aprendiendo durante toda la eternidad.

El profesor sonrió.

—Sabía que diría algo así.

Piensa. Cerebros que son capaces de aprender durante miles, incluso millones de años, y jamás están saturados.

La próxima vez que tengas que estudiar para un examen, escribir un trabajo o aprender un versículo de memoria, agradece la increíble mente que Dios te dio. No te sientas satisfecho con cubrir el expediente. Da lo mejor de ti mismo para que los resultados sean excelentes.

Controlar las llamas

Así pues, el que cree estar firme, tenga cuidado de no caer.

1 Corintios 10: 12

ACABÁBAMOS DE LLEGAR DE LA IGLESIA a casa cuando sonó el teléfono. Era mi madre.

—La casa de Karen ha sido pasto de las llamas y han perdido toda la planta superior.

Karen, mi hermana, vivía a solo una hora, así que pusimos algunas cajas en nuestra furgoneta y nos dirigimos a Berrien Springs.

Cuando entramos en el acceso a su garaje, los bomberos estaban recogiendo su equipo. Entramos y comprobamos los daños. Los bomberos habían rociado tanta en el piso de arriba que llovía a través del techo del salón. Todo lo que había en la planta baja estaba cubierto con un plástico. La espuma del piso de arriba se había deslizado escaleras abajo y había impregnado toda la moqueta.

—Empaquetemos lo que podamos y llevémonoslo de aquí —sugerí.

Karen asintió con la cabeza.

—Mañana volveremos y lo meteremos todo en el establo.

—¿Dónde están tu colección de muñecas antiguas, el costurero y las cestas? Podríamos ponerlo en nuestra furgoneta —dije.

—No, tranquila, mañana ya nos las llevaremos.

A media noche, el fuego volvió a prender y la casa se quemó hasta los cimientos.

Según todas las apariencias, el incendio estaba totalmente extinguido. Pero en algún lugar de las paredes, prendió una llama y las consecuencias fueron devastadoras.

El pecado actúa de manera similar. Quizá no nos apercibamos de su presencia, pero en cualquier momento puede estallar en llamas.

Jamás podremos decir que hemos vencido para siempre este o aquel pecado. La causa es que en el momento en que empezamos a confiarnos lo suficiente para bajar la guardia, Satanás alimenta la llama y perdemos la batalla. Nuestra única esperanza está en pedir a Jesús que combata nuestra batalla por nosotros. Cuando dirige nuestra vida podemos confiar en vencer al pecado. No a causa de nuestra fuerza, sino por la de Jesús.

7 SEPTIEMBRE

Honrar a Dios ante todo

**No olvides mis enseñanzas, hijo mío;
guarda en tu memoria mis mandamientos.**
PROVERBIOS 3: 1

LUCILE LACY ERA ADVENTISTA DEL SÉPTIMO DÍA y profesora de música en una universidad. Había obtenido el grado de maestría, pero después de dedicarse unos años a la enseñanza, le pidió a Dios que le permitiera doctorarse. Cuando le ofrecieron una beca de 10,000 dólares sintió que Dios le daba el espaldarazo para volver a los estudios.

Solicitó el ingreso en la Universidad Estatal de Ohio y estuvo entre los diez alumnos admitidos de entre los cuatrocientos que habían presentado la solicitud. Todo iba a la perfección. Pero Lucile encontró a un profesor que le dijo que nunca aprobaría porque, como adventista del séptimo día, se perdería las clases del viernes por la noche y el sábado por la mañana. Por tanto, según le interesase, debería renunciar a su fe y asistir a las clases en sábado o abandonar la facultad.

Lucile escogió una tercera opción. Se quedó en la universidad y no asistió a las clases en sábado.

Un viernes, al final del trimestre, el profesor entregó un examen para hacer en casa. Era preciso entregarlo el lunes siguiente.

Dos horas antes de la puesta de sol, Lucile apartó los libros y empezó a prepararse para recibir el sábado. La tarde del sábado, algunos de los compañeros de clase la llamaron para animarla. Habían pasado todo el viernes y todo el sábado en la biblioteca y todavía no tenían nada hecho.

El domingo, Lucile fue a la biblioteca y trabajó durante diez horas en el examen, pero solo acabó tres de las preguntas. Según parecía, la predicción del profesor sería cierta. Le catearían la asignatura.

Pero, en lugar de rendirse, Lucile puso a un lado la investigación y oró durante más de una hora al Único que podía ayudarla.

Mañana seguirá el resto de la historia.

Ayuda del cielo

¿Hay acaso algo tan difícil que el Señor no pueda hacerlo?

Génesis 18: 14

LA SITUACIÓN DE LUCILE parecía desesperada. La biblioteca cerraría en una hora. No había manera de terminar las otras siete preguntas del examen. Entonces se sintió empujada a andar por los pasillos, entre los estantes.

Se levantó de la silla y, al mismo tiempo que oraba, fue hacia allí. De repente, un libro cayó de uno de los estantes y quedó en el suelo.

Lucile tomó el libro. No podía creer lo que veían sus ojos. Estaba abierto por la página que contenía la respuesta a una de las preguntas que le quedaban por responder.

De todas partes empezaron a caer libros. De aquí y de allí. Lucile se apresuró a tomar un carrito y empezó a tomar los libros que habían quedado esparcidos y abiertos por la página exacta en que se encontraba la información que necesitaba.

Los empleados de la biblioteca, al oír que los libros caían al suelo, acudieron al lugar.

—¿Quién está arrojando los libros al suelo? –preguntaron.

Lucile se limitó a sonreír y a seguir recogiéndolos. El lunes, cuando el profesor recogió los exámenes, Lucile era la única que había completado las diez preguntas.

En la Biblia leemos las historias de las grandes cosas que Dios ha hecho por su pueblo; cosas como apartar las aguas del Mar Rojo, cerrar la boca de los leones y resucitar a los muertos. Pero cuando una dificultad se interpone en nuestro camino pensamos que Dios no puede hacer nada para sacarnos del lío en que nos encontramos. La historia de Lucile nos recuerda que Dios tiene la respuesta para todos nuestros problemas. Si le pedimos ayuda, él hará que tengamos éxito.

Del corazón a la boca

El hombre bueno dice cosas buenas porque el bien está en su corazón, y el hombre malo dice cosas malas porque el mal está en su corazón. Pues de lo que abunda en su corazón habla su boca.
LUCAS 6: 45

ZIG ZIGLAR CUENTA LA HISTORIA de una empresa que buscaba a alguien que pudiera hablar en una gran reunión que iba a celebrar. La empresa se puso en contacto con un conferenciante del cual alguien había oído hablar y le pidió que enviara algunas muestras de los discursos que había dado.

El orador les envió las cintas tal como le habían solicitado. Al cabo de unas semanas, recibió una llamada del organizador de la reunión.

—Lo siento —empezó el hombre—. Me temo que no podremos contar con sus servicios.

—¿Por qué no? —preguntó el conferenciante.

—Verá. Sin duda alguna, usted es ameno, pero nos hemos percatado de que su lenguaje no es todo lo correcto que debiera y sus chistes son subidos de tono.

—No se preocupe —rio el conferenciante—. Cuando hable para su grupo, eliminaré todo eso.

—Lo siento —dijo el organizador—. Pero me parece que cambiar su discurso no resolvería el problema. Lo que buscábamos es un orador que no use malas palabras en ninguna circunstancia.

Los juramentos y el lenguaje soez son signos de que alguien está inseguro, enfadado o inseguro *y* enfadado. Las palabras ofensivas jamás proceden de un corazón alegre.

Algunos jóvenes que no se sienten bien consigo mismos usan las malas palabras para impresionar a sus amigos. Piensan que los hace parecer valientes e importantes. Pero nadie se enorgullece de tener un amigo con una lengua de estropajo.

Tras la gente

Porque Dios los ha comprado. Por eso deben honrar a Dios en el cuerpo.

1 Corintios 6: 20

—PERO MAMÁ, ¿por qué no puedo? Si todos los demás lo hacen...

La mamá, que estaba en el fregadero, se da la vuelta y dice esas palabras que todos hemos oído antes.

—Mira, ¿saltarías por un precipicio si todos los demás lo hiciesen?

¿De dónde sacaría esta frase hecha? Probablemente de sus papás cuando se lo dijeron hace veinticinco años. No sé a quién se le ocurrió la frasecita del "precipicio", pero es más que probable que tiene algo que ver con una antigua historia sobre *lemmings*.

Los lemmings son unos pequeños roedores peludos que viven en las regiones septentrionales del mundo. Cada cierto número de años, la población se reduce espectacularmente.

Antaño se creía que los lemmings se reunían en grandes grupos y corrían hacia el mar, siguiéndose unos a otros mientras se arrojaban al vacío desde lo alto de un precipicio y se ahogaban en el agua.

Solo hace poco los científicos descubrieron que la población de lemmings no disminuye a causa de la presión del grupo, sino a causa de la escasez de alimentos. Esto demuestra que los lemmings no son tan poco inteligentes como creía la gente.

Aunque los lemmings no siguen a la multitud, sí que hay muchos adolescentes que lo hacen. Como están tan desesperados por encajar en el grupo, los jóvenes dejan a un lado el sentido común y copian cualquier cosa que esté "de moda" en aquel momento. Visten ropa que no es ni apropiada ni cómoda, se hacen tatuajes o se ponen un zarcillo en cualquier parte del cuerpo o empiezan a beber alcohol y a fumar. La urgente necesidad de ser como todos los demás es tan fuerte que parece que nada más importe.

Cuando tomes una decisión, no la base en lo que hagan los demás. Antes bien, pregúntate a ti mismo: ¿Es esto correcto? ¿Glorifico a Dios con lo que hago?

Cuando hagas lo correcto, quizá a veces sea difícil. Pero cuando mires atrás hacia tu vida pasada, estarás satisfecho de haberlo hecho.

11 SEPTIEMBRE

Unos cimientos fuertes

Felices los que practican la justicia y hacen siempre lo que es justo.

SALMO 106: 3

MIS ALUMNOS ACABABAN DE DEJAR EL GIMNASIO después de la clase de Educación Física. Cuando pasamos junto a la biblioteca, me di cuenta de que Tom, mi esposo, y sus alumnos de 9º y 10º se habían reunido alrededor del televisor.

—Ha habido un accidente. Un avión acaba de estrellarse contra una de las Torres Gemelas de Nueva York —dijo alguien.

Mis alumnos y yo nos sentamos en el suelo justo a tiempo de ver un segundo avión que golpeaba la otra torre. Luego vimos, incrédulos, que las torres se desintegraban ante nuestros ojos. Siete años de construcción se echaron a perder en una hora y media.

La reputación puede venirse abajo aún en menos tiempo. Tu reputación es el juicio general que hace la gente sobre el tipo de persona que eres y cómo se puede esperar que actúes en condiciones determinadas. Construir una reputación positiva cuesta mucho esfuerzo y es muy duro. Pero basta un acto equivocado para que quede arruinada para siempre.

Un empleado de banca ya podría trabajar durante veinte años manejando dinero con total honradez, que bastaría con que lo descubriesen robando un paquete de monedas de veinticinco centavos para que su reputación quedara destruida para siempre. Las casi cuarenta mil horas de servicio fiel que habría prestado quedarían olvidadas. La gente solo lo recordaría como un ladrón.

Mi madre siempre estaba muy preocupada por lo que pensasen nuestros vecinos. Cuando era adolescente, no pensaba que su opinión contase tanto. Pero ahora me doy cuenta de que mis actos influyen en la opinión que la gente se ha formado de mí, e incluso de mi familia, mi iglesia y hasta mi Dios.

Una de las mejores maneras de construir una buena reputación es hacerlo todo de manera que honre a Dios. De ese modo nunca tendremos que vivir con reproches. Además, nuestro carácter será indestructible.

Lo que más importa

12 SEPTIEMBRE

Ama al Señor tu Dios con todo tu corazón, con toda tu alma, con todas tus fuerzas y con toda tu mente; y ama a tu prójimo como a ti mismo.

Lucas 10: 27

EL DÍA EN QUE LAS TORRES GEMELAS FUERON DESTRUIDAS, los Estados Unidos pararon su actividad habitual. De repente nadie pensaba en qué programas de televisión se emitían esa noche. Nadie hizo planes para pasar la velada divirtiéndose en un club nocturno, en un estadio de béisbol o viendo una película en el cine. A nadie le importaba el último chismorreo de Hollywood.

En cuestión de minutos, los Estados Unidos suspendieron la búsqueda del placer, la fama y la fortuna. Nadie pensó que se tratase un día más en la escuela o en la oficina. La tragedia nos forzó a pensar en una pregunta: ¿Qué es más importante, cuáles deberían ser nuestras prioridades?

De repente, gente que no tenía tiempo para Dios estaba orando. Todos se olvidaron de los pleitos para suprimir la oración en las ceremonias de graduación de los institutos o del movimiento para quitar los Diez Mandamientos de los edificios públicos. Cuando la vida parecía fuera de control la sociedad estaba dispuesta a dar una oportunidad a Dios.

La economía se resintió por la pérdida de interés de las personas por ir de compras. Presa del miedo y la tristeza, se dieron cuenta de que comprar más cosas no llenaría el vacío y la inseguridad que sentían. Empezaron a entender lo mucho que les importaban la familia y los amigos.

Durante más de seis mil años Dios ha intentado decirnos que solo hay dos cosas a las que vale la pena dedicar tiempo y atención: amarlo a él y amar a los demás. Hizo falta una tragedia nacional para que nos diésemos cuenta.

Todas las cosas de este mundo pronto serán destruidas. Las únicas cosas que durarán siempre son Dios y las personas. Ponlos a ellos en primer lugar y el resto de tu vida quedará en el lugar que le corresponde.

13 SEPTIEMBRE

Crear un nuevo hábito

Fíjate bien en dónde pones los pies, y siempre pisarás terreno firme. No te desvíes de tu camino; evita el andar en malos pasos.

PROVERBIOS 4: 26, 27

COMO YA HA EMPEZADO LA ESCUELA, es un buen momento para pensar en algunos objetivos que te gustaría conseguir en este curso. Uno de los problemas de establecer objetivos es que cuando desaparece la novedad resulta demasiado fácil abandonar. Nos olvidamos unas cuantas veces de nuestro nuevo compromiso y, sin darnos cuenta, hemos vuelto al antiguo estilo de vida.

Esto sucede porque los objetivos que no se escriben se olvidan fácilmente. Un experto en eficiencia dijo que la gente que se marca objetivos cumple alrededor del veinte por ciento. Imagino que el veinte por ciento es mejor que nada. Pero si *los escribes* y *los revisas regularmente*, en tu caso, el éxito alcanzará el *noventa por ciento.*

Otra cosa que han aprendido los expertos es que para crear un nuevo hábito se necesitan 21 días. Así, escribiendo un objetivo y practicándolo 21 veces podríamos estar casi seguros del éxito.

Piensa en un nuevo hábito que te gustaría adquirir. Te sugiero algunas ideas: estudio de la Biblia y oración diarios, media hora de ejercicio al día, ir a la cama a las 9 en punto, hacer los deberes antes de ver la televisión, limpiar la habitación antes de ir a la escuela, practicar piano u otro instrumento durante media horita cada día. Tómate un tiempo para escoger el objetivo que pueda marcar una gran diferencia en tu vida y escríbelo aquí:

Mi objetivo importante:

Cambios a la vista

Pon tus actos en las manos del Señor y tus planes se realizarán.

PROVERBIOS 16: 3

AYER ESCOGISTE UN OBJETIVO que te gustaría mucho conseguir en este curso. Ahora es el momento de descubrir una herramienta que aumentará mucho tus posibilidades de cumplirlo.

Llena una tarjeta de manera que tenga un aspecto parecido a la de más abajo. Escribe tu objetivo, la fecha en que tienes intención de empezar y la fecha final. Si tu objetivo era limpiar la habitación antes de ir a la escuela, pon solo de lunes a viernes en lugar de domingo a sábado. Quizá necesites añadir unos días extra para llegar a las 21 veces.

Objetivo						
Empiezo			**Termino**			
dom.	lun.	mar.	miér.	jue.	vier.	sáb.
dom.	lun.	mar.	miér.	jue.	vier.	sáb.
dom.	lun.	mar.	miér.	jue.	vier.	sáb.

Pon la tarjeta donde puedas verla al menos una vez al día. Tacha los días en que consigas tu objetivo. Al cabo de 21 días el objetivo formará parte de tu vida.

No abandones si te olvidas uno o dos días. Añade más días para que puedas conseguir tu objetivo 21 veces.

Te sorprenderás de cómo este pequeño recordatorio te ayudará a conseguir las cosas que son importantes en la vida.

Sin descarrilar

Al hombre le toca hacer planes, y al Señor dirigir sus pasos.

PROVERBIOS 16: 9

AYER TE HABLÉ DE LA TARJETA para el objetivo de 21 días. Hoy quiero explicarte cómo una de esas tarjetas me ayudó a no salirme del camino.

El primer objetivo que me marqué era leer cada día la Biblia. Compré una Biblia especial que estaba dividida en 365 secciones. Cada día había pasajes del Antiguo testamento, de los Salmos y del Nuevo Testamento. Si era constante con la lectura, habría leído toda la Biblia en un año.

Durante dos semanas, cada día, la tarjeta de objetivo me mantuvo sobre la vía. Pero llegaron las eliminatorias de la Serie Mundial.

Cuando Tom y yo regresamos a casa para dormir era ya casi media noche. Estaba a punto de dormirme cuando repentinamente me acordé de la tarjeta de 21 días. Había olvidado leer los capítulos correspondientes a ese día.

Mi primer pensamiento fue ponerme a dormir y dejar la lectura para más adelante. Pero no podía olvidar el compromiso que había hecho.

Así que salí de la habitación y me dirigí a la sala de música. Leí los pasajes asignados de Jeremías, los Salmos y 2 Timoteo. Ya podía volver a la cama.

Esa pequeña tarjeta me ayudó a recordar el compromiso. Antes de que hubiesen pasado los 21 días, supe que leer la Biblia formaría parte de mi vida.

¿Por qué no trabajas para conseguir un objetivo durante las próximas semanas? Luego, cuando ya se haya convertido en un hábito, empieza otra tarjeta con otro objetivo. Piensa en lo mucho que cambiaría tu vida si durante los próximos doce meses generaras doce nuevos hábitos para mejorar tu vida.

Cautivos dispuestos

¿Cómo, pues, escaparemos nosotros, si descuidamos una salvación tan grande?

Hebreos 2: 3

GARY RICHMOND, UN CUIDADOR DEL ZOOLÓGICO, se ocupó una vez de unos halcones de cola roja que habían sido llevados al zoológico para protegerlos. Meses antes un hombre había sido arrestado por tenerlos de forma ilegal. Las aves tendrían que permanecer en el zoológico hasta que se celebrara el juicio del hombre, en el cual serían usados como prueba. Pero, por culpa de la burocracia gubernamental, las aves quedaron en el olvido.

Todo el personal del zoológico se sentía mal al ver enjauladas unas aves silvestres. Por eso Gary decidió hacerse cargo del asunto. Quería poner fin a su confinamiento y liberarlas. Así, una noche dejó abierta, "por accidente", la puerta de la jaula. A la mañana siguiente, cuando regresó al trabajo, los halcones seguían dentro de la jaula.

Luego Gary probó a asustarlos. Después de dar unas vueltas alrededor, los halcones regresaban al interior de la jaula. Habían pasado tanto tiempo en cautividad que no deseaban la libertad.

¿Alguna vez te encontraste con personas que saben que Jesús va a regresar pero que no quieren dejar el mundo? Tienen los ojos puestos en acontecimientos mundanos y esperan ser cristianos inmediatamente antes del fin del tiempo de gracia. A esas personas les ofrezco la lección de los halcones de cola roja.

Las aves habían pasado tanto tiempo en la jaula que cuando se les ofreció la libertad escogieron la cautividad. Habían perdido el deseo de ser libres. Lo mismo podría ocurrir con las personas que se acomodan demasiado en el pecado.

¿Es posible que los que esperan hasta el final para ir a Jesús se hayan acostumbrado tanto a una vida sin Dios? ¿Puede ser que cuando se apruebe la ley dominical y sepan que el fin está cerca, no sientan deseos de ser salvados?

Si no le has pedido a Jesús que entre en tu corazón, hazlo hoy mismo. No estés en el grupo de los que se van a perder la vida eterna porque esperaron demasiado.

¿Qué te molesta?

Más bien, profesando la verdad en el amor, debemos crecer en todo hacia Cristo, que es la cabeza del cuerpo.

Efesios 4: 15

GREG TRABAJABA COMO MONITOR en un campamento de verano. Disfrutaba todos y cada uno de los minutos.

Cuando notó por primera vez el bulto en el cuello, se imaginó que sería un granito más como los que hoy están y mañana han desaparecido. Por eso se puso un medicamento para el acné.

Unos días más tarde, Greg se dio cuenta de que seguía teniendo el grano. Solo que era mucho mayor que antes. Y él no era el único que lo había visto. De hecho, la mayoría de las personas del campamento no podían hacer otra cosa. Todos sentían pena por Greg pero al mismo tiempo tenían la esperanza de que, fuese lo que fuese, no fuera infeccioso.

Finalmente, Greg cubrió el bulto con una venda. Pero seguía creciendo y, a medida que crecía, se hacía más molesto y doloroso.

El misterio del extraño bulto se resolvió una mañana mientras Greg se afeitaba. Mientras se miraba al espejo, le pareció que el bulto se movía. Tras una inspección más cuidadosa, se dio cuenta de que algo salía del bulto. En el centro había dos antenas que se abrían camino hacia el exterior. No pudo resistir más sinsabor qué era. Exprimió el bulto y consiguió expulsar un insecto.

Greg sentía mucho asco —bueno, ¿y tú no lo sentirías?—, pero al mismo tiempo estaba aliviado. Sacar fuera ese bicho permitió que la piel se curara y desapareciera el dolor.

A veces hay cosas que se nos "meten debajo de la piel" y nos molestan de verdad. Quizá pienses que el maestro no siempre es justo, o que tus papás le dan a tu hermano o hermana más privilegios que a ti. En lugar de querer esconder tus sentimientos, es mejor que hables de ellos. Muchas veces basta con decir cómo te sientes para que la frustración desaparezca.

La mayoría de las cosas que nos disgustan se suelen olvidar en uno o dos días. Pero si algo sigue molestándote, sácalo a la luz y habla de ello.

El aspecto es engañoso

Jesús les contestó: «Tengan cuidado de que nadie los engañe».

MARCOS 13: 5

—MONTEMOS EN LA *SPACE MOUNTAIN* —dijo Jeff. Estaba ansioso por subir en la famosa atracción de Disney World.

Los Hocking, los Wyatt y los Coffee pasábamos juntos las vacaciones. Ya habíamos subido en los barcos de *It's a Small World* y visto el *Country Bear Jamboree*. Pero ahora había llegado el momento de algo más emocionante.

Greg buscó en el plano y todos nos dirigimos a *Space Mountain*. Cuando llegamos, nos tranquilizó ver que la cola no era demasiado larga.

—Me han dicho que algunos días la gente tiene que esperar en la cola durante más de una hora –dijo Greg—. Cuesta pensar que vale la pena teniendo en cuenta que el trayecto dura solo unos dos minutos.

Avanzamos al paso de la cola.

—Un minuto más y ya está —dijo Jeff.

Pero cuando dimos la vuelta a la esquina, de repente, delante de nosotros había cientos de personas (o al menos así nos lo parecía). Lo que pensamos que era una cola corta, en realidad era una ilusión óptica. Los gerentes de Disney World se han ingeniado un sistema muy astuto para hacer que las colas parezcan más cortas de lo que en realidad son.

Con el pecado, Satanás también usa ilusiones ópticas. Se asegura de que no consigamos ver la imagen real de los resultados del pecado. Pocos nos pondríamos a la cola para seguirlo si pudiésemos ver el dolor y la decepción que siempre acompañan a sus tentaciones.

La gente que ha sido engañada por Satanás dice cosas como: «Jamás pensé que acabaría así». «No era mi intención». «Si lo hubiese sabido…»

La Biblia está llena de historias de personas que creyeron los engaños de Satanás. Aprende de sus errores y mantén los ojos puestos en Jesús.

Una lección en *Space Mountain*

La maldad habla al malvado en lo íntimo de su corazón. Jamás tiene él presente que hay que temer a Dios.
SALMO 36: 1

AYER TE HABLÉ de cuando nos pusimos a la cola de *Space Mountain*. Hoy quiero hablarte de la lección que aprendí cuando, finalmente, conseguí subir a ella.

Primero tienes que saber que no me gustan las alturas. Cuando tenía catorce años me subí a una pequeña noria y me asusté tanto que grité hasta que el asistente me permitió salir. Así que ya puedes ver que nunca debí dejar que mis amigos me hablasen maravillas de *Space Mountain*.

Después de guardar una cola que se nos hizo eterna, finalmente, llegamos a la puerta. Tom y yo entramos en uno de los pequeños cohetes y el asistente nos abrochó el cinturón de seguridad. Hasta aquí, todo bien. Pero tan pronto como el empleado soltó el freno y empezamos a movernos, decidí que no quería montar en *Space Mountain*.

—¡Pare! ¡He cambiado de opinión!

Antes lo hubiese hecho. Las guías que tenía debajo desaparecieron y salí catapultada hacia el más aterrador minuto de mi vida.

Pienso que aquí tengo una importante lección espiritual. Cuando estaba en la noria, podía salir sin mucha dificultad. Pero una vez que me monté en la atracción de Disney World, mi libertad había desaparecido. Me gustase o no, iría donde fuese el cohete.

Satanás quiere que pensemos que podemos coquetear con las sustancias adictivas y alejarnos de ellas siempre que queramos. Pero el alcohol, los cigarrillos y las drogas tienen la manera de quedarse con nuestra vida. Antes de que nos demos cuenta habremos perdido el control y, lo que es peor, ellos nos controlarán a nosotros.

Cada vez que tomes la decisión de abstenerte de sustancias dañinas te proteges de la adicción y el sufrimiento. Las personas más afortunadas no son las que han conseguido dejar de fumar, de beber y de tomar drogas, sino las que fueron suficientemente sabias para no empezar nunca.

El ángel de la guarda

Por lo tanto, mi Dios les dará a ustedes todo lo que les falte, conforme a las gloriosas riquezas que tiene en Cristo Jesús.

Filipenses 4: 19

LOS PADRES DE BETH SHALLENBERGER habían ido a visitarla, a ella y a su esposo, durante unos días. Una mañana, después de que Jim se hubiera ido al trabajo, Beth y sus padres salieron a dar un paseo. Cuando regresaron al apartamento, el padre de Beth vio algo en el suelo del garaje. Se acercó y lo tomó.

—Miren qué encontré —gritó mientras agitaba un billete de veinte dólares.

—Alguien debe haberlo perdido —dijo Beth—. Tendremos que buscar al propietario.

De vuelta al apartamento, el padre de Beth pensó en el dinero y habló medio en broma.

—Creo que voy a ver si encuentro otro billete de veinte.

Tan pronto como llegó al garaje vio que otro billete de veinte estaba junto al lugar donde había encontrado e primero.

Beth empezó a atar cabos. Llamó a Jim al trabajo.

—Jim —preguntó—, ¿dónde están los cuarenta dólares que retiraste del banco ayer por la noche, después de salir del trabajo?

—Aquí, en mi cartera —respondió.

Pero cuando fue a sacar el dinero, no estaba allí.

—No puedo creerlo. Debo haberlo perdido —se lamentó.

Beth rio.

—Creo que lo hemos encontrado.

Hoy, veinticinco años después, Beth y Jim todavía están convencidos de que un ángel puso el pie encima de los billetes. Habían estado en el suelo durante más de 18 horas sin que se los llevara el viento y sin que nadie los encontrara. Dios sabía cuánto necesitaban ese dinero y se aseguró de que lo recuperasen.

Dios también sabe qué necesitas. Y por eso quiere ayudarte en todas las formas posibles. Cuando confíes plenamente en él hará lo que sea necesario para asegurarse de que tus necesidades son cubiertas. Incluso si eso implica enviar un ángel para que esté de pie encima del dinero.

Bendita ceguera

Alabaré con cantos el nombre de Dios; lo alabaré con gratitud.

Salmo 69: 30

FANNY CROSBY TENÍA SOLO UNOS MESES cuando un tratamiento médico defectuoso le provocó la ceguera. Pero el hecho de ser ciega no la desanimó. Nunca pensó que su ceguera fuese una desventaja. Cuando tenía ocho años escribió su primera poesía en la que describía las bendiciones de ser ciega.

Su padre murió cuando todavía era muy joven. Por tanto, su madre tuvo que ponerse a trabajar.

Fanny pasaba mucho tiempo con la Sra. Hawley, la casera de los Crosby, quien leía la Biblia a Fanny y la ayudaba a memorizar largos pasajes. Antes de cumplir los diez años, Fanny había memorizado los primeros cuatro libros del antiguo Testamento y los cuatro primeros del Nuevo.

La Música era otra de las aficiones de Fanny. Le encantaba cantar. También aprendió a tocar el piano y el arpa. Pero su mayor logro era escribir poesía.

Cuando Fanny se disponía a escribir una poesía, oraba para que Dios la usase para llevar a las personas hacia él. Escribió más de ocho mil canciones que otras personas musicaron. Si se publicasen todas sus canciones, llenarían quince himnarios.

Escribió muchos de los himnos más apreciados: *En Jesucristo*, *Venid, cantad*, *A Dios sea la gloria*, *Protege mi alma*, *No me pases, no me olvides*.

La mayoría de la gente consideraría que la ceguera es una de las peores cosas que le pueden suceder a una persona. Pero cuando un amigo mostró compasión por la ceguera de Fanny, esta dijo que era feliz de ser ciega porque la primera cara que vería sería la de Jesús.

Fanny aceptó su ceguera y la usó para ser una bendición para los demás. Si tú tienes una limitación en la vida, Dios puede hacer lo mismo por ti. Pídele que te use. Luego prepárate para hacer grandes cosas con su poder.

Aligera la carga

Yo les perdonaré su maldad y no me acordaré más de sus pecados.

Jeremías 31: 34

SE CUENTA LA HISTORIA de un viajero fatigado que andaba por un camino. Llevaba un pesado fardo atado a la espalda, cosa que hacía que le costara aún más avanzar.

Por suerte para el viajero, se cruzó con un granjero con un tiro de caballos arrastrando una carreta.

—Dime, amigo —inquirió el granjero—, ¿te apetecería montar en la carreta?

Aliviado, el viajero se encaramó a la carreta.

Cuando se acercaron a la aldea, el granjero se dio cuenta de que el viajero todavía tenía el fardo atado a la espalda.

—¿Por qué no te quitas esa pesada carga de la espalda? —sugirió.

El viajero sacudió la cabeza.

—No podría.

—¿Por qué?

—Sería pedirte demasiado. Ya me ofreciste llevarme en la carreta. No es de esperar que también lleves el fardo.

El viajero tonto nos hace reír. Pero, ¿acaso no hemos hecho nosotros algo tan ridículo?

¿Alguna vez pensaste que habías hecho algo tan malo que Jesús no te podría perdonar? Ah, seguro que has pedido perdón por los "pecadillos". ¿Pero qué hay de los pecados que sigues cometiendo? ¿No sería demasiado pedir perdón cuando te metes en líos una y otra vez?

Tengo buenas noticias. Jamás cometerás un pecado que Jesús no pueda perdonar. Por muy graves que sean tus pecados, él es aún más poderoso.

No esperes un minuto más. Deja tu carga y permítele que la lleve por ti.

23 SEPTIEMBRE

En un momento

El que aprende y pone en práctica lo aprendido, se estima a sí mismo y prospera.

PROVERBIOS 19: 8

LA ORQUESTA SINFÓNICA DE DETROIT acabó el concierto. El solista levantó el arco de su violoncelo y el público irrumpió en un aplauso. Después de las acostumbradas reverencias y los agradecimientos de rigor de la orquesta, el violoncelista salió del escenario y volvió a salir reclamado por el público enfervorizado.

Cuando la ovación terminó, el director indicó que seguiría un intermedio de media hora para permitir que los músicos de la orquesta pudieran disfrutar de una pausa. Los patronos, elegantemente vestidos, se abrieron paso hacia el área especial de recepción.

Uno de los primeros violines vio a unos amigos entre el público. Así que, dejó el instrumento en la caja y abandonó el escenario.

Cuando el timbre indicó que el intermedio estaba a punto de concluir, la gente empezó a regresar al auditorio. El violinista se dirigió al área destinada a los intérpretes y fue a caer justo encima de su instrumento. Tuvo que acabar el concierto con la caja de resonancia del violín hundida.

Al día siguiente, llevó el instrumento a un lutier. Le llevó horas recomponer la caja. El violinista pudo tocar de nuevo el violín, pero nunca sonó como lo había hecho antes del accidente.

Antes de tomar decisiones importantes, piensa en los efectos que pueden tener a largo plazo. No puedes retirar unas palabras crueles después de haberlas dicho. No puedes pedir que te devuelvan un dinero después de haberlo gastado. No puedes reservarte para el esposo o la esposa si antes del matrimonio has experimentado con el sexo.

Dios puede ayudarte a recomponer tu vida. Pero te evitarás mucho sufrimiento y muchas decepciones si, ante todo, haces lo correcto.

Ten cuidado con lo que piensas

Buen remedio es el corazón alegre, pero el ánimo triste resta energías.

PROVERBIOS 17: 22

EL HERMANO DE MI MEJOR AMIGA se graduó en el instituto y fue a la universidad. Cuando volvió a casa por Navidad, dijo a su familia qué hacían los veteranos para iniciar a los alumnos que querían unirse a su hermandad.

Los novatos eran llevados a una sala y sentados de uno en uno frente a una chimenea. El cabecilla de a hermandad sacaba un acero al rojo de las brasas.

Después de darse la vuelta, se dirigía al candidato. Cuando estaba cerca, alargaba el pedazo de metal. Al mismo tiempo, otro miembro de la hermandad tocaba el cuello del novato con un pedazo de hielo.

—No se lo van a creer —dijo Fred—, pero cuando sacaban el hielo debajo había una ampolla.

Si tomas un pedazo de hielo y te lo pones sobre la piel, la piel se te enfriará, pero no te saldrán ampollas. ¿Por qué les sucedía a los jóvenes que reunían a la fraternidad?

Cuando sentían el hielo en el cuello y veían el acero incandescente el cerebro enviaba un mensaje a la piel: «Te acaban de quemar. Protégete». Y el cuerpo respondía con una ampolla.

Esta historia demuestra la estrecha conexión que existe entre el cuerpo y la mente. Todo lo que pensamos tiene un efecto directo en el cuerpo.

Si permites que el enfado y los pensamientos negativos campen por tu cerebro serás una víctima más fácil para las enfermedades. Pero si piensas en positivo y albergas pensamientos alegres estarás mejor protegido contra las enfermedades. Hazte un favor y vigila tus pensamientos.

Olvídate de los atajos

Todo lo bueno y perfecto que se nos da, viene de arriba.
SANTIAGO 1: 17

CUANDO LOS ALUMNOS DE ÁLGEBRA I empezaron a quejarse porque en casa tendrían que corregir los problemas en los que se habían equivocado, mi esposo les planteó un desafío. Si escribían todos los números de 1 a 1,000,000 les pondría un sobresaliente en Álgebra y no tendrían que hacer los deberes.

¡Vaya cosa! Escribir números es mucho más fácil que hacer cálculos de álgebra. Así que algunos de los alumnos sacaron sus cuadernos y empezaron a escribir.

Pero al cabo de dos días todos estaban haciendo los deberes. Habían descubierto que escribir números llevaba mucho más tiempo de lo que habían esperado.

Si los alumnos se hubiesen pasado todo el tiempo de la clase escribiendo números, completar la tarea les habría costado *seis años*. Lo que pensaron que sería un atajo se reveló como mucho más difícil que hacer los deberes.

A veces, a la gente también le gusta tomar atajos en la vida espiritual. Todos quieren llegar al cielo, pero no quieren pagar el precio de seguir a Jesús.

Quieren vivir la vida según sus propias condiciones y tener libertad completa para hacer lo que deseen. Nada de restricciones ni abnegación. Pero, al fin, los cristianos que toman atajos descubren que las restricciones de Dios son, en realidad, un don que él da para conservar su felicidad.

Dios nos aconseja que evitemos ciertas cosas como la carne impura, las drogas, el alcohol y el tabaco porque quiere que gocemos de buena salud, mental y física. Espera que sus seguidores no se acerquen a la pornografía, las películas inmorales y a la música violenta y sensual; de ese modo sus mentes no se degradarán.

Él nos pide que, en sábado, renunciemos a nuestros propios placeres para que nos demos cuenta de lo mucho que necesitamos que él dirija nuestra vida.

Dios quiere que solo tengamos lo mejor. Y lo tendremos si hacemos las cosas a su manera.

Una luz maravillosa

No depende del ejército, ni de la fuerza, sino de mi Espíritu, dice el Señor todopoderoso.

Zacarías 4: 6

TRES DÍAS DESPUÉS DE LA NAVIDAD DE 1895, un físico alemán, Wilhelm Roentgen, descubrió los rayos X. No estaba seguro de qué eran, por eso usó la letra X, porque es el símbolo científico para designar algo que se desconoce.

Unas semanas después, un adolescente de Nueva Hampshire cayó mientras patinaba y se rompió la muñeca. Lo llevaron a la consulta del Dr. Gilman Frost.

El Dr. Frost y su hermano, que era profesor de Física, habían experimentado con una máquina de rayos X que era parecida a la que Roentgen había construido. Pero hasta entonces no le habían encontrado un uso práctico.

Mientras el Dr. Frost examinaba el brazo del muchacho, se acordó de la máquina de rayos X y se preguntó si se podría usar para tomar una fotografía del hueso roto del joven. Ese día, el 3 de febrero de 1896, se tomó la primera radiografía médica de los Estados Unidos.

La "maravillosa luz" de Roentgen se convirtió en un descubrimiento tan importante que en 1901 le otorgaron el primer Premio Nobel de Física por su descubrimiento de los rayos X. Hoy en día, los rayos x se usan para más cosas que tomar fotos de los huesos. Se usan para tratar el cáncer, inspeccionar los equipajes en los aeropuertos, crear productos de plástico más fuertes, controlar la población de ciertos insectos y examinar obras de arte muy delicadas.

Aunque los rayos X son una herramienta útil y poderosa, palidecen en importancia cuando los comparamos con la obra sobrenatural que el Espíritu Santo hará cuando volvamos la vida a Jesús. Si se lo pedimos, el Espíritu Santo brillará con su maravillosa luz en nuestro corazón y nuestra mente. Nos mostrará los defectos de carácter que tenemos que corregir. Pero lo mejor de todo es que también nos ayudará a corregirlos. Lo que nunca podríamos lograr por nuestros propios medios es posible si permitimos que el Espíritu Santo viva en nosotros.

27 SEPTIEMBRE

Hay fortunas que matan

Cristo nos dio libertad para que seamos libres.
Por lo tanto, manténganse ustedes firmes en esa libertad
y no se sometan otra vez al yugo de la esclavitud.
GÁLATAS 5: 1

YUSUF EL TERRIBLE TURCO era un luchador de 140 kilos que había salido de su Turquía natal y había emigrado a los Estados Unidos en busca de fama y fortuna. Pronto se convirtió en el luchador más popular.

La gente de todos los rincones del país se arremolinaba para ver cómo molía a sus oponentes. Yusuf era, realmente, un forzudo. Pero tenía una debilidad, el oro.

En los tiempos en que competía el Terrible Turco, las monedas de oro eran de curso legal en América. Cada vez que Yusuf ganaba un partido, exigía que le pagasen en monedas de oro. Tan pronto como le pagaban, metía las monedas en el cinturón monedero que llevaba a la cintura.

Un día, Yusuf anunció que su carrera como luchador se había acabado. Se retiraba y regresaba a su país natal. Ya no competiría más. Tenía todo el oro que necesitaba.

A bordo de un gran vapor, Yusuf emprendió viaje hacia Turquía. Pero, en la segunda noche de la travesía, se desató una terrible tormenta. Pronto, el barco empezó a hundirse. La tripulación recibió orden de arrojar los botes salvavidas al agua.

Yusuf cruzó corriendo la cubierta. Al ver un bote a la deriva a poca distancia del barco, el forzudo se arrojó al océano. Pero cuando empezó a nadar hacia el bote, el peso de las monedas de oro lo arrastró hacia abajo y él y su fortuna nunca más fueron vistos.

Yusuf hizo que el oro fuese su dios y este lo destruyó. Eso es lo que siempre sucede cuando Dios no ocupa el primer lugar en la vida.

Algo en que pensar: ¿Hay algo en tu vida que te arrastre hacia abajo?

Hazlo ahora

El perezoso desea y no consigue.

PROVERBIOS 13: 4

¿TÚ POSTERGAS LOS ASUNTOS, aplazas las cosas? Postergar algo tiene que ser uno de los peores problemas.

Algunas personas posponen las cosas porque temen fracasar. Si lo intentasen y fracasasen, la situación sería embarazosa.

Una segunda razón para posponer las cosas es el miedo al éxito. ¿Por qué alguien tendría que temer tener éxito? Bueno, a veces la gente teme lo desconocido. «Si me dan el empleo, tendré que trabajar con desconocidos y quizá yo no les guste».

Otra razón es que a la gente le falta autodisciplina. Las personas aprenden a hacer cualquier cosa que sea fácil y divertida al momento. Una de las señales de madurez es la capacidad de hacer lo correcto, a cualquier precio.

Cuando Gary suspendió los exámenes de ortografía una semana tras otra, le pedí a otro alumno que lo ayudara a estudiar. Estaba convencida de que bastaría con que Gary aprobara un solo examen para que empezase a creer en sí mismo y desde entonces lo haría mejor.

Ese viernes, Gary resolvió correctamente el noventa por ciento del examen de ortografía. Toda la clase lo vitoreó. Pero, por desgracia, ese éxito no duró mucho. Dejó de estudiar y acabó con un suspenso mayúsculo en ortografía. Parecía que para él era más cómodo suspender. No requería ningún esfuerzo. Era fácil.

No esperes a ser mayor para vencer el hábito de aplazar las cosas. Dedica un tiempo ahora a analizarte. ¿Qué cosas dejas para mañana? ¿Y por qué?

La próxima vez que te vengan ganas de dejar para más tarde los estudios para un examen o limpiar la habitación di… «¡Hazlo ahora!» Quizá te inspires y te pongas manos a la obra para hacer lo que es preciso. Cuando lo hayas acabado te sentirás de fábula.

29 SEPTIEMBRE

Ya lo haré luego

En el momento oportuno te escuché; en el día de la salvación te ayudé.

2 Corintios 6: 2

DEJAR LAS COSAS PARA MAS TARDE no siempre es malo. A veces, puede llegar a ser la elección más inteligente. Cuando te enfadas y tienes la sensación de perder los nervios, el «Hazlo ahora» puede que no sea la opción más aconsejable. Al esperar un poco tienes la posibilidad de calmarte.

Pero la mayoría de las veces, siempre que dejamos las cosas para más tarde, solemos agravar el problema. Ese es el caso cuando de entregar la vida a Jesús se trata.

Veamos cada una de las razones para demorar una resolución y cómo están relacionadas con nuestra decisión de ser cristianos.

1. Miedo al fracaso: «¿Cómo podré vivir una vida perfecta? Es demasiado difícil. ¿Qué pasa si me hago cristiano y acabo perdiendo la vida? También puedo hacer lo que me plazca sin tener que sentirme culpable».
2. Temor al éxito: «Si me hago cristiano la gente esperará que sea perfecto; y eso es imposible».
3. Falta de autodisciplina: «Quiero divertirme. Pero ser cristiano significa decir no a muchas cosas que parecen francamente atractivas. La vida sería mucho más divertida si pudiese hacer cualquier cosa que me apeteciera y no tuviese que obedecer tantas normas».

¿Te das cuenta de qué tienen en común todos esos argumentos? Todos están centrados en el yo: «Cómo puedo...», «Y si me hago...», «Quiero...»

En lugar de preocuparte por lo que tienes que hacer o dejar de hacer, acude a Jesús y dejar que él se ocupe de todos los detalles. Nuestra tarea no es hacernos buenos, sino permitir que Jesús tome el control. Si cada día nos damos a él, empezaremos a ver que en la vida se producen cambios emocionantes.

No aplaces más esta decisión tan importante. Tómala ahora.

Un día de gratitud

Señor, muéstrame tus caminos; guíame por tus senderos.

Salmo 25: 4

SEPTIEMBRE ES EL MES en que tradicionalmente empieza la escuela. Hagamos que sea el mes de la educación. Cuando escribas la lista de las cosas por las que estás agradecido, concéntrate en las que están relacionadas con aprender. Puedes incluir ese mismo tema cuando pienses en tus peticiones especiales.

Gracias, Señor, por:

Peticiones especiales:

1 OCTUBRE

Pequeño, pero no por mucho tiempo

El que anda tras el bien, busca ser aprobado;
al que anda tras el mal, mal le irá.
Proverbios 11: 27

CUANDO EL PASTOR ÁLVARO SAUZA era joven, él y su familia vivían en Florida. Una mañana, mientras tomaban el desayuno, por un agujero del suelo salió una criatura pequeña y curiosa. Los niños se arremolinaron alrededor e intentaron descubrir qué era.

—Es un bebé cangrejo —explicó la mamá—. ¿Por qué no probáis a darle un pedazo de pan? A lo mejor le gusta.

Por eso, Álvaro, que era el mayor y más valiente, tomó un pedazo de su tostada y se lo acercó al cangrejo. El cangrejo alargó una de sus pequeñas pinzas y tomó el pedazo de pan. Después desapareció por un agujero de la pared.

Al cangrejo debió gustarle el pan, porque al día siguiente volvió a aparecer. Esta vez, Martha, la hermana de Álvaro, dio de comer al animalito antes de que desapareciera de nuevo en la oscuridad.

Los niños esperaban ansiosos la visita de su amigo. Pero al cabo de poco tiempo, el cangrejo creció y ya no pudo pasar por el agujero. Tan solo metía la pinza por la abertura. Los niños, al verla agitándose, le daban más pan.

Pero el tiempo pasó y la pinza ya no pudo atravesar el agujero. El cangrejo lo resolvió dando unos golpecitos en la pared hasta que los niños lo escuchaban y dejaban caer el pan por el agujero.

Unas semanas después, el propietario de la casa se detuvo para cobrar el alquiler.

—Por cierto, Sra. Sauza —dijo—, sería conveniente que vigilara a los niños cuando salgan. Ayer vi un cangrejo gigantesco que se arrastraba debajo de la casa.

Aunque cuando era pequeño el cangrejo no representaba peligro alguno, con el paso del tiempo se convirtió en un peligro. Lo mismo sucede con los astutos engaños de Satanás. Parece que al principio no son nada peligrosos, pero si se les da tiempo, acaban escapando a nuestro control.

Vigila las pequeñas tentaciones. No les permitas crecer.

La verdadera fuente del amor

Queridos hermanos, debemos amarnos unos a otros, porque el amor viene de Dios. Todo el que ama es hijo de Dios y conoce a Dios.

1 Juan 4: 7

EL PASTOR KEN MICHEFF dirigía el culto en nuestra escuela. Hablaba de lo maravilloso que es ser cristiano y empezó a preguntar a varios alumnos si amaban a Dios.

Yo me pregunte lo mismo. ¿Amaba a Dios? ¿Mis primeros pensamientos por la mañana estaban destinados a él? ¿Sentía que estaba unida a él todo el día? Sabía que respetaba a Dios, le estaba agradecida y creía en él pero, ¿podía decir que lo amaba?

Amar a Dios no es nada que podamos hacer por nosotros mismos. Es algo que debemos recibir directamente de él.

Quizá una ilustración de tu pasado pueda aclararte esta idea. Piensa en cómo era el parvulario en Navidades.

Cuando veías a las otras personas que hacían las compras de Navidad tenías ganas de comprar regalos para mamá y papá. Pero había un problema. No tenías dinero. La única manera de comprar regalos para los papás era pedirles dinero. Cuando ellos compartían su dinero contigo tú podías comprarles un regalo.

Lo mismo sucede con el amor. No tenemos manera de crearlo en nosotros mismos. Dios es la única Fuente del amor. Tenemos que pedirle que comparta su amor con nosotros antes de poder amar, a él y a las personas que nos rodean.

El amor puede ser nuestro. Basta con que lo pidamos.

3 OCTUBRE

Todo tiene que ver conmigo

Adora al Señor tu Dios, y sírvele solo a él.

Mateo 4: 10

UN SÁBADO, MIENTRAS TOCABA AL ÓRGANO la introducción del himno de apertura, me distraje. Sin pensarlo, canté el primer verso. «Jesús, me amo...» ¡Glups! Aunque no quería cantar esas palabras, admito que eran ciertas. *Me* amo. Pienso que todos nos amamos a nosotros mismos.

La semana pasada, en clase de Biblia, leímos en Éxodo cuando Dios dio los Diez Mandamientos a Moisés. Antes de que Moisés pudiera bajar de la montaña con ellos, el pueblo de Dios ya estaba bailando alrededor de un becerro de metal que habían hecho sus orfebres. Pensaron que Moisés nunca volvería. Así que tomaron el asunto en sus manos y se hicieron el ídolo.

Dije a los alumnos que nosotros somos demasiado sofisticados para inclinarnos delante de un ídolo, pero cada uno tiene su propio ídolo. Mi ídolo se parece a mí. Y estoy segura de que el tuyo se parece a ti.

No adoramos a los automóviles, ni al dinero, ni los vestidos caros. Nos adoramos a nosotros mismos. Cada vez que decidimos hacer las cosas a nuestra manera en lugar de a la de Dios, lo destronamos del corazón y nos ponemos en su lugar. Si eso no es adorar un ídolo, ¿qué es?

Dios dice: «Confíame el diez por ciento de tu dinero». Nosotros decimos: «No puedo». Idolatría.

Dios dice: «Pasa un tiempo conmigo antes de ir a la escuela». Nosotros decimos: «Señor, no tengo tiempo. Tengo que estudiar para un examen». Idolatría.

Dios dice: «¿Por qué no almuerzas con ese alumno que no tiene amigos?» Nosotros decimos: «¿Y arruinar mi reputación?» Idolatría.

La verdadera felicidad solo se encontrará cuando Dios ocupe el primer lugar en la vida. Confía en él porque sabe qué es lo mejor para ti. Invítale cada día a ocupar el trono de tu corazón.

Un poco causa estragos

No hay nadie que pueda sacar pureza de la impureza.

Job 4: 14

AL OTRO LADO DEL VESTÍBULO, frente a mi clase, está la clase del Sr. Patterson. Lo primero en que te fijas es en el acuario de doscientos litros que tiene en un rincón.

Cada mañana, los alumnos pasan junto a los peces de camino a sus pupitres. Les encanta mirar las mascotas de la clase.

Ayer, el Sr. Patterson vio que algunas algas crecían en la parte de arriba del acuario. Por eso decidió quitarlas antes de que el problema empeorara.

Fue a la cocina y tomó una esponja nueva de debajo del fregadero. Cuando empezó a frotar las algas, los peces nadaron hacia el fondo del acuario. Pero uno flotó hacia la superficie. Muerto. Antes de que pudiera sacarlo otro pez murió.

En cuestión de segundos, todos los peces tropicales yacían de costado.

Volvió corriendo a la cocina y sacó el envoltorio de la esponja. Leyó con avidez las instrucciones. El alma se le cayó a los pies cuando leyó: «No usar en acuarios».

Nadie podría creer que una pequeña esponja pudiera hacer tanto daño en tan poco tiempo. Parece ser que el producto químico que hace que la esponja se mantenga suave se esparció por el agua y envenenó a todos los peces.

Al juzgar si ver o no ciertos programas de televisión o videos, ¿escuchaste alguna vez a alguien que decía: «Solo hay unas pocas palabras malsonantes», «Hay violencia, pero es muy real» o «Sí, claro, hay una escena de sexo, pero no es tan malo»?

Bastó un poco de veneno para matar a los peces. Basta un poco de mal para matar tu carácter. La próxima vez que veas una película o enciendas la televisión, evita todas las formas de veneno mental. Un poco causa estragos.

5 OCTUBRE

Presión atmosférica

Los hombres honrados alabarán tu nombre;
¡los hombres rectos vivirán en tu presencia!
SALMO 140: 13

CUANDO TOM Y YO ESTÁBAMOS EN EL ÚLTIMO CURSO de la universidad, trabajábamos en Bill Knapp's, un agradable restaurante familiar cerca de la Universidad Andrews. Servir las mesas era una tarea fantástica. Teníamos comida gratis y la gente era generosa con las propinas. Pero había una cosa que no nos gustaba. Cuando llegábamos a casa por la noche olíamos a patatas fritas. Teníamos ropa de patatas fritas, zapatos de patatas fritas cabello de patatas fritas.

Aunque no trabajábamos con la freidora, la grasa viajaba por el aire y se nos pegaba. Estábamos afectados por la atmósfera del restaurante, nos gustase o no.

¿Alguna vez escuchaste a los adultos cuando se quejaban de un lugar porque tenía una mala atmósfera? Lugares como los bares, los billares, los casinos, los salones de máquinas de juegos, los cines, los salones de baile e incluso algunas instalaciones deportivas. Cuando te metes en lugares con una mala atmósfera, te afectan, aun cuando tú no participes.

La Dra. Agatha Tras dice que basta con menos de 35 horas de exposición a una mala influencia para que la aceptemos como buena. Seguro que crees que las apuestas son malas. Pero si pasas el tiempo suficiente en un casino, cambiará de opinión.

Cuando Dios hizo entrar a los israelitas en Canaán les dijo que destruyeran todas las personas que vivían en el país. Sabía que la atmósfera de la idolatría tendría un efecto devastador sobre su pueblo.

Los israelitas empezaron a barrer a sus enemigos. Pero pronto dejaron de expulsar a los paganos. Por supuesto, la atmósfera de la idolatría acabó rompiendo sus inhibiciones y se unieron a ella, hasta el punto de sacrificar a sus propios hijos a los dioses.

Quizá pienses que eres suficientemente fuerte para resistir las malas atmósferas. Pero, en lugar de resistir, es mejor evitarlas y estar en lugar seguro.

Un chapuzón

Sean prudentes y manténganse despiertos, porque su enemigo el diablo, como un león rugiente, anda buscando a quien devorar.

1 Pedro 5: 8

RAY WOODS QUERÍA SER ALGUIEN. No era demasiado bueno en los deportes, así que pensó que se le ocurriría algún deporte en el que ganar notoriedad. ¡Saltaría desde los puentes!

Fue a la ciudad de Nueva York y se fijó en el puente de Brooklyn. Trepó por encima del pasamanos y captó la atención de todos los que estaban cerca. Debieron pensar que se iba a suicidar. Pero en lugar de eso, hizo el salto del ángel y se zambulló en el agua.

Ray entró bien en el agua y volvió a salir a la superficie. Al momento se convirtió en una celebridad. Por todo el país, las ferias le pagaban para que divirtiera al público con sus saltos. Pero cuando Ray quiso saltar desde el puente de la bahía de Oakland, en San Francisco, su historial de saltos espectaculares se vio manchado. Algo hizo que perdiera el equilibrio y cuando fue a entrar en el agua se rompió la espalda. Necesitó dos años para que sus heridas se sanaran, pero, tan pronto como lo hicieron, volvió a sus proezas.

La fascinación de Ray por las alturas y el agua acabó de manera extraña. El 10 de abril de 1942 había salido a pescar en el río St. Johns, en Florida. Estaba de pie sobre el bote para desenredar el sedal de su caña. El bote se inclinó hacia un lado, Ray perdió el equilibrio, cayó en el río y murió ahogado.

A veces, somos capaces de vencer los grandes desafíos que Satanás nos pone en el camino durante nuestro viaje increíble. Estamos muy alerta y preparados para resistir sus astutas tentaciones. Pero, a menudo, cuando estamos menos preparados, cuando pensamos que no corremos peligro, nos pesca.

No bajes nunca la guardia. No pienses nunca que la tentación no puede alcanzarte. Los éxitos del pasado no aseguran el éxito en el futuro. Pide cada día el poder de Dios para alejarte de lo malo.

7 OCTUBRE

Salir ganando en el cambio

Si Dios no nos negó ni a su propio Hijo, sino que lo entregó a la muerte por todos nosotros, ¿cómo no habrá de darnos también, junto con su Hijo, todas las cosas?

Romanos 8: 32

CUANDO ESTABA EN LA ESCUELA PRIMARIA conseguí poseer un dólar de plata de los de verdad. Lo llevé a la escuela y lo mostré a mis amigos.

Harold, uno de los mayores, quería mi dólar de plata. Y me habló de cambiármelo por un viejo billete de dólar. Yo no sabía el valor real de mi dólar de plata.

Cuando la gente se ofrece para hacer tratos contigo, espera salir ganando en el negocio y llevarse la mejor parte. Jesús no.

Pagará el precio por tus pecados y te dará felicidad, paz y un corazón nuevo. Empezará a mejorar tu vida en la tierra y continuará rociándote con todas las delicias imaginables e inimaginables por la eternidad. Hará que detestes el pecado y te proporcionará el poder que necesites para resistir a la tentación.

¿Y a cambio qué tenemos que dar? Nada, excepto nuestro yo pecador y nuestra independencia.

Desde un punto de vista humano, un negocio como este no tiene sentido. Pero eso es porque no entendemos lo mucho que significamos para Jesús.

La gente piensa que ser cristiano significa abandonar la diversión y la libertad. Pero es justo lo contrario. Dios no nos pide que abandonemos nada que sea para nuestro bien. Solo nos quita las cosas que nos impiden ser felices y sentirnos llenos.

Si buscas hacer un gran negocio, no busques más. Todo cuanto has ansiado es tuyo si lo pides.

Un testigo dispuesto

Vayan por todo el mundo y anuncien a todos la buena noticia.

Marcos 16: 15

JOHN WESLEY FUE EL FUNDADOR de la Iglesia Metodista y uno de los grandes predicadores del siglo XVIII. Mientras andaba hacia casa después de una reunión vespertina, un ladrón se le acercó por detrás y le dio un ultimátum.

—Dame tu dinero o morirás.

Wesley empezó a sacar los pocos objetos de valor que llevaba en los bolsillos. Cuando se los dio al ladrón añadió:

—Amigo, si alguna vez decides dejar de vivir de este modo, recuerda que Jesús vino a salvar a gente como tú. Murió para borrar tus pecados.

El ladrón se fue con el botín y Wesley continuó su camino.

Unos años después, mientras Wesley saludaba a las personas que habían acudido a un servicio de culto en la iglesia, un hombre esperó para hablar con él.

—¿Recuerda la noche en que le robaron, hace unos años? —dijo.

Wesley dijo que sí.

—Bien, pues. Yo era el ladrón. Lo que me dijo esa noche se me quedó grabado en la cabeza. Descubrí que Jesús podía cambiar al peor de los pecadores. Ahora mi vida es completamente diferente.

¿Alguna vez sentiste que dar testimonio era una pérdida de tiempo? Quizá distribuiste alguna publicación, invitaste a gente a la iglesia o diste un estudio bíblico. Pero como no viste resultados inmediatos, pensaste que tus intentos de dar testimonio eran inútiles.

Nuestra tarea no es convertir a las personas. Esa es tarea de Dios. Él solo nos pide que hablemos de él a los demás.

Aprovecha todas las oportunidades de hablar de Jesús y comparte lo que hizo por ti. Luego deja que el Espíritu Santo haga el resto.

No lo destapes

Porque todo hombre es esclavo de aquello que lo ha dominado.

2 Pedro 2: 19

¿ALGUNA VEZ ESCUCHASTE A ALGUIEN HABLAR de «destapar la caja de Pandora»? Es una frase que procede de la mitología griega, pero tiene una lección que se aplica a la gente de todas las épocas.

A Pandora le dieron una caja y le advirtieron que no la abriera. Finalmente, su curiosidad pudo más que su sentido común. La abrió un poco, lo suficiente para ver lo que había dentro. Por la rendija salieron todos los males, de cualquier medida, forma y descripción.

Aunque la caja de Pandora es solo una historia, ilustra lo que sucedió cuando Eva desobedeció a Dios. Su curiosidad por el fruto y su decisión de conocer el bien y el mal abrieron la espita a seis mil años de sufrimiento, dolor y remordimientos. La frase «la caja de Pandora» ha acabado por representar cualquier cosa que, potencialmente, pueda causar un gran daño.

La pornografía, escritos o imágenes que degradan una persona de manera sexual, es una de las cajas más perjudiciales. Ha estado presente durante mucho tiempo.

En el año 79 d.C., el monte Vesubio entró en erupción y enterró la ciudad italiana de Pompeya bajo las cenizas y la lava. Durante la excavación en el siglo XVIII, los arqueólogos descubrieron toda una sección de la ciudad que había sido dedicada a la pornografía.

Pero en pleno siglo XXI, esta clase especial de mal no está confinada a un único lugar. Parece que está por todas partes. No es preciso que la busques, ella ya viene a ti, en particular si te pasas un tiempo en la computadora.

Si nos mantenemos alejados del pecado, no podrá arrastrarnos. Pero si la curiosidad hace que echemos un vistazo a la caja de Pandora, seremos sus esclavos.

Ser libre no es poder hacer lo que te apetezca. Ser libre es poder hacer lo correcto. Mantener tapada la pornografía te ahorrará mil y un remordimientos.

Lo mismo que a los demás

¡Su maldad y su violencia caerán sobre su propia cabeza!

Salmo 7: 16

EN EL LIBRO *CHEAPER BY THE DOZEN* (Doce en casa), su autora, Ernestina Carey cuenta cómo era crecer en una familia de seis muchachos y seis jovencitas. Sus padres, Krank y Lillian Gilbreth, eran expertos en el tema de la educación de los hijos. Su mejor escuela fueron los suyos propios.

En un episodio, se descubrió que todos los hijos mayores, excepto Martha, tenían las amígdalas hinchadas. En aquel tiempo era práctica común extirpar las amígdalas enfermas. Por eso el Sr. Gilbreth hizo los arreglos necesarios para que el Dr. Burton fuese a su casa y practicara las operaciones en la mesa de la cocina. Aquel día Martha se quedaría en casa de su tía.

A los niños no se les permitió que comieran nada en absoluto desde la noche anterior. Por eso, como todos sus hermanos y hermanas se quedaban sin cenar, Martha les describió lo que iba a comer a la mañana siguiente mientras ellos pasaban por la operación.

—Tía Anne siempre tiene tarta de manzana para desayunar. Y tiene un bote de rosquillas en la despensa. Mañana por la mañana, mientras esperen el bisturí, yo pensaré en ustedes. Me comeré una rosquilla a la salud de cada uno de ustedes.

Al día siguiente, cuando el doctor empezó a operar, descubrió que las amígdalas de Ernestina estaban bien. Se había confundido; la que tenía que estar ahí era Martha, no Ernestina.

Por esa razón, Martha tuvo que pasar por la mesa de operaciones con el estómago lleno de rosquillas y tarta de manzana. Ya te puedes imaginar cómo se sentía cuando despertó de la anestesia.

Marta se había regodeado dando envidia a sus hermanos con el magnífico desayuno que comería. Pero su festín anticipado acabó en agonía.

«Hagan ustedes con los demás como quieren que los demás hagan con ustedes» no es solo una manera amable de actuar, sino la más sabia. A menudo, nos sucede lo mismo que a los demás.

Un rechazo punzante

Ninguno busque únicamente su propio bien, sino también el bien de los otros.
Filipenses 2: 4

SU MAMÁ LE HABÍA DICHO A DEBBIE DANIELSON que no jugara en la parcela desocupada de al lado. Pero ya sabes cómo pueden ser los niños, en especial si se les dice que *no* hagan algo. Como sería de esperar, Debbie decidió un día que, de todas formas, jugaría en la parcela desocupada.

Debbie acababa de trepar al gran árbol cuando Dinky, su perro salchicha, vino trotando hacia ella. Por desgracia, el perro cruzó un nido de avispas que estaba enterrado.

Las avispas salieron zumbando del avispero y se abalanzaron sobre el perrito. Dinky gimió de dolor e intentó buscar protección. Pero no había dónde ir.

Debbie supo de inmediato qué había sucedido. Saltó del árbol. Después de llamar a su mamá, intentó que Dinky se alejara del avispero.

La Sra. Danielson salió corriendo de la casa. Para entonces, Debbie estaba gritando tan fuerte que le costaba hablar. La Sra. Danielson se hizo cargo de la situación y tomó una toalla. Con ella envolvió al perito salchicha y lo llevó al automóvil.

Mientras Debbie y su mamá se dirigían al consultorio veterinario, Dinky se desmayó a causa del dolor y el veneno de las avispas. Por suerte, el veterinario pudo salvar la vida del perro, pero no podía eliminar el dolor de los doscientos aguijonazos que Dinky había recibido.

Ahora Debbie es mayor, pero nunca ha olvidado la lección que aprendió ese día.

—Cuando haces algo mal, quizá no te hagas daño a ti mismo, pero tus actos pueden hacer que otra persona sufra.

Lo que hacemos afecta a la gente que está a nuestro alrededor. Asegurémonos de que nuestras decisiones no acaben por herir a otros.

Se acabaron los macarrones con queso

Dios ha preparado para los que lo aman cosas que nadie ha visto ni oído, y ni siquiera pensado.

1 Corintios 2: 9

¿ALGUNA VEZ TE PREGUNTASTE si el cielo será un lugar realmente tan maravilloso? Has visto imágenes del cielo y pensaste: «Túnicas blancas, hierba verde y animales. No me parece tan atrayente». Cuesta mucho imaginar a alguien que juegue al fútbol vestido con una túnica, ¿verdad?

Y luego está la cuestión de la comida... Se acabaron las chocolatinas, los helados o las pizzas de masa delgada y crujiente. Suena casi tan mal como estar en la cárcel sin nada más que pan y agua.

Anoche, una amiga me hablaba de su nieto de cuatro años. Le había dicho que no quería ir al cielo porque no habría macarrones con queso o videojuegos.

Cuando escribo esto casi puedo ver a mi ángel de la guarda que sacude la cabeza desconcertado. Imagínate, seres humanos pensando que pueden hacer un mal negocio si van al cielo.

¿Acaso las ideas humanas de diversión y excitación pueden ser ni siquiera una millonésima parte de lo grandes que son las de Dios? Piensa en ello así. Como Dios nos creó, sabe cómo funcionamos. Conoce todos y cada uno de nuestros detalles individuales. ¿Acaso no sabrá qué nos va a gustar de verdad? Si pudo crear todo el universo, ¿no piensas que podría crear una tierra tan maravillosa que haría que Disney World pareciera un patio destartalado?

Cuando lleguemos al cielo, quizá nos pasemos los primeros cincuenta años boquiabiertos intentando asimilar todas las fantásticas oportunidades de aprender cosas, de hacer amigos y de divertirnos.

Será magnífico. La pizza, los videojuegos e incluso Disney World no son *nada* en comparación. Estoy impaciente por descubrir las fantásticas sorpresas que Dios tiene esperándonos en el cielo. ¿Y tú?

13 OCTUBRE

Invita a comer a un enemigo

Pero yo les digo: «Amen a sus enemigos, y oren por quienes los persiguen».
Mateo 5: 44

EL REY DE SIRIA ESTABA DESESPERADO. Atacara donde atacara, los israelitas se anticipaban a sus movimientos. ¿Sería que un espía les vendía los secretos militares de Siria?

—Es ese Eliseo —dijeron sus generales—. No sabemos cómo, pero descubre nuestros planes y luego se lo dice al rey. Tenemos que eliminarlo. Él es el problema.

Enviaron soldados a Dotán, donde se rumoreaba que estaba Eliseo. Sitiaron la ciudad; estaban decididos a capturar a Eliseo, vivo o muerto. Eliseo los vio venir. Sabía qué buscaban.

Eliseo oró para que el Señor dejara ciegos a los soldados. No sabemos si los dejó completamente ciegos o solo los confundió. Pero cuando Eliseo salió a su encuentro, les propuso dirigirlos donde necesitaban ir y ellos lo siguieron.

Los llevó dieciocho kilómetros hacia Samaria, la capital de Israel. Cuando llegaron, Eliseo oró para que recuperaran la vista. Imagina el terror que sintieron los soldados al descubrir que estaban en manos de su enemigo. El rey de Israel estaba tan sorprendido como los soldados sirios.

—¿Qué se supone que tengo que hacer con ellos, matarlos? —preguntó a Eliseo.

—De ningún modo —dijo el profeta—. Son nuestros invitados. Celebremos un banquete antes de que regresen a su casa.

Y eso es lo que sucedió. El rey no les dio una rebanada de pan y unas pocas uvas. Preparó un banquete para sus enemigos y los dejó regresar a casa.

El relato de la Biblia termina con las palabras: «Desde entonces los sirios dejaron de hacer correrías en territorio israelita». Al final, subieron al trono nuevos reyes y ambos países volvieron a estar en guerra. Pero durante años vivieron en paz. La mejor manera de destruir a nuestros enemigos es hacerlos amigos nuestros.

La voluntad de Dios, no la mía

Padre nuestro que estás en el cielo, santificado sea tu nombre. Venga tu reino. Hágase tu voluntad en la tierra, así como se hace en el cielo.

Mateo 6: 9, 10

A INICIOS DEL SIGLO XVIII la reina Ana ocupaba el trono de Inglaterra. Pero su vida distaba mucho de ser feliz. Sus hijos morían de una enfermedad misteriosa. Los médicos hacían todo cuanto podían para curarlos, pero nada parecía funcionar.

Finalmente, se rodeó el palacio con guardias. Daban vueltas haciendo sonar las trompetas, según la superstición de la época que afirmaba que los ruidos estridentes mantenían alejada la muerte.

A nadie se le permitía ir más allá de los guardias, excepto al hombre que llevaba la leche a la cocina de palacio. Cada día, cuando traía la leche fresca, los sirvientes la llevaban a los enfebrecidos niños con la esperanza de que eso los ayudaría a recuperarse.

Poco se daban cuenta de que la leche era la fuente de su problema. Llevaba gérmenes de fiebre tifoidea, mortales. Las fiebres tifoideas, en el siglo XVIII eran incurables.

Los que estaban al cuidado de los niños reales hacían todo lo que les permitía su limitado conocimiento. Pensaban que sabían qué era lo mejor, pero estaban equivocados.

Para nosotros es fácil cometer el mismo tipo de error, especialmente cuando oramos. ¿Alguna vez le pediste a Dios algo y no lo obtuviste? ¿Estuviste tentado de pensar que Dios te había abandonado y no te respondía como te hubiera gustado?

Cuando oramos, no podemos ver el futuro. No sabemos cómo nos afectará lo que pedimos. Pero Dios sí lo sabe. Lo que pedimos podría ser lo peor para nosotros. (Como la leche contaminada con las fiebres tifoideas).

Cuando oramos tenemos que poner la decisión final en manos de Dios. Todas nuestras peticiones deberían terminar con un «Hágase tu voluntad». Podemos confiar en él porque siempre hace lo mejor.

15 OCTUBRE

La rana bocazas

Porque el que a sí mismo se engrandece, será humillado; y el que se humilla, será engrandecido.

Mateo 23: 12

ÉRASE UNA VEZ UNA RANA que vivía en una ciénaga. Quería ver mundo. Por eso dejó la ciénaga y, llena de esperanza, emprendió viaje por el polvoriento camino. Pronto se encontró con un gran lago azul. «¿Cómo cruzaré el agua?», se preguntó.

En ese mismo momento escuchó el graznido de dos gansos que pasaban por allí.

—¡Eh, gansos! —gritó la rana—. Bajen, quiero hablar con ustedes.

—¿Qué quieres, rana?

—Tengo que cruzar el agua. ¿Pueden ayudarme?

—Depende —dijo uno de los gansos—. ¿Qué tenemos que hacer?

La rana señaló un palo largo y delgado.

—Lleven este palo al otro lado del lago. Yo me agarraré a él e iré con ustedes.

Así que cada uno de los pájaros tomó un extremo del palo con el pico. La rana se instaló entre ambos y lo mordió en el centro con su enorme boca verde.

Cuando los pájaros y su pasajero viajaban hacia el otro lado del lago, dos personas que estaban en un bote los vieron pasar.

—¡Anda, mira eso! —dijo la dama a su esposo—. Esos dos gansos llevan una rana al otro lado del lago. Qué astutos.

La rana, al escuchar el comentario de la dama, se hinchó de orgullo y dijo:

—Fue idea mía.

Pero tan pronto como abrió la boca, resbaló del palo y cayó al agua. Fin del viaje.

Por supuesto, esta historia es ficticia, pero la lección que nos enseña es cierta. Como dice la Biblia: «Tras el orgullo viene el fracaso; tras la altanería, la caída». Los engreídos nunca progresan. Y si no, pregúntale a la rana.

No es preciso ocultarse

Así pues, ahora ya no hay ninguna condenación para los que están unidos a Cristo Jesús.

Romanos 8: 1

EL PADRE DE CHENG GUAN LIM, un maestro de Singapur, quería que su hijo recibiese la mejor educación posible. Por eso, el Sr. Lim envió a su hijo a la Universidad de Míchigan.

Pero, por una razón u otra, Cheng no iba bien en la universidad. Después de suspender las asignaturas y abandonar los estudios, Cheng no podía enfrentarse a su familia. Así que, simplemente, desapareció.

Nadie sabía qué había sido de Cheng. Sus familiares no sabían si estaba vivo o muerto. Pero Cheng estaba vivo y bien vivo. Había encontrado un escondite fantástico en un ático deshabitado de la Primera Iglesia Metodista de Ann Arbor.

Durante los cuatro años que siguieron, Cheng no salió nunca de la iglesia ni se comunicó con otro ser humano. Por la noche, después que el personal de la iglesia se había marchado, saltaba a la comba y hacía ejercicio para mantenerse en forma. Cuando tenía hambre se tomaba algunos de los alimentos almacenados en la despensa de la iglesia. Llegó a usar guantes para no dejar huellas dactilares.

Cheng pudo haber pasado el resto de su vida escondido del mundo. Pero un día se descuidó e hizo un ruido que escucharon algunos de los empleados de la iglesia. Llenos de sospechas, llamaron a la policía quien, investigando, descubrió al fugitivo de la universidad y supo cómo había convertido la iglesia en su propia prisión.

Cheng tuvo miedo de ir a su padre y admitir su fracaso. La vergüenza hizo que despilfarrara cuatro años de su vida.

¿Alguna vez te sentiste demasiado avergonzado para acudir a Dios? ¿Sentiste que no te perdonaría porque habías cometido demasiados pecados?

Cuando hagas algo mal, acude inmediatamente a Dios. No tienes que esconderte de él. Él nunca te rechazará ni te condenará por lo que hayas hecho.

Deja que él cargue con tu yugo y te dé un nuevo principio.

17 OCTUBRE

El *tú* de verdad

Eres de gran valor y yo te amo.

Isaías 43: 4

CUANDO LARRY EMPEZABA SU CARRERA como saxofonista, tocaba con un grupo de músicos en un salón de baile de Nueva York. La sala estaba repleta. Debajo del escenario, la gente se apelotonaba codo con codo.

A Eddie, otro saxofonista, le gustaba hacer un poco de espectáculo mientras tocaba. Uno de sus números preferidos era andar por la maroma. Durante cierta canción Eddie empezaba a andar por el borde del escenario mientras tocaba el solo de saxo. Con cuidado, ponía un pie delante de otro, como si fuera un equilibrista de circo que anda sobre un cable.

Cuando estaba seguro de haber captado la atención del público, Eddie se dejaba caer de espaldas sobre el mar de *fans* que lo adoraban. Ellos lo tomaban en brazos y luego lo volvían a subir al escenario; y allí terminaba la canción.

Larry pensaba que el número de Eddie era un signo de distinción. Por eso. Algunos meses más tarde, cuando volvió a tocar en el mismo salón de baile, quiso hacer el número de la maroma.

Cuando llegó el momento adecuado, Larry se dejó caer sobre la multitud. Pero no se había percatado de que no había tanta gente como cuando tocaba Eddie. Había mucho espacio para moverse. Así que, cuando cayó sobre el público, todos, sencillamente, se apartaron a un lado y dejaron que diera con sus huesos en el suelo. ¡Au! Por suerte, Larry no salió de esa con nada demasiado herido, excepto el orgullo.

Dios nos ha hecho a todos distintos los unos de los otros. Que a veces sintamos la necesidad de copiar a los demás en lugar de ser nosotros mismos es muy malo.

Todos podemos recurrir a algún truco de vez en cuando, pero nunca dejes de ser tú mismo. A la gente le gusta más conocer quién eres tú de verdad antes que una burda imitación de otro.

Vestido para el éxito

Evita que te desprecien por ser joven; más bien debes ser un ejemplo para los creyentes en tu modo de hablar y de portarte, y en amor, fe y pureza de vida.

1 Timoteo 4: 12

CUANDO FUIMOS A JAPÓN, nos percatamos de que casi todo el mundo llevaba un uniforme. En nuestro país estamos acostumbrados a ver uniformes escolares, pero los japoneses también los usan en el trabajo. Los empleados del banco vestían todos chaqueta azul marino. Los hombres que trabajaban en la red eléctrica vestían de amarillo brillante. Los que cavaban zanjas, te lo creas o no, iban de blanco.

Los uniformes nos dan la confianza de que las personas que los llevan están unidas a la organización que representan. Si un auto de policía me hiciese parar y se me acercase un policía vestido con pantalones cortos y una camiseta con dibujos militares, yo no le entregaría mi permiso de conducir ni la documentación del vehículo. Su ropa tiene que ser la adecuada a su profesión para que me lo tome en serio.

Cuando la gente te ve, ¿sabe que eres cristiano? No hay un "uniforme cristiano", pero hay una cierta manera de vestir que todos nosotros deberíamos adoptar.

Hollywood y la industria de la música tienen su propio aspecto, su propio tipo de uniforme. Está diseñado para sorprender y encandilar. Cuando los artistas se exhiben constantemente delante de nuestros ojos, empezamos a pensar que su modo de vestir es aceptable.

Quizá lleguemos a querer copiarlos porque captan toda nuestra atención. ¿Por qué otra razón puede alguien ponerse un zarcillo en la ceja?

A causa de la influencia que se ejerce en los demás, el vestido no es cosa de la vida privada. Los cristianos tienen que poner a Jesús en primer lugar. Si vestimos de manera inmodesta, perdemos la posibilidad de dar testimonio de él y promovemos el modo de actuar de Satanás. La próxima vez que te mires en un espejo, piensa qué uniforme vistes.

El aspecto

Feliz tú, que honras al Señor y le eres obediente.
SALMO 128: 1

COMO ESTAMOS TRATANDO EL TEMA DEL VESTIDO, quiero hablarte de un código de indumentaria del que probablemente no te hayas percatado. Lo llaman el "Estilo Disney".

Cuando la gente quiere trabajar en Disneyland o Walt Disney World se le entrega un folleto que describe cómo debe vestir. Estas son algunas de las normas:

> Los cabellos con mechas, decolorados y tintes estridentes son inaceptables. No llevará ningún collar o pulsera. No se aceptan sombras de ojos, pestañas postizas ni perfiladores. En las uñas solo se admiten colores naturales.

¿A que suena como una página del manual de la escuela? ¿Por qué la Disney tiene que exigir cosas así a sus empleados? La respuesta está en el mismo folleto

> La gente de Disneyland y Walt Disney World tiene establecida una imagen desde hace años que es conocida en todo el mundo. Esté usted en el escenario presentando un número o entre bambalinas, preparándolo, el "Estilo Disney" sigue siendo uno de los elementos más importantes del espectáculo Disney…

La Disney quiere que sus trabajadores sean capaces de desempeñar sus tareas sin molestar a la gente o atraer la atención hacia sí mismos. ¿Debemos esperar otra cosa de los que somos representantes del reino de Dios?

Como cristianos, nuestra tarea es vivir por Jesús y hacer que los demás sepan que vuelve pronto. No queremos que nadie se fije en nuestro modo de vestir. Tampoco queremos atraer la atención sobre nosotros mismos. El centro de atención es Jesús, no nosotros.

Todos los que hemos tomado el nombre de cristiano tenemos la responsabilidad de representar a Jesús en el mundo. ¿Qué imagen das?

Al fin libre

Cuando ustedes todavía eran esclavos del pecado, no estaban al servicio de la justicia. Pero ahora, libres de la esclavitud del pecado, han entrado al servicio de Dios. Esto sí les es provechoso, pues el resultado es la vida santa y, finalmente, la vida eterna.

Romanos 6: 20, 22

DESDE LA ANTIGÜEDAD, los prisioneros solían ser enviados a galeras, a remar en grandes barcos de remos. Encadenados a bancos de madera, eran obligados a remar, aun con mar muy turbulenta o vientos huracanados.

En 1668, Luis XIV, rey de Francia, decretó que los barcos de su armada ya no serían movidos por galeotes. Por eso, los convictos fueron llevados de vuelta de los barcos a las prisiones.

Cuando se revisaron los expedientes de todos los convictos, se descubrió que uno de los galeotes, un hombre llamado René Desprez, había sido enviado a galeras cuando solo era un jovencito. Ahora, ya viejo, había sobrevivido 75 años en galeras.

El expediente de Desprez puso de manifiesto algo aún más sorprendente: No había pruebas de que hubiese cometido algún delito. Todos esos años que había vivido como un galeote, en realidad, era un hombre libre.

Cuando Jesús vino a la tierra y murió para quitar nuestros pecados, fuimos liberados del control de Satanás y del poder del pecado. Ya no tenemos que obedecer nuestros deseos malvados.

Pero, como René Desprez, algunos cristianos nunca intentan liberarse. Piensan que todavía están encadenados a sus antiguos pecados y hábitos. No se dan cuenta que por medio de Jesús pueden vencer todos los defectos de carácter.

Si le has entregado la vida a Jesús, no tienes que seguir siendo un galeote. Puedes salir de la esclavitud del pecado y vivir una vida libre y victoriosa.

21 OCTUBRE

Inténtalo otra vez

Meditaré en tus preceptos y pondré mi atención en tus caminos. Me alegraré con tus leyes y no me olvidaré de tu palabra.

SALMO 119: 15, 16

CUANDO MI HERMANA KIM se puso por primera vez los esquís y bajó por la ladera de la colina recordó los Juegos Olímpicos de Invierno que todavía estaban frescos en su memoria. Ver a los esquiadores mientras bajaban sin esfuerzo por las laderas la convenció de que esquiar sería muy fácil. Por eso Kim, fue, con algunos amigos de la academia, a una estación de esquí para pasar el día.

Se puso los esquís y se subió en el telesquí hasta la cima de la colina. Desde ese punto privilegiado se dio cuenta de que bajar no sería tan sencillo como había pensado.

Después de caer más veces de las que se habría atrevido a contar, Kim abandonó los sueños olímpicos. Se quitó la nieve que le había quedado pegada a la ropa, devolvió el equipo a la tienda de alquiler y se fue a casa. Pasarían muchos años hasta que volviera a ponerse unos esquís en los pies.

¿Alguna vez trataste el estudio de la Biblia como si fuera un deporte? Si va bien, sigues adelante. Si no ves resultados inmediatos, te encoges de hombros y dices: «Bueno, no era para mí. Me dedicaré a otra cosa».

Muy pocos piensan que el estudio de la Biblia es emocionante desde el principio. Muy pocos verán grandes cambios en su vida. Es algo parecido a aprender a tocar el piano.

Empiezas con canciones facilitas. Pero si no abandonas, finalmente puedes tocar *Para Elisa*, de Beethoven, o el *Vals del minuto*, de Chopin. Lleva su tiempo. Nada que realmente valga la pena sucede de un día para otro. Los beneficios de estudiar la Biblia se acumulan a medida que dedicas más y más tiempo a la Palabra de Dios. Lo importante es seguir leyendo.

Una llamada de Dios

Él es el salvador y el libertador; el que hace señales maravillosas en el cielo y en la tierra.

Daniel 6: 27

MARY DHUME ESTABA MIRANDO LA TELEVISIÓN cuando sonó el teléfono. Se levantó y fue a la habitación de al lado. Descolgó el auricular.

—Aló.

Nadie al otro lado del hilo.

—Aló. ¿Hay alguien al aparato?

Nada.

De repente, se escuchó un estruendo ensordecedor. El suelo tembló y por el aire volaron fragmentos de cristal. La pared del salón se había hundido sobre la butaca en que estaba sentada hacía unos segundos.

Justo en el momento en que sonó el teléfono, una camioneta derrapó en la curva de delante de la casa de Mary. Al perder el control cruzó su jardín y chocó contra la pared.

El conductor hizo marcha atrás y desapareció. Mary llamó al número telefónico de emergencias, el 911.

Más tarde, después de que se desvaneciera la polvareda y que la Policía de Tráfico de Ohio detuviera al conductor fugitivo, Mary respondió a preguntas sobre su experiencia.

—¿Que el teléfono sonara en ese preciso momento? Es una de aquellas cosas que la gente nunca creería —dijo—. Quizá fuera Dios que me llamaba para decirme que saliera del salón.

Algunas personas podrán decir que fue solo una coincidencia. Pero los que creemos en Dios sabemos que usa muchos medios para protegernos del peligro.

Cuando lleguemos al cielo, podremos hablar con nuestros ángeles de la guarda y descubrir las veces que nos salvaron la vida y volveremos a darnos cuenta de que nunca estuvimos solos. Dios siempre se ocupa de nosotros.

23 OCTUBRE

Inversiones inteligentes

Mándales que hagan el bien [...]. Así tendrán riquezas que les proporcionarán una base firme para el futuro, y alcanzarán la vida verdadera.

1 Timoteo 6: 18, 19

CORRÍA EL AÑO 1903. Los automóviles empezaban a sustituir a los coches de caballos. Nelson Jackson, un médico de Nueva Inglaterra, estaba de vacaciones en California cuando apostó que podía cruzar toda Norteamérica al volante de uno de esos nuevos inventos.

Algunos le tomaron la palabra. Así que compró un automóvil de dos cilindros, de veinte caballos de potencia y con transmisión por cadena y emprendió viaje hacia la costa este. Las malas carreteras,[1] las numerosas averías y una velocidad límite de solo treinta kilómetros por hora hacían que el viaje fuese un verdadero desafío.

A pesar de todos los inconvenientes, el doctor acabó el viaje de casi diez mil kilómetros y ganó la apuesta de cincuenta dólares. Pero le costó dos meses de su vida y ocho mil dólares.

Cuando inviertas tu tiempo y tu dinero, asegúrate de que la contrapartida sea buena. Jugar con videojuegos, ver la televisión, leer mucha ficción y hablar horas y horas por teléfono puede ser divertido, ¿pero qué te queda cuando has acabado?

Por otra parte, el tiempo que inviertes en los estudios es un tiempo bien gastado. El conocimiento que obtienes será tuyo para el resto de tu vida.

Aprender a tocar un instrumento musical, en especial el piano, también es una buena inversión. Potencia la mente y da la oportunidad de contribuir a la Escuela Sabática y los programas de la iglesia.

Pero lo más importante de todo es la inversión que hagas en tu relación con Dios. Dedica un tiempo cada día para aprender más de Él, para orar y para compartir con los demás lo que hayas aprendido. Nada es más importante para esta vida y la que ha de venir que conocerlo mejor.

La vida es corta. Invierte con inteligencia.

---

1. En 1903, había únicamente 150 kilómetros de carretera asfaltada en todo el país; por eso, la mayor parte del trayecto, el doctor tuvo que conducir por pistas polvorientas. La ruta indirecta casi dobló el kilometraje.

Solución pasajera

El testigo falso no quedará sin castigo;
el mentiroso no saldrá bien librado.

Proverbios 19: 5

EL 23 DE AGOSTO DE 1799, la armada inglesa capturó un barco mercante americano llamado *Nancy*. Inglaterra estaba en guerra contra Francia, España y Holanda, y estaba convencida de que la tripulación del *Nancy* había proveído armas a los holandeses en la isla de Curazao.

Pero cuando fueron llevados ante los tribunales, los americanos afirmaron que no habían hecho nada malo. Después de revisar los hechos, los jueces decidieron que no había pruebas suficientes para declararlos culpables.

Justo cuando el tribunal estaba a punto de levantar la sesión, un teniente inglés entró en la sala de audiencias.

—Tengo la prueba de que hubo una entrega de armas para los holandeses —dijo—. Esta misma mañana hemos encontrado esto en el estómago de un tiburón.

El teniente entregó al juez un legajo de papeles mojados. Cuando el juez inspeccionó la prueba, se dio cuenta de que era lo que necesitaban para confiscar el barco. Tenía en las manos el registro real de la venta de las armas.

Días antes, cuando el capitán del barco americano se dio cuenta de que estaban a punto de ser arrestados, ató en un fajo todos los documentos concernientes a la venta de armas y los arrojó por la borda. Pero nunca llegaron al fondo del océano. Un tiburón que pasaba por allí se los tragó. El día del juicio, el tiburón fue capturado y cuando abrieron su estómago descubrieron los documentos.

El capitán del *Nancy* pensó que la mentira colaría, pero al final la verdad salió a la luz. Las mentiras nunca son la solución a un problema. Son solo una solución temporal que solo consigue empeorar las cosas.

25 OCTUBRE

Situaciones tensas

En mi angustia clamo a ti, porque tú me respondes.

Salmo 86: 7

TOM FERGUSON VIVÍA EN TIEMPOS DEL SALVAJE OESTE. Su trabajo era entregar dinero a los ranchos de la zona para pagar los salarios mensuales. Era un trabajo peligroso porque siempre había bandidos a quienes les encantaba apropiarse del dinero que llevaba.

Una tarde, mientras iba de camino por un camino polvoriento y solitario, vio que algo se movía detrás de unos árboles, un poco más allá de la carretera, a su derecha. Rápidamente, dirigió el caballo hacia la izquierda y se escondió detrás de unas rocas. Apenas pasó un tiempo que escuchó a alguien que gritaba desde los árboles.

—¡Eh!, Tom, arroja el dinero al camino y te dejaremos volver al pueblo. No queremos líos. Solo queremos el dinero.

Tom sabía que su reputación se basaba en su capacidad de llevar el dinero de forma segura de un lugar a otro. No estaba dispuesto a ceder a las demandas de los bandidos.

—Lo siento, muchachos. No van a obtener nada de mí.

—Ya lo veremos —respondió el bandido—. No tenemos prisa. Podemos esperar hasta que estés dispuesto a cooperar.

Tom no respondió. Se limitó a disparar al aire.

—¿Qué sucede? ¿Es que no sabes disparar? —bromeó el otro bandido.

Tom disparó una bala más y bajó el rifle.

—Le disparé al cable del telégrafo —dijo—. Muy pronto estará aquí la brigada de reparaciones. Estoy seguro que estarán encantados de entregarlos al sheriff.

Cuando Tom se encontró en una situación tensa no quiso resolverla por sus propios medios. Pidió ayuda del exterior.

Cuando tenemos problemas, también podemos usar ayuda exterior. Dios está dispuesto y ansioso por ayudarnos en momentos difíciles. Si lo llamamos, vendrá en nuestra ayuda y hará lo que sea necesario para rescatarnos.

Acepta el desafío

Me quejaba y desmayaba mi espíritu.

SALMO 77: 3, RV95

DESDE 1972, EL EDUCADOR HAL URBAN ha animado a la gente para que acepte el desafío del Memorial Bruce Diaso. Antes de decir nada más sobre el desafío, deja que te hable de Bruce.

Bruce había sido compañero de aula de Hal cuando estaban en la universidad. Bruce era paralítico a causa de una poliomielitis sufrida cuando estaba en el último curso del instituto. La única parte del cuerpo que podía mover eran las manos (pero no los brazos) y la cabeza. Aunque tenía buenas razones para estar amargado a causa de su condición, nadie escuchó *nunca* una queja de sus labios.

Cuando se le preguntaba cómo podía mantener una actitud positiva, Bruce respondía que no quería pasarse el resto de la vida sintiendo lástima de sí mismo. Así que, en lugar de eso, decidió estar agradecido.

Bruce se graduó con matrícula de honor, fue admitido en la facultad de derecho y se convirtió en fiscal. Pero su vida acabó demasiado pronto, a los 31 años de edad.

En 1972 Hal empezó a presentar el desafío Memorial Bruce Diaso a los alumnos de su instituto y de la universidad. Es este: Intenta pasarte 24 horas sin quejarte.

Es triste, pero en treinta años, de las más de ochenta mil personas que escucharon el desafío, solo cinco fueron capaces de mantener una actitud positiva durante todo un día. Hal siguió diciendo que había miles más a los que se les presentó el desafío pero ni siquiera lo intentaron porque, según su opinión, pasar un día sin quejarse es imposible.

Hoy, ahora, quiero desafiarte a aceptar el desafío Memorial Bruce Diaso. Durante las próximas 24 horas, no te quejes. En vez de ello, sé agradecido. Quizá descubras que esta experiencia cambia la vida.

27 OCTUBRE

Palos y piedras

No digan malas palabras, sino solo palabras buenas que edifiquen la comunidad y traigan beneficios a quienes las escuchen.
Efesios 2: 8, 9

Y BIEN, ¿CÓMO FUE EL DESAFÍO Memorial Bruce Diaso de ayer? ¿Fuiste capaz de mantener la actitud positiva durante todo un día?

Las quejas no son el único problema que tenemos con las palabras. A veces nos gusta usarlas para intimidar y herir a los demás.

El autor Hal Urban afirma que:

- Cada día, más de ciento sesenta mil niños se quedan en casa y no van a la escuela a causa de las humillaciones a las que los someten sus compañeros.
- En un mes, más de dos tercios de los alumnos son objeto de burlas o cuchicheos en la escuela.
- Casi un tercio de los alumnos de los grados comprendidos entre sexto y décimo ha sufrido acoso escolar.

«Palos y piedras quizá mis huesos quiebran, pero las palabras *siempre* me degüellan» sería la mejor manera de resumir cómo nos afectan las palabras negativas. Cuando la gente dice cosas hirientes no suele darse cuenta del efecto que sus palabras tienen en los demás. Hace más de setenta años, cuando mi madre tenía diez años, otra jovencita le dijo que tenía las orejas grandes. Minutos más tarde la niña se olvidó de lo que había dicho, pero mi madre desde entonces ha sido sensible a la medida de sus orejas, incluso a pesar de que sus orejas son menores que la media.

El versículo para hoy nos recuerda que es preciso vigilar lo que decimos. Piensa antes de hablar. Asegúrate de que tus palabras son una bendición para los demás.

Un problema de herramientas

Porque por gracia ustedes han sido salvados mediante la fe; esto no procede de ustedes, sino que es el regalo de Dios, no por obras, para que nadie se jacte.

Efesios 2: 8, 9, NVI

A LARRY WALTERS SE LE OCURRIÓ la idea por primera vez cuando tenía trece años. Veinte años más tarde hizo realidad su sueño cuando hizo un viaje en una butaca de jardín.

Larry ató más de cuarenta grandes globos de helio a la butaca. También ató unas latas de cuatro litros llenas de agua para que actuasen de lastre y evitar que la butaca volcase. Luego, con la ayuda de sus amigos, se subió a bordo del artilugio y despegó hacia el azul infinito.

Pero las cosas no salieron como había planeado el ascenso fue tan rápido que perdió los anteojos. Subió tanto que acabó al lado de un avión. Hacía tanto frío que acabó reventando los globos con la pistola de balines para poder regresar al suelo.

El viaje de Larry acabó cuando aterrizó sobre unos cables y dejó sin electricidad a todo el condado, cosa que no gustó a sus vecinos. Cuando le preguntaron por su viaje, la respuesta de Larry fue: «No lo volvería a hacer, en la vida».

Larry quería dar un tranquilo paseo por el desierto, pero se puso en graves problemas por usar la herramienta equivocada. Los fariseos también tenían problemas de herramientas. Tomaban la santa ley de Dios y la usaban como medio de ganarse la salvación.

Después de ver a Jesús en una visión, Pablo el fariseo cambió de opinión al respecto de cómo se hay que usar la ley. Se dio cuenta de que, aunque «la ley en sí misma es santa, y el mandamiento es santo, justo y bueno», la salvación solo puede venir de la fe en Jesús.

Los mandamientos no son un pasaje al cielo. Son como un GPS que guía a los conductores hacia su destino y os advierte cuando se desvían del camino. Cuando los mandamientos te avisen de que has dado un giro equivocado en el viaje increíble, vuelve a la carretera manteniendo los ojos puestos en Jesús.

29 OCTUBRE

Nuevo y mejor

Secará todas las lágrimas de ellos, y ya no habrá muerte, ni llanto, ni lamento, ni dolor; porque todo lo que antes existía ha dejado de existir. [...] Yo hago nuevas todas las cosas.

Apocalipsis 21: 4, 5

EN CLASE HABLÁBAMOS DE SI ES O NO CORRECTO que la gente sea incinerada después de morir.

—Si queman del todo a una persona, ¿cómo la resucitará Jesús, si ya no hay cuerpo? —preguntó alguien.

Ahora, si tuviésemos que devolver a una persona a la vida, tendríamos un problema. Pero el Único que creó el universo de la nada está a cargo de la resurrección y no tendrá ningún problema en absoluto.

Durante la Segunda Guerra Mundial, un bombardeo destruyó la Casa de los Comunes en Londres. La gente deseaba que el edificio recuperase su antiguo aspecto. Para que eso sucediera, los arquitectos necesitaban encontrar los planos originales. Pero Nadie sabía si existían.

Por suerte, más de cincuenta años antes, hacia fines del siglo XIX, los planos habían sido confiados a un joven arquitecto. Cuando oyó que los necesitaban, los entregó y la reconstrucción se hizo de forma precisa.

Cuando Jesús vuelva, no tendrá ningún problema para restaurar a sus seguidores. En la cabeza tiene "los planos" de cada uno de nosotros. Conoce todos los detalles de nuestro aspecto y nuestra personalidad. No importará si vivimos para ver su venida o si somos resucitados de la tumba. Sabrá cómo reconstruirnos. Hará que nuestro cuerpo sea nuevo y mejor, aunque reconocible para nuestros amigos y familiares.

¿Verdad que será emocionante ver cómo la gente cambia instantáneamente? ¡Quién sabe qué otras sorpresas tiene planeadas!

No te fíes de los ojos

Porque vendrán falsos mesías y falsos profetas; y harán grandes señales y milagros, para engañar, a ser posible, hasta a los que Dios mismo ha escogido.

Mateo 24: 24

CUANDO VI QUE EL ILUSIONISTA Kirby Van Burch hacía desaparecer un helicóptero, no podía creer lo que veían mis ojos. El helicóptero estaba ahí, en el escenario, justo delante de nosotros. Pero cuando retiró el telón no lo vi. Y eso que yo estaba sentada en la cuarta fila…

El cerebro me decía: «Los helicópteros no se esfuman». Pero los ojos decían: «Ha desaparecido».

Justo antes de que Jesús regrese, Satanás creará las ilusiones más extraordinarias jamás vistas en la tierra. Olvídate de helicópteros que desaparecen. Satanás no vendrá a divertirnos. Su objetivo será engañar a todo el mundo y hacer que lo siga. Y casi lo conseguirá.

Los ángeles de Satanás tomarán la forma de personas que han muerto. Afirmarán que viene del cielo. El mismo Satanás fingirá ser Jesús. Intentará convencer a todos de que el sábado fue cambiado por el domingo. Será tan convincente que, a menos que conozcas la verdad, lo seguirás.

Hay tres cosas que puedes hacer para no caer en el engaño final de Satanás. La primera, conocer la Biblia. ¿Qué dice del lugar al que van las personas cuando mueren? ¿Qué dice de la segunda venida de Jesús? ¿Qué dice del día de adoración de Dios?

La segunda, no permitas que la curiosidad te meta en líos. Quizá quieras ver cómo es ese "Jesús". Pero no te le acerques. No le des la oportunidad de controlar tu mente.

Y la tercera, y la más importante, permanece junto a Jesús. Mantén un contacto constante con él. Él te llevará a la verdad e impedirá que caigas en las ilusiones magistrales de Satanás.

31 OCTUBRE

Tiempo de gratitud

Mientras yo exista y tenga vida, cantaré himnos al Señor mi Dios.
Salmo 104: 33

ESTE MES, CUANDO ESCRIBAS las cosas por las que estás agradecido, haz una lista de los acontecimientos que para ti son especiales. Por ejemplo: ir al campamento de verano, aprender a tocar el piano, ser bautizado, ir a una reunión campestre, etcétera.

Gracias, Señor, por:

Peticiones especiales:

Una mujer en misión especial

Vayan por todo el mundo y anuncien a todos la buena noticia.

MARCOS 16: 15

CUANDO LOS MÉDICOS finalmente pudieron saber qué le sucedía a Alvena Evans, nadie podía creer el diagnóstico: cirrosis hepática. La cirrosis es un problema común en la gente que abusa del alcohol. Pero Alvena era muy consciente en temas de salud. Nunca había probado el alcohol.

Durante once años, la situación de Alvena empeoró. Hacia abril de 2000 le daban menos de un año de vida. El médico la puso en lista de espera para un trasplante.

Siete meses después, el 24 de noviembre, recibió una llamada. Un hígado sano estaba disponible. El esposo de Alvena, Gordon, se apresuró a llevarla al hospital mientras el equipo de cirujanos empezaba a preparar la operación.

Tan pronto como Alvena llegó al hospital Henry Ford de Detroit, los médicos sustituyeron su hígado enfermo por otro que procedía de un donante de órganos que había muerto de un aneurisma cerebral. Nueve días después, Alvena estaba de vuelta a casa y a la espera de una larga, feliz y saludable vida.

Como está tan agradecida con el programa de donación de órganos, Alvena ha hecho suya la misión vital de hacer que otros conozcan el programa para que puedan formar parte de él.

Cada semana, con su esposo, visita distintas iglesias y organizaciones, cuenta su historia y transmite información sobre cómo las personas pueden hacerse donantes de órganos. Alvena quiere que el programa crezca para que otros enfermos que esperan un trasplante puedan experimentar la nueva vida que ahora goza.

Si los cristianos compartiremos la misma emoción con respecto del don de la vida eterna que Jesús nos dio, piensa hasta qué punto pondríamos el mundo patas arriba. Qué sucedería si hiciésemos que nuestra misión fuera contar cada semana a al menos una persona lo que Jesús hizo por nosotros y lo que hará por ella.

Cuando entendamos de verdad qué significa estar rescatados del pecado y haber recibido la vida eterna estaremos tan agradecidos que también tendremos una misión especial.

2 NOVIEMBRE

Una respuesta rápida

Pero cuando el Espíritu Santo venga sobre ustedes, recibirán poder y saldrán a dar testimonio de mí, en Jerusalén, en toda la región de Judea y de Samaria, y hasta en las partes más lejanas de la tierra.

Hechos 1: 8

EL LIBRO *EXTREME DEVOTION* (Devoción extrema) relata historias reales de cristianos de la antigüedad y de la actualidad que estuvieron dispuestos a abandonarlo todo para seguir a Jesús. La historia de hoy y las de los dos próximos días proceden de ese libro.

En el año 800, los musulmanes radicales de cierto país islámico habían encarcelado a siete cristianos. Querían que se convirtiesen al islam. Pero los cristianos no abandonaron su fe en Jesús.

—Mahoma es el mayor profeta —declararon los musulmanes—. Profetizó hace menos tiempo que Jesús y fue el último profeta de Alá.

Los cristianos respondieron:

—En vuestro sistema legal, la legitimidad de un asunto se determina por el número de testigos. Jesús tuvo muchos testigos, desde Moisés hasta Juan el Bautista. Mahoma solo dio testimonio de sí mismo.

Sus carceleros se dieron cuenta de que el razonamiento de los cristianos tenía sentido. Así que intentaron con otro argumento.

—El islam tiene que ser la religión verdadera. Nuestro imperio es mayor que el de los cristianos.

—Si la medida del imperio fuese el factor determinante —dijeron los cristianos—, entonces, los cultos paganos de Egipto, Grecia y Roma tendrían que haber sido la fe verdadera porque en un momento determinado sus gobiernos tenían los mayores imperios. La medida y el poder no indican la aprobación de Dios.

Mientras sigas tu viaje increíble, tú también tendrás oportunidad de explicar por qué eres seguidor de Jesús. Cuando ese momento llegue, el Espíritu Santo estará contigo para darte, además de las palabras adecuadas, el valor para decirlas.

Venganza... ¿o amor?

No paguen a nadie mal por mal. [...] Si tu enemigo tiene hambre, dale de comer; y si tiene sed, dale de beber.

Romanos 12: 17, 20

BARTO HABÍA SIDO UN MIEMBRO PODEROSO del Partido Comunista. Pero perdió su posición y fue sentenciado a un campo de prisioneros rumano. Ahora sufría el mismo destino que había impuesto a otros. Trabajo duro, aislamiento de la familia y los amigos, condiciones de vida insanas, y terribles punzadas de hambre eran su día a día.

Después de que Barto hubo terminado su escasa comida, un prisionero compañero suyo se le acercó y le dio un poco de la suya.

Barto entabló conversación con aquel hombre amable.

—¿Cuánto tiempo llevas aquí? —preguntó Barto.

—Veinte años.

—¿Veinte años? ¿Qué hiciste para que te cayera una sentencia así?

—Dar comida a un pastor que era perseguido por la policía.

Barto sacudió la cabeza.

—¿Quién te impuso una pena tan terrible por un acto de amabilidad?

El hombre dudó.

—Fuiste tú, cuando eras fiscal. Tú no te acuerdas de mí, pero yo sí me acuerdo a ti.

El hombre continuó.

—Soy cristiano. Dios me ha pedido que ayude a los que están necesitados. Ayudé al pastor entonces y hoy te ayudo a ti.

La venganza es nuestra respuesta natural, pero cuando Jesús sea el dueño de nuestra vida podrá darnos amor para todos, incluso para nuestros enemigos.

La señal secreta

No tengas miedo de lo que vas a sufrir [...]. Mantente fiel hasta la muerte, y yo te daré la vida como premio.

Apocalipsis 2: 10

NADIE BUSCA SER PERSEGUIDO. Thomas Hauker no era una excepción.

Cuando el joven inglés fue sentenciado a morir en la hoguera, sus amigos fueron a hacerle compañía durante sus últimas horas. Mientras oraban y hacían todo cuanto podían por animar a Thomas para que resistiese, uno de sus amigos hizo una petición.

—He escuchado que cuando una persona tiene que morir entre las llamas, Dios la ayuda a resistir el dolor. ¿Podrías darnos una señal de que sucede así?

Thomas asintió.

—Si el dolor que siento se puede soportar, antes de morir levantaré las manos para hacerles saber que lo que escucharon es cierto.

El día de su ejecución, los amigos de Thomas lo vieron andar con paso firme hacia la hoguera. Después de que los verdugos lo encadenaran a la estaca, pusieron la leña en su sitio. Thomas no dijo nada. Permanecía de pie y con los ojos cerrados.

Cuando el fuego prendió, empezó a hablar. Dirigió sus palabras a los que lo rodeaban y hablo de Jesús. Continuó hablando hasta que las llamas lo rodearon. Entonces calló.

Seguros de que al fin había muerto, sus amigos se sorprendieron al ver que, de repente, levantaba los brazos por encima de la cabeza. ¿Sería la señal que habían acordado? Pero hubo más. Thomas, no solo levantó los brazos, sino que dio tres palmadas. Sus amigos dieron un poderoso grito de victoria.

A veces, Dios libra a sus santos, como hizo cuando Daniel fue arrojado al foso de los leones. Pero otras permite que mueran como mártires.

Aunque Thomas murió como un mártir, dio testimonio del poder de Dios. Su historia nos ayuda a recordar que si somos de Cristo, él nunca nos abandonará.

Dulces sueños

Señor, tú conservas en paz a los de carácter firme, porque confían en ti.

Isaías 26: 3

CUANDO TENÍA DIECISÉIS AÑOS, nuestros vecinos, los Price, me permitían que me ocupara de sus hijos mientras salían por la tarde. Preparaba la cena para sus dos pequeños, Michelle y Corky. A las 8:00 los preparaba para ir la cama. Luego, me sentaba en el sofá y miraba la televisión.

Hacia las 10:00, empezaba a orar para que los Price regresaran a casa antes de que fuera demasiado tarde. Yo siempre me iba pronto a dormir y me costaba mucho permanecer despierta después de la hora de acostarme. No quería que me encontraran dormida en el sofá. Por eso mantenía encendida la televisión. Y entonces es cuando empezaban las películas de terror.

Cuanto más tiempo las miraba, más se agitaba mi imaginación. Finalmente, cuando regresaban los Price, yo corría hacia casa y me iba a la cama. Pero a menudo, las pesadillas me impedían descansar bien.

Entonces no lo sabía, pero mientras dormimos las cosas en que pensamos antes de acostarnos continúan dando vueltas por la cabeza. Si quieres disfrutar de un sueño placentero, alimenta tu mente con cosas positivas. La música tranquila e inspiradora te ayudará a relajarte. Leer la Biblia u otras historias educativas te llenarán la mente de pensamientos sanos y positivos.

Algunos consideran que la hora de ir a la cama es el mejor momento para repasar los versículos de la Biblia que quieren aprender. También es un gran momento para hablar con Dios sobre cómo ha ido el día.

El sueño es un don maravilloso de Dios. Y puede ser aún mejor si llenas la mente con buenos pensamientos antes de apagar la luz.

Una mirada hacia el futuro

El sabio los escucha y aumenta su saber.

PROVERBIOS 1: 5, RV95

CONVERTIRSE EN PROFESIONALES es el sueño de miles de atletas estadounidenses. Pero conseguirlo es poco menos que imposible.

Muchos jóvenes tienen la oportunidad de jugar en los equipos de los institutos. Pero entrar en un equipo universitario es muy difícil porque hay mucha gente que desea la misma posición.

De todos los jugadores universitarios, solo ocho de cada cien pasan al deporte profesional. Y de cada cien que dan el salto, solo dos acaban en un equipo profesional. Estos números se traducen así: De cada 625 deportistas universitarios, solo uno se convertirá en profesional.

Durante los treinta años que me he dedicado a la enseñanza, he tenido muchos alumnos que ponían todo su empeño y esfuerzo en el deporte. Creían que una buena educación no era importante porque serían deportistas profesionales y no tenían que saber escribir una redacción o diseccionar un ángulo. El resultado era que nunca se preparaban para una profesión y acababan con un trabajo aburrido y mal pagado.

Cuando Derek Meter, jugador de los Yankees de Nueva York, todavía estaba en el instituto, lo entrevisté para la revista *Listen.* Acababa de ganar setenta mil dólares por firmar con los Yankees. Todavía valoraba su educación.

Derek me dijo que cuando tenía cuatro años había decidido que algún día sería jugador de pelota. Pero no permitió que su objetivo le impidiera obtener unas buenas notas en la escuela. Trabajó duro en clase y se graduó como miembro de la Sociedad Nacional de Honor con una nota media de 3.8 sobre cinco.

Quizá no sepas qué quieres ser cuando seas mayor, pero puedes prepararte esforzándote al máximo en tus estudios. Aprende todo cuanto puedas y prepárate para ver lo que Dios te tiene reservado.

No yo, sino Cristo

Si alguno quiere ser discípulo mío, olvídese de sí mismo, cargue con su cruz cada día y sígame. Porque el que quiera salvar su vida, la perderá; pero el que pierda la vida por causa mía, la salvará.

Lucas 9: 23, 24

EL MAYOR RETO AL QUE NOS ENFRONTAMOS cada día es entregar la vida a causa de Jesús. Eso no significa que nuestra vida se acabe. Tiene que ver con morir al yo, dejar a un lado nuestras necesidades egoístas para que Jesús pueda ser el Señor de nuestra vida.

Desde el momento en que nacemos, queremos que las cosas se hagan a nuestra manera. La tarea del poder sobrenatural de Dios es hacer que dejemos de estar centrados en nosotros mismos y nos centremos en Dios.

Por eso, ¿qué es morir al yo? ¿Cuáles son las señales que nos indican que Dios nos está transformando el carácter?

Cuando los amigos tienen los mejores papeles del programa de Navidad y tú eres solo un pastor (por tercer año consecutivo) y, aun así, te sientes feliz por ellos, entonces has muerto al yo. Cuando tus papás o los maestros te corrigen y no estás resentido, has muerto al yo. Cuando no te interesa hablar de ti mismo ni recibir la aprobación de los demás, y cuando no necesitas ser el centro de atención, entonces has muerto al yo. Cuando a pesar de que, aunque pones todo tu empeño, los demás se burlan de ti y te ridiculizan, y tú no te enfadas, has muerto al yo. Cuando, aunque los demás obtengan una nota mejor, reciban permisos más amplios, vistan ropa más cara y vivan en casas más grandes, tú no sientes envidia, has muerto al yo.

¿Te parece imposible? Lo es, a menos que estemos dispuestos a poner a Jesús en primer lugar. Si se lo pedimos, nos puede alejar del egoísmo y darnos un carácter como el suyo.

8 NOVIEMBRE

Una broma pesada nada útil

El que es prudente actúa con inteligencia, pero el necio hace gala de su necedad.

Proverbios 13: 16

UNOS GOLPES EN LA PUERTA interrumpieron la clase de historia del Sr. Coffee.

—Tiene una llamada telefónica en secretaría —dijo una voz desde el pasillo.

«Justo a tiempo», pensó Mark mientras observaba a su profesor que salía del aula. Mark metió la mano en el pupitre y sacó su goma elástica.

Después arrancó algunas hojas de su cuaderno. Las envolvió hasta formar una preciosa y enorme bola de papel. Con las manos escondidas dentro del pupitre, deslizó la goma elástica por los dedos y puso la bola de papel en posición.

Se dio la vuelta y apuntó el proyectil a la cabeza de Rick.

—¡Eh, Rick! —dijo.

Rick levantó la mirada al tiempo que Mark soltaba la bola de papel.

—¡Eeeeeeeeeeeh! —gritó Rick mientras caía al suelo.

Elsa Coffee regresó corriendo al aula.

—¿Qué pasa? —preguntó.

—No quería hacerle daño —se lamentó Mark—. Solo era una broma. No quería darle en el ojo.

—¿En el ojo?

El Sr. Coffee se agachó junto a Rick.

—No te preocupes, Rick. Ahora mismo llamo a tus papás.

Al cabo de poco la mamá de Rick entró en el aula. El Sr. Coffee ayudó a Rick mientras se ponía de pie y lo acompañó al automóvil.

El resto de la mañana Mark estuvo cabizbajo, deseoso de poder desaparecer. Los otros alumnos lo miraron con desaprobación. Estaban hartos de sus bromas pesadas.

Justo antes del almuerzo, Rick regresó a la clase. Un gran parche le cubría el ojo derecho. Todos esperaban que Elsa Coffee diera una clase sobre los peligros de gastar bromas a las personas. Pero no lo hizo. No tenía que hacerlo. El ojo de Rick hablaba por sí solo.

El tesoro escondido

No me hagas rico ni pobre.

PROVERBIOS 30: 8

EN 1880, UN MÉDICO ALEMÁN que trabajaba en Perú recibió el recado de que lo necesitaban en una familia que vivía en las montañas. La esposa de un uno de los indios peruanos estaba muy enferma y se temía por su vida.

El Dr. Kart Weiner fue llevado a la aldea de la mujer y allí usó todo su conocimiento médico para salvar su vida. Tan pronto como se estabilizó, el médico emprendió viaje de regreso al valle. El agradecido esposo le sirvió de guía a través de los pasos más difíciles.

Cuando llegaron a un estrecho saliente, el indio se apartó del camino. El Dr. Weiner lo siguió. Entraron en una abertura de la pared rocosa y cuando estuvieron de pie, el doctor miró a su alrededor lleno de asombro.

—¿Dónde estamos? —preguntó—. ¿En una mina de plata?

—Sí —respondió el indio—. En pago por haber salvado a mi esposa, llévese tanta plata como pueda.

El doctor tomó un buen pedazo de mena de plata y, presa de la curiosidad, preguntó:

—¿En la aldea saben de la existencia de esta mina?

—No —respondió el indio—. La riqueza solo trae problemas. Quiero que mi gente sea feliz. Usted no podrá encontrar otra vez esta mina, por eso sé que con usted mi secreto está seguro.

Hasta el momento, la mina nunca ha sido encontrada. Pero el pedazo de mena del doctor está expuesto en el Museo de Historia Natural de Viena, en Austria.

El indio era un hombre sabio. Es agradable tener dinero suficiente para pagar las facturas, pero la riqueza no trae la felicidad. La felicidad es una actitud, no una cuenta de ahorros.

No busques la manera de hacerte rico. Busca las oportunidades de disfrutar lo que ya tienes.

La cárcel del miedo

El Señor está conmigo; no tengo miedo. ¿Qué me puede hacer el hombre?

Salmo 118: 6

EN LA COLUMBIA BRITÁNICA, las autoridades decidieron sustituir la vieja prisión de Fort Alcan. Había estado en servicio durante centenares de años, pero se necesitaban unas instalaciones nuevas.

Cuando la nueva prisión estuvo terminada, los reclusos fueron trasladados al nuevo edificio y se los puso a trabajar en el derribo de la vieja estructura. Entonces encontraron algo que los dejó atónitos.

Los muros de la vieja prisión no estaban hechos con acero, como todos pensaban. Estaban hechos de papel y arcilla pintados para que tuvieran el aspecto del acero. Las puertas de las celdas eran de acero, así como los barrotes de cinco centímetros de las ventanas. Pero las paredes eran solo arcilla y papel. Si los prisioneros hubiesen golpeado la pared con una silla, podrían haber roto la pared. Pero el aspecto de los muros los convenció de que la fuga era imposible.

Algunas personas están prisioneras de sus miedos. Temen probar cosas nuevas porque podrían ponerse en evidencia.

Hay niños que son tan tímidos, tan vergonzosos, que se sientan en un rincón mientras los demás se divierten. Si pudiesen derribar el muro de su sentido del ridículo, podrían tener amigos y disfrutar mucho más de la vida.

Hay jóvenes a los que les encantaría volver a la universidad y prepararse para una nueva carrera. Pero tienen miedo de suspender y que la gente los ridiculice por ello.

Hay gente de todas las edades que querría hablar a los demás de Jesús. Pero temen el rechazo. Alguien podría hacer broma con ellos o enfurecerse. Por eso se quedan sentados y dejan pasar las oportunidades de dar testimonio.

¿Hay algo que te impida afrontar un desafío que merece la pena? No permitas que los muros de la inseguridad te tengan atrapado. Apártalos de tu camino y aprovecha la libertad.

La mano invisible de Dios

Porque yo, el Señor tu Dios, te he tomado de la mano; yo te he dicho: «No tengas miedo, yo te ayudo».

Isaías 41: 13

—MUY BIEN, JOVENCITAS. Hora de hacer la limpieza —dije en clase de costura—. Recojan sus cosas y volvamos a la escuela para la instrucción.

Los martes por la noche, las jovencitas de más edad del club de conquistadores se reunían en mi casa para dar clase de costura. Cuando acabábamos, volvíamos a la escuela para asistir al resto de actividades.

Betty Harris, una de las consejeras, su hijo Donnie y yo seguíamos a las jovencitas a cierta distancia. Cuando llegamos a la autopista, Betty se detuvo para tomar en brazos a Donnie. Las muchachas cruzaron primero. Cuando las seguí, vi que un par de faros se me echaban encima. «El conductor debe habernos visto. Seguro que reduce la velocidad», pensé.

Pero cuando me acercaba al centro de la calzada oí que el conductor aceleraba. Grité y di un salto hacia delante, lanzando la chaqueta.

«Oh, no», pensé. Betty iba detrás de mí con Donnie en brazos. «No lo conseguirá».

El automóvil salió volando y pasó por encima de mi chaqueta. Miré alrededor y Betty estaba a mi lado.

—Pensé que nos mataba —susurró—. Quería llegar al centro de la calzada, pero con Donnie en brazos no podía. Lo siguiente que recuerdo es que estaba a este lado de la calzada. Fue como si alguien me hubiese tomado en volandas y me hubiese puesto aquí.

Cuando era joven, solía preocuparme por cómo sería la vida en el tiempo de angustia. ¿Cómo sobreviviríamos? Pero después de ver cómo Dios salvó a Betty y a Donnie, sé que se ocupará de todas las situaciones en que me encuentre.

No tenemos que preocuparnos por el futuro, sino por conocer al Único que suplirá todas nuestras necesidades.

12 NOVIEMBRE

Talento: Es lo que hagas con él

Como buenos administradores de los diferentes dones de Dios, cada uno de ustedes sirva a los demás según lo que haya recibido.

1 Pedro 4: 10

EL LIBRO *RIPLEY'S BELIEVE IT OR NOT* (Aunque no se lo crea, de Ripley) busca divertir a la gente con todo tipo de hechos curiosos y banales. Uno de los gráficos mostraba una barra de acero valorada en cinco dólares. También mostraba cómo ese valor cambiaba a medida que cambiaba la forma.

Si convertías la barra en herraduras para caballos, valía cincuenta dólares. Si fundías el acero para convertirlo en agujas para coser el valor subía hasta los cinco mil dólares. Pero si lo que querías eran muelles de precisión para mecanismos de relojería, tenías que rascarte los bolsillos y pagar quinientos mil dólares.

Lo mismo sucede con los talentos. Según cómo los uses determina su valor.

Los expertos en computadoras pueden usar el teclado y la CPU para diseñar programas que ayuden a los médicos a guardar los historiales de sus pacientes. También pueden crear virus informáticos devastadores que cuesten miles de millones a las empresas en tiempo y archivos perdidos.

Los músicos pueden componer una música que lleve a la gente a relacionarse más estrechamente con Dios. Pero también pueden usar esas mismas notas musicales para despertar emociones de ira, lujuria y desesperación.

Los escritores pueden escribir libros y artículos que mejoren la vida de los demás usando las letras del abecedario. Pero también pueden usar esas mismas letras para escribir novelas baratas o libros que hablen a favor del terrorismo.

Sansón nació con el talento de la fuerza. Pudo haberla usado para proteger de sus enemigos al pueblo de Dios. En lugar de eso, la usó para causar problemas a sus enemigos y fanfarronear. No solo desaprovechó las oportunidades que se le presentaron para ser bueno, sino que arruinó su propia vida.

¿Qué talentos te dio Dios? Si no estás seguro, pregunta a los papás o los maestros qué dones creen que recibiste. Cuando los hayas reconocido, dedícalos a Dios y pídele que te muestre cómo usarlos para ser una bendición para los demás.

Decir la verdad

El que dice la verdad permanece para siempre, pero el mentiroso, solo un instante.

Proverbios 12: 19

CORRÍA EL MES DE JULIO DE 2002. Kenny y un grupo de amigos pasaban el día junto al lago Míchigan, disfrutando del calor del sol y el agua fresca.

A Kenny se le ocurrió una gran idea. «Me pregunto qué harían todos si fingiese que me estoy ahogando».

Dio unas brazadas hacia el interior del lago y luego empezó a agitar los brazos.

—¡Socorro, socorro! ¡Me ahogo! ¡Que alguien me ayude!

Un hombre, al escuchar la petición de auxilio, saltó de la toalla, se zambulló y nadó hacia Kenny. Antes de que el hombre llegara junto a él, Kenny empezó a reír.

—Estoy bien. Solo era una broma.

El potencial rescatador no pensó lo mismo.

—Mira, jovencito, no juegues a ese juego.

—Solo estaba bromeando —dijo Kenny en su defensa.

Después del almuerzo, Kenny volvió a nadar hacia el interior del lago y empezó a "ahogarse" de nuevo. Esta vez, dos adolescentes saltaron para salvarlo. También ellos opinaron que la broma no era nada divertida.

Una tercera vez, Kenny pidió auxilio. Nadie le hizo caso. Estaban hartos de sus bromas. Pero esta vez Kenny no fingía. Se ahogaba de verdad. Pero la gente de la orilla no se dio cuenta de ello hasta que fue demasiado tarde.

Las mentiras no siempre son mortales, pero siempre son destructivas. Arruinan la confianza entre amigos y familiares. Si quieres que se te conozca como una persona íntegra, di siempre la verdad. Podría tratarse de un asunto de vida o muerte.

14 NOVIEMBRE

Una conexión perfecta

Cuando me llame, le contestaré.

SALMO 91: 15

ESTÁS SENTADO EN LA IGLESIA. El anciano pregunta si hay alguna petición de oración. El teléfono celular de alguien empieza a sonar.

Estás haciendo cola en la tienda de comestibles. Delante tienes una señora que habla con alguien por teléfono y le describe una operación reciente en los pies.

Teléfonos celulares. Pueden ser un estorbo monumental. De hecho, la gente cree que es necesario que haya una etiqueta para los celulares; una lista de cosas que se pueden hacer y otras que no cuando se usa uno de esos aparatos.

Apágalo cuando pueda molestar a los que te rodean. Cuídate de vigilar cómo hablas de otras personas en presencia de los demás. No hables mientras conduzcas.

Aunque los teléfonos celulares son un estorbo, la mayoría de las personas considera que son imprescindibles. ¿Por qué?

Cuando tienes un teléfono celular nunca estás solo. Si tienes una emergencia puedes llamar al teléfono de emergencias. Si te sientes solo, puedes llamar a un amigo. Si necesitas información, puedes llamar a alguien que sepa del asunto. Lo mismo sucede con la oración. Pero, de hecho, la oración es aún mejor que el teléfono celular.

Para orar no se necesita ningún aparato. Además, nunca te dará señal de ocupado. Aunque haya miles de millones de personas en la tierra, las líneas al cielo siempre están abiertas. No hay cuotas mensuales. Orar no cuesta dinero y pueden hacerlo tanto ricos como pobres. Jamás tendrás problemas para conectarte. Siempre tendrás acceso instantáneo al cielo. La oración no interfiere en lo que los demás hacen. Puedes orar a cualquier hora, en cualquier lugar, y nadie lo sabrá. Jamás tendrás que preocuparte por si entienden tus palabras. Dios, a demás de escuchar lo que dices, también conoce las intenciones del corazón.

La próxima vez que tengas una urgencia, te sientas solo, necesites información o solo quieras ponerte en contacto con un amigo, ora. Jesús espera noticias tuyas.

Aprovechar las posibilidades

La enseñanza del sabio es fuente de vida y libra de los lazos de la muerte.

PROVERBIOS 13: 14

HACE UNOS AÑOS, la película *Tiburón* hizo que todo el mundo se diera cuenta de la posibilidad de ser atacado por un tiburón mientras nadaba en el océano. De repente, la gente tuvo miedo de ir a la playa a causa de lo que podía esconderse debajo del agua. Las personas dejaron que las exageraciones de los medios de comunicación tomaran el control sin antes comprobar los hechos.

¿Qué posibilidades hay de que nos mate un tiburón? Una entre 280 millones. ¡Todo el mundo al agua!

Más recientemente, nos hemos dado cuenta de que los ataques terroristas pueden matar personas en cualquier lugar y en cualquier momento. ¿Deberíamos tenerles miedo? La posibilidad de perder la vida de ese modo es aún menor que la de sufrir el ataque de un tiburón. De hecho, el Centro de Análisis de Riesgos de Harvard considera que es demasiado reducida para que merezca la pena calcularla.

Pero toma un cigarrillo y te pones en una de las situaciones de más riesgo posibles. La posibilidad de que un fumador muera de una enfermedad relacionada con el tabaco es de una entre dos. Eso quiere decir que la mitad de todos los fumadores morirá pronto por algo que se han hecho a sí mismos.

La mayoría de las personas empieza a fumar porque los amigos fuman, o porque quiere parecer mayor. Las primeras veces que fuman, con seguridad, se encuentran fatal. Pero, con el tiempo, el cuerpo se adapta al humo y los venenos. Y no pasará mucho tiempo antes de que les pida más nicotina.

Si quieres vivir mucho tiempo y con salud, tómate la molestia de hacer el compromiso de salud de no tocar un cigarrillo en la vida. Sácale el mayor provecho a la vida que Dios te dio. No la desperdicies con un hábito mortal y muy caro.

Amor de verdad

Traten a todos con amor, de la misma manera que Cristo nos amó.
EFESIOS 5: 2

UNA DE LAS RAZONES por las que nos cuesta tanto entender el amor de Dios es porque pensamos que es como el nuestro, no mejor. Jamás estuvimos tan lejos de la realidad. El amor de Dios es totalmente contrario al nuestro. Forma parte de su reino cabeza abajo.

Nuestro amor es condicional. Amamos a los que nos aman. Mientras las condiciones sean las adecuadas, podemos amar mucho. Pero si cambian las condiciones, si un amigo habla de nosotros a nuestras espaldas, entonces, nuestro amor se desvanece.

Dios, al contrario, ama a las personas sin importarle lo que hagan. No podemos hacer nada para que nos ame más o nos ame menos.

Nuestro amor también es egoísta. Amamos a las personas que hacen cosas agradables para nosotros.

Pero el amor de Dios es completamente generoso. Te ama, no por lo que puedas hacer por él, sino porque eres hijo suyo.

Es triste decirlo, pero nuestro amor también es temporal. Cuando la gente se casa promete que estarán juntos hasta que la muerte los separe. Pero en muchos hogares los problemas hacen que las familias se separen. Y el amor que existía entre el esposo y la esposa, que se suponía que tenía que durar para siempre, se acaba.

Pero el amor de Dios es eterno. Te amó incluso antes de que nacieras. Y te amará por toda la eternidad. Creo que incluso los que rechazan el don de la vida eterna siempre tendrán un lugar en su corazón.

La única manera de poder amar a Dios es aceptar su amor en lugar del nuestro. El amor es un don. Pídeselo cada día.

Siempre vigilantes

Has cumplido mi mandamiento de ser constante, y por eso yo te protegeré de la hora de prueba.

Apocalipsis 3: 10

HACE TIEMPO, CUANDO LOS NATIVOS AMERICANOS vagaban por Norteamérica, los bisontes eran muy importantes para su supervivencia. Los bisontes les proporcionaban carne y vestido.

En 1850 se calculaba que había más de veinte millones de bisontes esparcidos entre los Montes Apalaches y las Montañas Rocosas. Pero en menos de cuarenta años, los hombres blancos casi los extinguieron. Cuando en 1889 se hizo un recuento, en todos los Estados Unidos solo se contaron 551. Por suerte, su número hoy ha alcanzado los quince mil.

¿Cuál fue la causa de esta reducción tan drástica? Cuando los colonos empezaron a abrirse paso hacia el oeste, la gente empezó a matarlos como un pasatiempo. Otros quisieron eliminarlos porque interferían con el progreso. A veces, los trenes tenían que detenerse mientras un rebaño de bisontes cruzaba las vías.

Otro problema era que los animales no habían aprendido a temer a los humanos. Un día, un grupo de hombres salió a cazar bisontes. Con 300 balas pudieron matar a 269 animales. Los bisontes no sentían que estaban en peligro. No corrían para ponerse en lugar seguro.

La historia ilustra una importante lección. Somos más vulnerables cuando creemos estar en el lugar más seguro.

Si nos juntamos a un grupo de amigos de la iglesia, es fácil que bajemos la guardia porque son cristianos. Suponemos que jamás nos ofrecerán bebidas alcohólicas. Error. Suponemos que los videos que habrán alquilado serán una distracción buena y limpia. Una vez más, error.

Satanás usara todos los medios a su alcance para arrastrarnos al pecado. Debemos permanecer cerca de Jesús para poder decir no cuando llegue la tentación. Debemos permanecer alerta y vigilantes porque puede sucedernos en cualquier momento y en cualquier lugar.

18 NOVIEMBRE

A tu servicio

No niegues un favor a quien te lo pida, si en tu mano está el otorgarlo.

Proverbios 3: 27, NVI

HAY POCOS ANIMALES que causen más repugnancia a las personas que los ratones. Las ratas son peores porque son mayores. En 1978, la *Adventist Review* contó una historia increíble que mostraba que incluso las ratas tienen sentimientos.

Una joven que vivía en una granja se encontraba recogiendo los huevos de las gallinas cuando vio algo extraño. Eran tres ratas que daban la vuelta a la esquina del almacén de herramientas. Iban una al lado de otra.

La rata de en medio llevaba una brizna de paja entre los dientes. Las otras dos, una a su derecha y otra a su izquierda, sostenían los extremos de la brizna de paja. Las tres se movían lentamente hacia una pequeña corriente de agua. Cuando entraron en el agua continuaron sosteniendo la paja.

Las ratas chapotearon un rato y luego regresaron a la hierba, sosteniendo todavía la paja. La joven se preguntaba por qué los tres roedores se aferraban a esa brizna de paja. Luego se dio cuenta que algo le sucedía a la rata de en medio. Era ciega.

Las ratas que veían habían sido capaces de apercibirse de que su amiga no podía moverse tan fácilmente como ellas. Por se inventaron una manera de guiarla hacia el agua para que pudiera nadar.

El hombre es la más inteligente de las criaturas. Aunque, a veces, los animales nos superan en compasión y amabilidad.

Cuando ves a alguien que está necesitado, ¿estás dispuesto a dedicar un poco de tiempo para ayudarlo, incluso si eso te provoca algún inconveniente? ¿O estás demasiado ocupado pensando en ti mismo?

La gente que sirve a los demás es bendecida doblemente. Tiene la agradable sensación que viene de ayudar a otros. Y además, no está tan centrada en sí misma.

Busca la manera de iluminar la vida de los que te rodean. Es una situación que beneficia a todos.

¿Quejas o gratitud?

¡Pongamos a uno de jefe y volvamos a Egipto!

Números 14: 4

EL PUEBLO DE DIOS ESTABA A LAS PUERTAS de la Tierra Prometida. Dios estaba a punto de hacerlo entrar. Pero los israelitas vieron los gigantes del país y dijeron: «Nos volvemos a Egipto».

Estuvieron dispuestos a empezar su viaje hacia Canaán, pero después de andar por el desierto durante unas pocas semanas decidieron que, al fin y al cabo, trabajar para el Faraón no era tan malo. A algunos se les ocurrió la idea de volver a Gosén. Pero se olvidaron de un detalle importante. Sin Dios, estarían muertos en cosa de días.

Los israelitas habían estado tan ocupados quejándose que se habían olvidado de todo lo que Dios había hecho por mantenerlos con vida. Envió una nube que los protegiera del intenso calor del sol. Por la noche los calentaba con una columna de fuego.

Además, les proporcionaba comida y agua. Se calcula que, para mantener un grupo de esas medidas, se necesitaban 1,500 toneladas de comida y 44 millones de litros de agua.

Si has leído con atención el Antiguo Testamento, sabrás que el comportamiento de Israel seguía un modelo constante. Durante un tiempo, los israelitas seguían a Dios, se desviaban y adoraban a los ídolos, se metían en problemas y regresaban a Dios. Y el ciclo volvía a empezar.

¿Qué hacía que rechazasen una y otra vez a Dios? No eran los atractivos de los cultos paganos, sino su ingratitud. Si hubiesen estado agradecidos por todo lo que él había hecho por ellos su fe habría aumentado y los ídolos no habrían sido una tentación.

Cuando reconozcamos la bondad de Dios para con nosotros, nuestra fe también crecerá. El pecado perderá todo su atractivo y nos pareceremos más a Jesús.

Podemos quejarnos por lo que nos toca sufrir en la vida o podemos estar agradecidos. Nuestra elección marcará la diferencia.

20 NOVIEMBRE

No duermas. ¡Ora!

Manténganse constantes en la oración, siempre alerta y dando gracias a Dios.
Colosenses 4: 2

(Papás: La historia que se desarrollará durante los próximos días puede no ser adecuada para los niños de corta edad a causa de la violencia.)

Una de las historias más emocionantes que jamás me han contado sobre el cuidado de Dios es la que escuché de una misionera retirada, Juanita Kretschmar. Durante uno de sus viajes misioneros, Juanita conoció a cierta dama llamada Norma que le contó un milagro que Dios había obrado en su vida.

Norma era la esposa de un pastor Adventista que trabajaba en un país asediado por la guerra. Estaba muy involucrada con la división infantil de la iglesia. Cuando llegó el momento de empezar un nuevo programa decidió ir a la sede de la Asociación para obtener los materiales necesarios para el siguiente trimestre.

Depositó unas cuantas pertenencias en la maleta y puso la Biblia y el himnario en su estuche. Luego, ella y su hijo de cinco años tomaron el autobús para ir a la oficina de la asociación. En lugar de regresar esa misma noche, se quedaron a dormir en una casa de huéspedes.

Antes de acostarse, Norma y su hijo adoraron a Dios y apagaron la luz.

Poco después de media noche Norma escuchó una voz.

—No duermas. ¡Ora!

Convencida de que Dios le hablaba, Norma se arrodilló junto a la cama. Oró por ella, su esposo y su hijo y toda la familia de su iglesia. Luego volvió a meterse en la cama.

—No duermas. ¡Ora!

Se puso de rodillas otra vez y pidió a Dios que le mostrara si había algún pecado que era preciso confesar. Después de esto oró por sus familiares y por las personas que recibían estudios bíblicos. Una vez más regresó a la cama. Pero la voz habló de nuevo.

—No duermas. ¡Ora!

(Continuará.)

Cantos en la noche

Yo le digo al Señor: «Tú eres mi refugio, mi fortaleza, el Dios en quien confío».

Salmo 91: 2, NVI

CUANDO DIOS LE DIJO por tercera vez que orara, Norma estaba confundida.

—Señor —dijo—, no sé de nada más por lo que tenga que orar.

Miró alrededor y vio la Biblia y el himnario.

«Creo que los salmos son oraciones», pensó. Tomó la Biblia y dejó que se abriera por sí misma. Miró y vio que se había abierto por el Salmo 91, un salmo de confianza.

Leyó los versículos y pidió para sí todas y cada una de las promesas. Luego tomó el himnario.

«¿Qué canto?», se preguntó. Abrió el himnario y el primer himno que vio era *Señor Jesús, el día ya se fue*. Cantó todas las estrofas. Lo abrió por otra página. Era *No me pases* y cantó todas las estrofas. Una vez más dejó que el himnario se abriera al azar. Esta vez era *En Jesús por fe confío*.

Pensando que Dios le permitiría volver a dormir, se metió otra vez en la cama.

—No duermas. ¡Ora!

Norma se dio cuenta de que también podía olvidarse de dormir. Durante cuatro horas leyó el Salmo 91 y cantó los tres himnos. Dios la devolvía a las mismas páginas una y otra vez. A la mañana siguiente, cuando su hijo se despertó, La mente de Norma estaba completamente saturada con las palabras del Salmo 91 y los tres himnos.

Después del culto matutino, comieron juntos el desayuno, empaquetaron sus cosas y se dirigieron a la parada del autobús.

Norma estaba un poco asustada con el viaje a casa. Debían cruzar un territorio que estaba en manos de las tropas rebeldes.

No sabía qué le esperaba en los siguientes minutos.

(Continuará.)

22 NOVIEMBRE

El día de la destrucción

No temerás el terror de la noche, ni la flecha que vuela de día.

Salmo 91: 5, NVI

AL SUBIR AL AUTOBÚS, Norma llevó a su hijo hacia la parte de atrás y tomaron asiento. Estaban junto a otra mujer. Cuando hubieron avanzado unos pocos kilómetros se escucharon unos disparos. El conductor recibió un balazo en la cabeza. Cayó muerto al instante y el autobús se detuvo bruscamente.

Las balas entraron volando por la ventanilla y fueron a dar en la mujer que estaba sentada junto a Norma. Norma sintió unas fuertes punzadas pero se acordó de las palabras del Salmo 91: «Podrán caer mil a tu izquierda, y diez mil a tu derecha, pero a ti no te afectará. [...] Porque él ordenará que sus ángeles te cuiden en todos tus caminos».

Un soldado armado con un machete subió por los escalones del autobús. Norma oró en silencio: «No me dejes, Señor, no permitas que te niegue».

Norma y su hijo eran los únicos pasajeros del autobús que seguían con vida. Los otros 47 habían muerto. El guerrillero iba derecho hacia ellos.

Sin pensarlo, Norma levantó la mano y dijo, en inglés:

—¡Deténgase! Soy misionera adventista del séptimo día.

Norma sabía muy poco inglés, pero Dios hizo que hablara en esa lengua en lugar de la suya. Eso salvó su vida. Los soldados enemigos habían prometido que eliminarían todos los miembros de su tribu. Si hubiese hablado en su propia lengua, el acento especial que tenían los miembros de su tribu la habría descubierto y la habrían matado al instante. Al hablar en inglés, sus palabras no tenían ningún acento.

El soldado estaba sorprendido por la valentía de Norma pero consideró sus palabras y dijo:

—Entonces, lo mejor que puedes hacer es largarte de aquí.

Se dio la vuelta y salió del autobús.

(Continuará.)

Ayuda en tiempos de necesidad

Y si te desvías a la derecha o a la izquierda, oirás una voz detrás de ti, que te dirá: «Por aquí es el camino, vayan por aquí».

Isaías 30: 21

CUANDO NORMA SALIÓ DEL AUTOBÚS, se sintió desbordada por el poder de Dios que los había protegido, a ella y a su hijo, de una muerte segura. También estaba agradecida porque su iglesia no hubiese tomado partido por ninguno de los dos bandos en conflicto: el gobierno y la guerrilla rebelde. Los miembros de la iglesia adventista gozaban de una alta consideración por parte de ambos partidos políticos porque permanecían neutrales y ayudaban a quien lo necesitase.

Tan pronto como hubieron salido, Norma y su hijito se escondieron detrás del autobús perforado por las balas. Los rebeldes habían desaparecido tan rápidamente como habían llegado. Norma oró para que otro vehículo pasara por allí y los llevara a un lugar seguro.

El rugido de un motor más allá en la carretera la advirtió de que otro autobús estaba a punto de pasar. Cuando lo tuvieron a tiro, los guerrilleros rebeldes salieron de sus escondrijos y mataron a los once pasajeros.

—Vete de aquí —dijo una voz.

Norma miró hacia la carretera y vio a un hombre negro que andaba solo. Corrió para unírsele. Sin decir una palabra, tomó al hijo de Norma y su maleta. Un segundo hombre, un nativo de la zona, se les unió.

Se encontraron con un hombre que conducía una camioneta. Este se avino a llevar a los cuatro en su vehículo.

Al llegar al límite del pueblo, el conductor de la camioneta detuvo el vehículo y esperó a que los improvisados pasajeros se apeasen. El hombre negro dejó la maleta de Norma en el suelo y ayudó a su hijo a bajar de la camioneta. Cuando Norma se volvió para darle las gracias, había desaparecido. «Él ordenará que sus ángeles te cuiden en todos tus caminos».

Norma anduvo hasta la primera casa que vio. Llamó a la puerta. La mujer que respondió, escuchó la terrible historia y llamó a una ambulancia.

(Continuará.)

El escudo invisible

Cuando me llame, le contestaré; ¡yo mismo estaré con él! Lo libraré de la angustia y lo colmaré de honores.
Salmo 91: 15

CUANDO LLEGÓ AL HOSPITAL, Norma empezó a sentirse mal. Después de que el médico de urgencias hubo comprobado su estado, Norma fue llevada al quirófano.

Cuando se despertó, el cirujano se acercó a su cama.

—¿Quién es usted? —preguntó el médico.

Norma no sabía de qué estaba hablando.

—Rellené todos los formularios en el mostrador de recepción —dijo.

El médico sacudió la cabeza.

—No, no quiero decir su nombre. Eso ya lo sé. Pero, ¿quién es usted?

Se detuvo, con el deseo de que lo que iba a contarle tuviese sentido para ella.

—Acabo de sacar nueve balas de su cuerpo. Había recibido un impacto en el cuello, otro en el pecho, otro en el brazo y otros más en los hombros. Cualquiera de las balas podría haber lesionado un órgano vital y le habría causado la muerte.

Luego tomó una de las balas.

—Pero mire esto. La punta de esta bala está chafada. Es como si hubiese chocado contra una plancha de acero. Esas balas atravesaron su piel, pero algo las detuvo antes de que pudieran penetrar más.

Luego volvió a preguntar:

—Señora, ¿quién es usted? ¿De qué está hecha?

Norma sonrió.

—Soy cristiana.

Al fin Norma comprendió por qué estuvo toda la noche despierta orando y cantando. Gracias a la obediencia, Norma se había puesto en manos del Dios que conoce el futuro; el Dios que jamás abandona ni traiciona a su pueblo; el Dios que detiene las balas.

A causa de lo que ha hecho

Dejemos a un lado las obras de la oscuridad y pongámonos la armadura de la luz.

Romanos 13: 12, NVI

CUANDO ESCUCHO PREGUNTAS como: «¿Qué hay de malo en que me ponga joyas?» o «¿Por qué no puedo ir al cine?» o «¿Por qué la iglesia dice que no hay que jugar a juegos de azar?», pienso en Glen. Lo que más ansiaba Glen era tener una buena educación. Sus padres querían que su hijo pudiera optar a una vida mejor que la que ellos habían tenido. Pero los tiempos eran difíciles y el dinero escaso.

Glen tenía el dinero suficiente para pagar el primer semestre de la universidad. Pero cuando el curso se acercaba a su fin, Glen se dio cuenta de que solo le quedaban veinte dólares y que eso no bastaba para llegar hasta el final. Por eso escribió a sus padres y les preguntó si podían ayudarlo.

El padre de Glen pidió un préstamo al banco. Pero eran tiempos de la Gran Depresión y los bancos solo prestaban dinero a las personas que tenían posesiones suficientes para respaldar el crédito.

Parecía que Glen tendría que interrumpir su educación y abandonar la universidad. Pero su madre hizo una llamada telefónica.

Al día siguiente, un camión de reparto entró en su jardín. El conductor anduvo hasta la puerta de la casa y llamó. La madre de Glen lo hizo pasar. Cargó su gran piano en le camión y se fue. Pero en su mano, la madre de Glen tenía un cheque por valor de 35 dólares. Había entregado su posesión más preciada. Lo había hecho por amor a su hijo.

Cuando Glen descubrió lo que su madre había hecho para pagar su cuota, se hizo el propósito de honrar su sacrificio siendo el mejor alumno que le permitiesen sus posibilidades. No faltó a ninguna clase ni pasó el tiempo de estudio holgazaneando con los amigos. No entregaba tarde los deberes ni permitió que las notas se resintieran. Demostró su agradecimiento tomándose muy en serio su educación.

Lo mismo sucede con nuestra lealtad hacia Dios. Si apreciamos el precio que pagó por nuestra salvación, ¿intentaremos calcular a cuántas cosas del mundo podemos seguir aferrándonos? ¿O acaso buscaremos las maneas de honrarlo en todo cuanto hagamos o digamos?

Víctimas

¿No debías tú también haberte compadecido de tu compañero, así como yo me compadecí de ti?
Mateo 18: 33, NVI

UNA NOCHE, DURANTE LA GUERRA DE SECESIÓN, Robert Ellicombe, capitán del Ejército de la Unión, escuchó los lamentos de un hombre que yacía en la tierra de nadie que separaba el ejército confederado del de la Unión. Como no podía dormir, el capitán decidió ir a rescatar al herido y prestarle atención médica.

Temiendo que los soldados enemigos empezaran a disparar, Ellicombe se arrastró en silencio por el suelo hasta que llegó junto al soldado moribundo. Cuando estuvo a su lado, Ellicombe agarró al hombre por la camisa y empezó a tirar de él hacia las líneas unionistas. Pero antes de llegar a un lugar seguro, el hombre murió.

Sin embargo, el capitán continuó con su misión.

Tan pronto como estuvo fuera del alcance del enemigo, cargó el cuerpo hasta una tienda para identificar al muerto e incluirlo en las listas de bajas. Cuando encendió una linterna, El corazón de Ellicombe casi se detuvo del sobresalto. El hombre a quien había intentado salvar era su propio hijo. El joven había estudiado música en uno de los Estados del sur y, sin que su padre lo supiera, se había alistado en el ejército confederado.

A veces pensamos que las otras personas son nuestros enemigos. Quizá hayas crecido teniéndote que enfrontar a un acosador. O quizá alguien en la escuela te ponga las cosas difíciles.

Es bueno tener presente que aunque parezca que están contra ti, no son tus enemigos. El verdadero enemigo es Satanás. Él quiere arruinar la vida de todos los seres humanos. Y por eso le gusta usar a la gente para hacer el trabajo sucio. Cuando te des cuenta de que las personas con las que no te llevas bien son víctimas de Satanás, te será más fácil sentir compasión por ellas.

Lo mejor todavía no ha llegado

Vengan ustedes, los que han sido bendecidos por mi Padre; reciban el reino que está preparado para ustedes desde que Dios hizo el mundo.

Mateo 25: 34

CUESTA IMAGINAR UN LUGAR en el que todo dure para siempre. Desde el momento en que nacemos empezamos a morir. Pero algún día eso cambiará.

En el cielo, todo el mundo, además de vivir para siempre, se sentirá feliz, con salud y lleno de energía. Incluso los abuelos volverán a ser jóvenes.

Hace unos años, la gente cantaba una canción titulada *Is That All There Is?* (¿Y eso es todo?) Describía como la gente se pasa la vida buscando la felicidad, pero acaba decepcionada. Las personas pasan de una relación a otra, de una emoción a otra, pero al final se quedan sin emociones.

En el cielo nunca nos quedaremos sin diversión ni emociones. Siempre habrá desafíos mayores y cosas que aprender.

Una de las razones por las que me gusta ser maestra es que siempre aprendo algo nuevo. Aprender una nueva habilidad o descubrir algo siempre es emocionante. Ahora, en clase de Biología estamos disecando ranas. Cada año, la primera reacción de los alumnos es: «¡Aaaaaaagh, qué asco!» Pero al instante las cabezas están inclinadas sobre los ejemplares y los alumnos están fascinados al ver las intricadas piezas que Dios puso en las ranas. Imagínate la excitación que sentirás cuando en el cielo empieces a conocer todo lo que Dios creó: delfines, planetas, flores, música y, sí, también ranas. Y no hará falta que las diseques.

En el cielo no preguntaremos: «¿Y ya está, no hay más?» Nos pasaremos el tiempo diciendo: «¡Uau!» En lugar de aburrirnos, seremos felices creciendo. Cada día será mejor que el anterior. ¿A que es fantástico saber que lo mejor todavía está por llegar?

28 NOVIEMBRE

Empujar o tirar

Por eso, anímense y fortalézcanse unos a otros, tal como ya lo están haciendo.

1 Tesalonicenses 5: 11

CHARLES ALLEN HABLA DE UNA LECCIÓN que aprendió de un pescador. El hombre acababa de pescar algunos cangrejos y los había puesto en una caja.

—¿Y las deja en una caja abierta? —preguntó Charles—. ¿No se le escaparán?

—No —respondió el hombre.

—Pero mire cómo se esfuerzan por ser libres.

El pescador sacudió la cabeza y sonrió.

—Hace mucho tiempo que aprendí que cuando en un cubo hay al menos dos cangrejos, mientras uno intenta trepar al borde, el otro tira de él hacia abajo.

Hay mucha gente que tiene una manera de ver las cosas muy parecida a la del cangrejo. Cuando alguien sale para contar una historia en la iglesia o tocar una música especial, los cangrejos son muy críticos: «Se ha equivocado. Yo podía haberlo hecho mucho mejor».

Cuando otra persona saca buenas notas en clase, los cangrejos, secretamente, esperan que falle en el siguiente examen. Haz que un cangrejo escuche un comentario amable sobre otra persona y le faltará tiempo para buscar algún reproche.

Los cangrejos siempre se están comparando con los demás. Quienquiera que empiece a subir es visto como una amenaza y los cangrejos solo son felices si pueden tirar de esa persona y arrojarla al fondo.

La única esperanza para los que son como cangrejos es olvidarse de sí mismos y buscar la posibilidad de dar a los demás un empujoncito o un poco de ánimo. Cuando eso suceda, no solo se sentirán mejor los demás, ellos también.

Malos días

Deja tus preocupaciones al Señor, y él te mantendrá firme.

SALMO 55: 22

TODOS PASAMOS POR ÉPOCAS en que nos sentimos solos y tristes. No siempre hablamos de ellas, pero sí las sufrimos.

La Madre Teresa de Calcuta, una de los cristianos más respetados del siglo XX, no era inmune a la depresión. Quería conocer más a Dios y deseaba que él la usara por completo. Aun así, a veces se sentía lejos de él.

Una vez escribió: «Me han dicho que Dios vive en mí, pero la realidad de la oscuridad, la frialdad y la soledad es tan grande que nada me llega al alma».

La Madre Teresa se pasó la vida cuidando de la gente más pobre de la India. Vivió una vida dedicada por completo a Dios pero no estaba libre de sentirse triste.

La vida tiene momentos altos y bajos. Todos pasamos por ellos. Lo que importa es cómo manejamos nuestros momentos de oscuridad.

Acampar delante de la televisión, escuchar música destructiva o comer comida basura, fumar cigarrillos o beber alcohol son maneras de distraerse momentáneamente de los problemas, pero solo empeoran las cosas. Es mejor recurrir a soluciones positivas.

Debemos orar, aunque nos sintamos lejos de Dios. También es de ayuda escuchar música tranquila, salir a dar un paseo por la naturaleza, escribir nuestros pensamientos, hacer ejercicio o hablar con un amigo.

Si te sientes abatido, eso no se irá después de unos días. Sería buena idea compartir lo que sientes con tu papá, tu mamá o con un maestro. Quizá puedan ayudarte a solucionar el problema o a encontrar a alguien que pueda hacerlo.

Los momentos tristes van y vienen. Lo que determina el resultado es la manera en que los afrontas.

30 NOVIEMBRE

Un día de gratitud

Siempre damos gracias a Dios por todos ustedes, y los recordamos en nuestras oraciones.
1 Tesalonicenses 1: 2

DURANTE ESTE TIEMPO DE ACCIÓN DE GRACIAS, piensa en las personas que han sido una bendición especial para ti. Escribe los nombres de al menos treinta personas por las que estés agradecido. Cuando escribas tus Peticiones Especiales, acuérdate de incluir peticiones que tengas para otros.

Gracias, Señor, por estas personas:

El poder del amor

Cuando al Señor le agrada la conducta de un hombre, hasta a sus enemigos los pone en paz con él.

Proverbios 16: 7

JOHN BOOKER POSEÍA UNA GRANJA de animales salvajes en Sudáfrica. Consideraba que Momo, su rinoceronte negro, era uno de los animales más temibles de su colección.

Con un peso de casi novecientos kilos, Momo, no solo era muy fuerte, sino que también era impredecible. John decía que los guardas del parque no se podían acercar a Momo sin antes dispararle un dardo tranquilizador.

Entonces Lauren entró en escena. Mientras visitaba la granja con su padre, Lauren Gordon se encaramó a la valla y entró en el establo del rinoceronte.

El aterrorizado padre de Lauren la llamó a gritos para que saliera inmediatamente del recinto, pero la rubia jovencita le aseguró a su padre que Momo no le haría daño. Y no lo hizo.

Desde ese día, Lauren, una niña de once años, ha visitado regularmente a su amigo el rinoceronte. Le gusta hablar con él, acariciar su cuerno y darle de comer con la mano.

Una vez, cuando un fotógrafo fue a tomar una fotografía de esa extraña amistad, Momo hizo que el hombre se tuviera que subir a un árbol. Pero cuando Lauren hubo hablado con Momo, el rinoceronte le permitió que tomara todas las fotografías que quisiese.

Esta historia no está pensada para animarte a desafiar al destino enfrentándote a animales peligrosos, sino para recordarte el poder del amor y la amabilidad.

Si el amor puede ganarse el corazón de un animal salvaje y peligroso como Momo, piensa en lo que podría hacer por el joven que intimida en la escuela o el vecino gruñón. Jamás lo sabrás si no lo pruebas.

Demasiado tarde

Pero si no quieren servir al Señor, elijan hoy a quién van a servir [...]. Por mi parte, mi familia y yo serviremos al Señor.

Josué 24: 15

WIM ESAJAS FUE A LOS JUEGOS OLÍMPICOS DE 1960 decidido a ganar una medalla para su país. Era de Surinam, la Guyana Holandesa, y el único deportista inscrito de su país.

Wim era corredor, y muy bueno, por cierto. Su especialidad era la carrera de los ochocientos metros lisos.

El día de la prueba, Wim se relajó en su habitación de la Villa Olímpica. No tenía que correr hasta última hora de la tarde. Quería estar bien descansado para dar lo mejor de sí. Después del almuerzo, Wim fue al estadio y empezó a calentar músculos. Pero los jueces lo apartaron y le dieron malas noticias: no podría correr los ochocientos metros lisos.

Esa mañana se había disputado la carrera clasificatoria para la final. Wim no se había presentado y había sido eliminado de la competición.

Avergonzado, Wim regresó a su país. Había decepcionado a sus compatriotas y a sí mismo.

Podemos estar agradecidos de que nuestro viaje increíble no sea una competición. El cielo no es para unos pocos escogidos. Es para todo aquel que quiera que Dios controle su vida.

Wim quería competir, tenía toda la intención de competir, pero falló al dar el primer paso. Cuando llegó a la pista, era demasiado tarde.

¿Has empezado tu viaje increíble hacia el cielo? ¿O esperas a hacerlo en algún momento futuro? La investigación ha demostrado que el 75% de los cristianos toman la decisión de seguir a Jesús hacia los catorce años. A medida que la gente se hace mayor, cada vez es menos probable que acepte la salvación.

No esperes un día más. Elige servir a Jesús mientras eres joven. Jamás te arrepentirás.

Comida para la mente

Los que viven conforme a la naturaleza pecaminosa fijan la mente en los deseos de tal naturaleza; en cambio, los que viven conforme al Espíritu fijan la mente en los deseos del Espíritu.

ROMANOS 8: 5, NVI

EL KEA ES UN PAPAGAYO DE COLOR VERDE OLIVÁCEO que vive en Nueva Zelanda. Hace años gozaba de una existencia apacible, alimentándose de frutas y semillas. Pero, a medida que la gente empezó a esparcirse por el territorio, la dieta del ave empezó a cambiar.

Muchos de los primeros colonos tenían grandes rebaños de ovejas. El cordero era un alimento popular en Nueva Zelanda. Cuando los granjeros mataban una oveja para obtener su carne, se quedaban con las partes comestibles y arrojaban las que no querían. Los keas empezaron a habituarse a comer la carne de desecho. Pronto perdieron todo interés por su antigua dieta y empezaron a desarrollar un fuerte deseo por la grasa de los riñones de oveja.

Insatisfechos por tener que esperar los desechos de los mataderos, los keas empezaron a atacar las ovejas mientras pastaban en los prados. Los granjeros tuvieron que proteger sus rebaños de los pájaros asesinos y empezaron a disparar a cada kea que veían. El que una vez fue un pájaro amable se había convertido en un peligroso enemigo.

Con el tiempo, la naturaleza del kea cambió a causa de su dieta. Y, también con el tiempo, lo que alimente su mente cambiará la naturaleza del hombre.

Todos nacemos con una naturaleza pecaminosa. Pero cuando somos cristianos Jesús entra para vivir en nosotros y nos ofrece una naturaleza parecida a la suya.

Lo que permitimos que entre en la mente determinará qué naturaleza se refuerza. La próxima vez que tomes un libro, enciendas la radio o veas la televisión, piensa qué naturaleza alimentas.

Sin salida

Nunca te dejaré ni te abandonaré.

HEBREOS 13: 5

TOM Y YO HABÍAMOS SALIDO DE LA CIUDAD durante el día para asistir a unas reuniones. Yo no tenía nada que hacer, así que di un paseo hasta que encontré una tienda K-Mart.

Entré y tomé algunos papeles de envolver con motivos navideños y una botella de champú. Después de pagar la compra, salí de la tienda.

Cuando llegué al automóvil, metí la mano en el bolsillo para sacar las llaves del vehículo. No estaban. Tampoco estaban en el monedero. Miré por la ventanilla y vi que estaban colgando de la cerradura del contacto.

«Fantástico», pensé. «He dejado las llaves encerradas dentro del auto y, casi seguro, me costará al menos 75 dólares hacer que un cerrajero venga a abrirme la puerta en domingo». Miré en el monedero. Todo cuanto tenía era un billete de 20 dólares y algunas monedas.

—¿Por qué no oras? —inquirió una vocecita en mi cabeza.

«Orar… Ya me dirás tú qué puede sacar en limpio de todo esto». No, yo solita me había metido en ese lío y yo sola iba a resolver la situación.

«Quizá una de las puertas no tenga el seguro puesto», pensé.

Pues no, no fui tan afortunada.

La situación parecía desesperada. No sabía cómo ponerme en contacto con Tom y tampoco tenía el dinero para llamar a un cerrajero. En lo que a mí concernía, no había salida para ese problema.

¿Es posible meterse en un lío tal que ni Dios pueda solucionarlo?

Sigue a la escucha hasta mañana…

Él tiene la llave

Para los hombres esto es imposible, pero para Dios todo es posible.

Mateo 19: 26

DESPUÉS DE DECIDIR QUE YA SE ME OCURRIRÍA UN PLAN para abrir la cerradura del automóvil, volví a la tienda y me acerque al mostrador de Atención al Cliente.

—He dejado el coche cerrado con las llaves puestas. ¿Tiene un colgador para intentar desbloquear la puerta?

Anita, la empleada de la oficina, abrió un cajón y sacó un colgador.

—Aquí tiene. Ya lo enderezamos para usted —dijo riendo.

Volví al aparcamiento y probé a levantar la palanca de seguridad de la puerta del lado del conductor. Pero estaba diseñada a prueba de ladrones. Volví al mostrador de Atención al Cliente.

—¿Sabe si alguno de los empleados de la tienda tiene un Toyota? —pregunté—. Existe una pequeña posibilidad de que la llave de otro Toyota abra la puerta del mío.

Anita tomó el teléfono.

—Creo que Jeff, de la sección de deportes, tiene un Toyota. Lo localizo.

Mi plan era estupendo. Lo fue hasta que alguien llamó y dijo que el tal Jeff no trabajaba los fines de semana.

Di las gracias a Anita por la ayuda prestada y me dispuse a marchar.

—Espere un momento —dijo—. Hay una llave de automóvil en el cajón de objetos perdidos. Lleva meses ahí. ¿Quiere probarla?

Sabía que la probabilidad de que la llave abriese la puerta era de una entre un millón. Pero no tenía nada que perder.

Volví a salir, pero esta vez oré:

—Señor, de veras que necesito tu ayuda. Por favor, haz que la llave funcione.

Contuve la respiración, deslicé la llave en la cerradura y le di vuelta. La puerta se desbloqueó.

Cuando me fui, me di cuenta de que Dios jamás está desprevenido. Él tiene la llave que resuelve todos nuestros problemas.

6 DICIEMBRE

Una sencilla invitación

¡Vayamos al Señor para buscar su bendición! ¡Busquemos al Señor Todopoderoso! ¡Yo también voy a buscarlo!

ZACARÍAS 8: 21, NVI

EL PASTOR JACK SEQUEIRA cuenta la historia de un representante de comercio, un tal Sr. Rugby, que vivía en Escocia a fines del siglo XIX. Rugby era un cristiano que había sido muy bendecido por los sermones de Alexander White, el reconocido predicador de la iglesia de San Jorge de Edimburgo.

Cuando los negocios lo llevaban a Edimburgo, Rugby se hospedaba en un hotel de la población y asistía a los cultos de White. Antes de salir del hotel, siempre invitaba a alguien para que lo acompañara.

Una mañana, Rugby invitó a un caballero que no estaba muy convencido de ir a la iglesia. Pero Rugby insistió y el hombre accedió a ir. En esa reunión, el hombre entregó su corazón a Dios.

Rugby pensó que era preciso compartir la buena noticia con Alexander White. Por eso fue a su casa y le contó la conversión del hombre.

—Quiero que sepa que Dios lo está usando para cambiar vidas. Su predicación no es en vano; marca diferencias.

White expresó su agradecimiento y dijo:

—Sr. Rugby, estoy muy contento de que viniera esta noche porque quería conocerlo desde hace ya un tiempo. Tengo algo que debería ver.

White se acercó a un archivador y sacó un fajo de papeles.

—¿Ve estas doce cartas? Son de personas que aceptaron a Cristo después de recibir una invitación suya para asistir a mis reuniones. Cuatro de ellas ahora están en el seminario, preparándose para el ministerio.

Rugby no dio nunca un estudio bíblico, pero encontró la manera de presentar a la gente a Jesús. ¿Puedes pensar en alguien a quien puedes invitar a la iglesia? La mayoría de las personas no visitan la iglesia de su pueblo. Cuando van es porque alguien los ha invitado antes. Tú podrías ser ese alguien.

El trigo y la cizaña

Pero cuando todos estaban durmiendo, llegó un enemigo, sembró mala hierba entre el trigo y se fue.

MATEO 13: 25

CUANDO EXPLICAN POR QUÉ NO VAN a la iglesia, algunos dicen: «Hay demasiados hipócritas». Un hipócrita es una persona que finge ser algo que no quiere ser.

Entre los seguidores de Dios siempre ha habido hipócritas. Y siempre los habrá. Jesús nos dijo cómo tratar a los hipócritas con la parábola del trigo y la cizaña.

En tiempos de la Biblia, una de las mejores maneras de derrotar a un enemigo era arruinarle las cosechas. Si a Sadoc no le gustaba Acaz, esperaba hasta que Acaz sembrase el campo de trigo. Entonces Sadoc, en la oscuridad, se introducía en el campo de Acaz y esparcía malas hierbas, que a menudo eran semillas de una planta venenosa conocida como cizaña.

Cuando el trigo empezaba a crecer, la cizaña crecía junto a él. Y nadie podía diferenciarlas porque las plantas son muy parecidas.

Pero hacia el final de la temporada, la cizaña se vuelve gris. Entonces los siervos podían identificar las plantas venenosas, arrancarlas y arrojarlas a la hoguera.

La enseñanza de Jesús al explicar la parábola es que no tiene que sorprendernos que en la iglesia haya personas destructivas (hipócritas). Satanás, el enemigo del pueblo de Dios, siembra de seguidores suyos el campo de la iglesia. Pero es difícil identificarlos. A menudo, los hipócritas y los nuevos cristianos se parecen mucho. Jesús nos advirtió de que no intentásemos arrancar a los hipócritas de la iglesia porque no conocemos el corazón de las personas y podríamos desalentar por error a una persona que busque realmente conocer a Dios.

Al final, Dios determinará quién es y quién no es un seguidor verdadero. Hasta entonces, en la iglesia habrá hipócritas. Pero no les permitas que te impidan ir a la iglesia el próximo sábado. Sé un buen ejemplo y permite que Dios juzgue.

¿La Biblia dice la verdad?

Conságralos a ti mismo por medio de la verdad; tu palabra es la verdad.
JUAN 17: 17

¿ALGUNA VEZ TE PREGUNTASTE si la Biblia es, realmente, la Palabra de Dios? Hay otros libros sagrados como *El libro de Mormón* y el Corán. ¿Cuál de ellos tiene el sello de la aprobación de Dios?

Aquí tienes algunos datos relacionados con la Biblia:

1. Los arqueólogos han encontrado restos que nos ayudan a demostrar la precisión del Antiguo y el Nuevo Testamento.
2. Mucha gente ha intentado destruir la Biblia, incluso algunos que afirman ser religiosos, pero Dios la ha conservado y todavía es el libro más vendido de todos los tiempos.
3. Jesús fue una persona real. Historiadores antiguos, judíos y gentiles, verifican que Jesús existió. Josefo, uno de los más famosos autores del siglo I después de Cristo, escribió una historia de los judíos en veinte tomos, desde Abraham hasta justo antes de la destrucción de Jerusalén en el año 70 después de Cristo. Sobre Jesús dijo esto: «Hacia esa época había un tal Jesús, un hombre sabio, si correcto es llamarlo hombre, porque obraba cosas milagrosas, un maestro del cual los hombres reciben con placer la verdad».
4. Ningún otro libro sagrado tiene tantos años ni está tan lleno de profecías. Hay casi trescientas profecías que describen a Jesús y su obra en la tierra, escritas cientos de años antes de que naciera en Belén. También están las profecías de Daniel. En el año 600 a.C, se le mostró a Daniel una sucesión de poderes en el mundo que iban desde Babilonia hasta Roma y una línea de acontecimientos que sucederían antes de la segunda venida. Los libros de historia demuestran que todo ha sucedido como se había profetizado.
5. Pero la mayor prueba de que la Biblia es la Palabra de Dios es el modo en que cambia las vidas.

Puedes confiar en Dios y puedes confiar en su Palabra. La Biblia no es un libro sagrado más. Es *el* libro sagrado, el mensaje de Dios para todas las personas de todos los tiempos.

Crecer como cristianos

Pero conozcan mejor a nuestro Señor y Salvador Jesucristo y crezcan en su amor.
2 Pedro 3: 18

HACE POCO EL PERIÓDICO TRAÍA UNA HISTORIA MUY TRISTE. Un hombre escuchó algo que excavaba en la basura que había junto a su casa. Pensó que era un animal. Pero cuando estuvo más cerca del cubo de la basura vio que, en realidad, era un niño que buscaba comida en la basura.

Llamaron a la policía y entonces supieron que el niño era, en realidad, un joven de diecinueve años de edad que solo pesaba diez kilos. Sus padres le habían dado tan poca comida que no pudo crecer.

Cuando una persona pasa hambre, es frecuente que su aspecto muestre que algo va mal. Pero cuando una persona pasa hambre espiritual, no es tan obvio.

Podemos pasar meses, incluso años, sin atender nuestras necesidades espirituales. Podemos hacer como si todo estuviera bien. De hecho, nadie podrá decir si tu corazón está a bien con Jesús.

Pero así como necesitamos alimentos para que el cuerpo crezca, también necesitamos "alimento" espiritual si queremos que crezca nuestro carácter.

Los educadores sanitarios describen una dieta saludable como aquella que se compone de una gran variedad de buenos alimentos. Como cada alimento tiene una combinación exclusiva de nutrientes, comer de distintos grupos de alimentos nos ayuda a conseguir las vitaminas y los minerales necesarios para gozar de una buena salud.

Si quieres ser de verdad un cristiano saludable, llena tu vida con una gran variedad de actividades constructivas. Lee la Biblia, canta canciones espirituales, ayuda a los necesitados, memoriza versículos de la Biblia, lee buenos libros, ora, habla a otros de Jesús, asiste a la iglesia y a la escuela sabática. Pasa tiempo con otros cristianos, da estudios bíblicos, visita a los ancianos y enfermos y da dinero para la obra de Dios.

Las buenas obras jamás ocuparán el lugar de la fe en Jesús. Pero nos ayudan a parecernos más a él.

10 DICIEMBRE

No salgas de casa sin ella

Por eso, tomen toda la armadura que Dios les ha dado,
para que puedan resistir en el día malo
y, después de haberse preparado bien, mantenerse firmes.
Efesios 6: 13

EL PARACAIDISTA IVAN McGUIRE estaba impaciente por llegar al aeropuerto. Él y algunos de sus amigos paracaidistas iban a hacer un salto en grupo y estaba ansioso.

Cuando llegó al aeropuerto, Ivan se unió a los otros saltadores mientras comprobaban sus paracaídas. Como él estaba encargado de filmar la proeza, valiéndose de una cinta adhesiva, fijó a su casco la cámara activada con la voz y siguió a los demás al interior del avión.

Mientras el avión subía a las nubes, los miembros del equipo ensayaban mentalmente el salto. Cuando llegaron a una altitud de 3,200 metros, se alinearon para saltar.

Uno tras otro, se arrojaron fuera del avión y cruzaron el aire. Ivan iba el último. Encendió la cámara se inclinó hacia delante y dejó que la gravedad tirara de él fuera del avión.

Cuando Ivan se encontró con los otros, ya habían empezado a hacer la formación. Maniobró con el cuerpo hacia la cadena de brazos y se agarró a ella.

Una vez el número estuvo hecho y grabado en la cámara, los saltadores se separaron unos de otros y abrieron sus paracaídas. Ivan buscó la cuerda que abría el suyo. Pero no estaba ahí.

Presa del pánico, dio grandes brazadas en el aire para descubrir que no llevaba paracaídas. Con la excitación por saltar, se había olvidado de lo más importante.

Como Ivan, podemos precipitarnos tanto para empezar el día que nos olvidemos de lo más importante. ¿Cada mañana pasas un tiempo con Jesús? ¿Antes de empezar el día abres una línea directa con el cielo?

La única manera de afrontar con éxitos los desafíos del día es ponernos en manos de Dios. Todos necesitamos su guía y su protección. No salgas de casa sin ella.

Juzgar a Tracy

No juzguen a otros, para que Dios no los juzgue a ustedes.

Mateo 7: 1

UN REFRÁN DICE: «Justicia, pero no para mi casa». En otras palabras, exigimos que los demás se comporten como nosotros creemos que deben hacerlo. Detesto tener que decirlo, pero tengo cierta experiencia en esto.

Soy una más entre los organistas de mi iglesia. Durante el canto inicial, toco la introducción. Luego se me une el pianista cuando los miembros empiezan a cantar.

Hace unas semanas, estaba acabando la introducción cuando me di cuenta de que Tracy, la pianista, todavía estaba sentada junto a sus amigos. «Sabía que hoy tocaba, ¿por qué no está sentada al piano?», pensé iracunda.

Cuando la congregación empezó la segunda estrofa, Tracy ya estaba en el piano. Pero mi conversación conmigo misma duró todo el canto.

Cuando acabamos, aparté mis manos del teclado. Miré en el boletín qué venía después. Pero algo iba mal. La gente todavía cantaba.

Bueno, no cantaron mucho tiempo antes de darse cuenta de que el órgano se había detenido. Me di la vuelta y todos tenían la vista fija en *mí*.

El anciano me miró por encima del himnario y dijo:

—Estamos en la última estrofa.

Una situación embarazosa, sí.

Tal como nos advierte el texto de hoy, cuando criticamos nos exponemos a ser criticados. Estuve tan ocupada en juzgar a Tracy por no estar atenta que no presté atención a lo que se suponía que tenía que hacer.

Antes de disparar nuestras críticas a los demás, asegurémonos de que hacemos lo correcto. Aun así, hay que evitar destacar los errores de los demás.

12 DICIEMBRE

Vigilar las puertas

Cuida tu mente más que nada en el mundo, porque ella es fuente de vida.

Proverbios 4: 23

EN LA ANTIGÜEDAD, los guardas de las puertas de una ciudad tenían un trabajo muy importante. La manera en que desempeñasen su tarea determinaba la seguridad de la gente de la ciudad.

Cuando un extranjero pedía entrar a la ciudad, el guarda tenía que decidir si era seguro permitírselo. También era responsabilidad del guarda cerrar las puertas en caso de que se acercase un enemigo.

Unos cuantos siglos antes de que naciera Jesús, los chinos empezaron a construir la Gran Muralla. Creían que amurallándose y aislándose del resto del mundo podrían protegerse de los ejércitos enemigos. La construcción de la muralla, que se extiende a lo largo de más de 6,400 kilómetros, duró unos 2,000 años. Aun así, cuando la muralla estuvo terminada, los chinos ya habían sido invadidos tres veces.

Las fuerzas enemigas no entraron derribando la muralla o trepando por ella. Pasaron por el muro engañando a los guardas.

Los ojos, las orejas y la imaginación son las puertas por las que las influencias exteriores entran a nuestra mente. Satanás, el enemigo de nuestra alma, hace todo lo que puede para encontrar una manera de abrirse paso a través de nuestras defensas. Sabe que lo que permitamos que pase por las puertas determinará nuestras elecciones. Por eso Satanás está tan presente en el mundo del entretenimiento.

La música, las películas, las revistas, los programas de televisión, los videojuegos, los deportes y el baile están diseñados cuidadosamente para infiltrarse y abrir una brecha en el carácter. Cuando estamos cansados, aburridos o sentimos curiosidad, es fácil que bajemos la guardia.

Haríamos bien en modificar un conocido refrán japonés y convertirlo en nuestro lema para no ver ni pensar en nada que sea malo.

Vigilar las puertas no es solo un trabajo difícil. Es una cuestión de vida o muerte.

Como él perdonó

Jesús dijo: «Padre, perdónalos, porque no saben lo que hacen».

LUCAS 23: 34

LOS SOLDADOS ESTABAN A PUNTO DE ENFRENTARSE a otra batalla con el enemigo. Pero por ese momento, el capellán había vuelto sus pensamientos hacia la Biblia y los últimos momentos antes de que Jesús muriera, en que oró por sus enemigos. Alentó a los hombres que tenía delante para que hicieran lo mismo por las tropas a las que se iban a enfrentar ese día.

Esa idea era demasiado grande para un joven soldado. Sacudió la cabeza y dijo:

—A usted le resulta fácil decir eso. Las personas que usted ama están todas seguras en la retaguardia, en casa. Usted nunca ha visto a sus amigos partidos por la mitad por un carro de combate ni reventados por una granada de mano. Yo sí. Jamás perdonaré a los enemigos. Los odio de todo corazón.

El capellán invitó al soldado furibundo a ir a su tienda.

—Quiero contarle la historia de un joven piloto que conocí —empezó—. Durante una batalla aérea, hace más o menos un año, su avión fue derribado. Se lanzó en paracaídas y aterrizó en el agua. Se sumergió para escapar de las balas que se disparaban a su alrededor. Los enemigos esperaron hasta que salió a la superficie en busca de aire y lo mataron.

El capellán se acercó a una mesa.

—Esta historia es cierta, hijo. Vi cómo sucedía. Esta es la fotografía del piloto.

El soldado miró la fotografía y se dio cuenta de que los ojos del joven aviador eran muy parecidos a los del capellán. Cruzando la parte de debajo de la foto se leía: «Para papá, con todo mi cariño».

Jesús es nuestro ejemplo en todo. Cuando viva en nuestro corazón seremos capaces de perdonar a nuestros enemigos como él perdonó a los suyos.

El tiempo y la vida

Nuestros días sobre la tierra son sólo una sombra sin esperanza.

1 Crónicas 29: 15, NVI

PARA SABER EL VALOR de un año, pregúntale a un estudiante que tiene que repetir curso.

- Para saber el valor de *un mes*, pregúntale a la mamá de un bebé prematuro.
- Para saber el valor de *una semana*, pregúntale al redactor de un semanario.
- Para saber el valor de *un día*, pregúntale a una familia que ha perdido a un ser querido.
- Para saber el valor de *una hora*, pregúntales a unos niños que esperan a abrir los regalos de Navidad.
- Para saber el valor de *un minuto*, pregúntale a una persona que acaba de perder el avión.
- Para saber el valor de *un segundo*, pregúntale al conductor que acaba de evitar un accidente.
- Para saber el valor de *un milisegundo*, pregúntale a la persona que ganó la medalla de plata en los Juegos Olímpicos.

El tiempo es el recurso más valioso de que disponemos. Nos pasamos la vida trabajando duro para acumular dinero, pero en comparación con el tiempo, el dinero no importa mucho.

El dinero siempre se puede sustituir. Si lo usas, lo pierdes o lo malgastas, puedes acumular más. Pero una vez que el tiempo ha pasado, jamás puede ser devuelto.

Dios quiere que aprovechemos al máximo el tiempo que nos dio por que pasa muy deprisa. También quiere que vivamos de manera que cuando lleguemos al fin de la vida podamos mirar atrás y no arrepentirnos de nada.

Cuando devolvemos el diezmo y las ofrendas a Dios, él siempre nos devuelve más de lo que entregamos. Con el tiempo sucede lo mismo. Si le dedicamos el día de sábado al completo y reservamos tiempo para orar, estudiar la Biblia y dar testimonio los otros días de la semana, él verá que no somos tacaños.

Si ponemos a Dios en primer lugar, siempre tendremos tiempo para cualquier cosa que necesitemos.

No temas

Aunque ande en valle de sombra de muerte, no temeré mal alguno, porque tú estarás conmigo; tu vara y tu cayado me infundirán aliento.

SALMO 23: 4, RV95

ADOLF HITLER, EL DICTADOR ALEMÁN de la primera mitad del siglo XX, sentía un odio personal por los judíos. Con el tiempo, lentamente, empezó a quitarles la libertad. Al final hizo que los arrestaran y los envió a campos de concentración, donde millones de ellos murieron antes de que acabara la Segunda Guerra Mundial.

Corrie ten Boom y su familia eran unas de las pocas personas que arriesgaban la vida escondiendo judíos. Los ten Boom introducían gente en sus casas y les permitían quedarse hasta que podían trasladarse a otro escondite. Pero alguien los delató a la policía alemana y fueron arrestados.

El Sr. ten Boom murió poco tiempo después del arresto. Pero Corrie y su hermana Betsie fueron enviadas a Ravensbrück, un campo de concentración en el que fueron obligadas a vivir en unas condiciones terribles. La película *El refugio oculto* cuenta sus experiencias y cómo pudieron confiar en Dios a pesar de lo que tuvieron que soportar.

Durante una secuencia, después de la muerte de Betsie, Corrie se pregunta si podrá sobrevivir. Cuando se enfrenta a un futuro incierto, recuerda una conversación que tuvo con su padre cuando era niña.

Una noche, mientras la arropaba en la cama, Corrie le habló a su padre del temor que sentía ante la muerte.

—Papá, tengo miedo de morir —dijo—. ¿Qué sucederá?

—Cuando hacemos un viaje en tren, ¿en qué momento te doy el billete? —preguntó él.

Corrie respondió:

—Justo antes de subir al tren.

—Eso es —dijo el Sr. ten Boom—. No te lo doy hasta que lo necesitas. Pues lo mismo pasa con la muerte. Dios te dará lo que necesites cuando llegue el momento. No antes.

Sean cuales sean las dificultades que esconda el futuro (muerte, persecución, soledad, rechazo), Dios estará ahí para darnos lo que necesitemos cuando lo necesitemos. Él jamás nos defraudará.

16 DICIEMBRE

El herido andante

Por lo tanto, como escogidos de Dios, santos y amados, revístanse de afecto entrañable y de bondad, humildad, amabilidad y paciencia.
Colosenses 3: 12, NVI

«¡CÁRGUENLOS!», gritó Tom a los esquiadores rezagados que llegaban al refugio. Eran las 8 de la tarde, la hora de que los miembros de nuestro club de esquí regresasen a casa. Todos entramos en la furgoneta y nos dirigimos a la escuela.

En el momento en que pasábamos junto al pequeño cementerio, un ciervo saltó del bosque y se puso en medio de la trayectoria de la furgoneta. Tom dio un frenazo, pero no pudo evitar golpear la cabeza del animal. El impacto arrojó al gamo a la cuneta. El animal se debatía por ponerse en pie. Pero se había roto la espalda y todo cuanto podía hacer era mover la cabeza adelante y atrás.

¿Qué hicimos? ¿Salimos de la furgoneta y empezamos a reírnos de él por ser tan estúpido que cruzó la carretera cuando nosotros pasábamos por ahí? ¿Le arrojamos piedras para darle en la cabeza?

Claro que no. Todos estábamos llorando a causa de que no podíamos aliviarle el dolor o calmar su miedo. Habríamos hecho cualquier cosa que hubiese servido de algo.

En todos los barrios, en todas las escuelas, en todas las iglesias, hay estudiantes que, como el ciervo, están heridos. Quizá su dolor no sea físico, pero saben qué es ser rechazado y no encajar. Quizá no sean tan atractivos como los demás, o les cueste mucho aprender, o no son nada populares. Sea cual sea su problema, la vida para ellos es dolorosa.

En lugar de infligir más dolor a los que sufren, ¿por qué no buscamos maneras de darles aliento? Podrías sonreír, hablar con ellos, sentarte con ellos, invitarlos a tu casa y animar a tus amigos a que hagan lo mismo.

El ciervo no tenía esperanza, pero los niños que sufren a tu alrededor sí tienen esperanza. ¿Harás lo que puedas para hacer que sus vidas sean distintas?

No tienen precio

Oh Dios, ¡pon en mí un corazón limpio!, ¡dame un espíritu nuevo y fiel!

Salmo 51: 10

PARA MÍ, IR DE COMPRAS A UN CENTRO COMERCIAL no es una experiencia agradable. Pero llévame a un mercadillo o a una tienda de segunda mano y estaré en el séptimo cielo.

Hace unos años, mientras buscaba gangas en una tienda de segunda mano, encontré un rollo entero de cinta. Necesitaba cinta para mis paquetes de matemáticas. Comprobé el precio y todos ellos estaban puestos a 49 centavos.

Todos, excepto el que yo quería. La etiqueta indicaba 79 centavos. «¿Por qué este tiene que costar treinta centavos más que el resto?», me pregunté.

La etiqueta estaba pegada a la cinta y no en la cartulina del centro. Empecé a suponer que se había despegado de otro producto y se había enganchado a la cinta. Así que la saqué y fui a la sección de pago.

Cuando la dependienta me preguntó cuánto costaba la cinta le dije que eran 49 centavos. Le entregué un dólar y ella me devolvió el cambio.

Al día siguiente, en la escuela, mientras ataba la cinta a los paquetes, volví a pensar en la discrepancia de precios. «¿Tu integridad solo vale treinta centavos?», me preguntaba mi conciencia. Al pensar de ese modo me di cuenta de la mala decisión que había tomado.

La siguiente vez que fui a la ciudad, volví a la tienda de segunda mano. Después de explicarle a la dependienta lo que había hecho, le di medio dólar y le dije que se quedara el cambio. Después salí de la tienda con mi integridad intacta. Desde entonces, cuando siento la tentación de hacer algo mal, me pregunto: «¿Vale mi integridad?»

Cuando te das cuenta de lo que se podría perder, los beneficios a corto plazo del pecado no compensan. Un carácter firme y una conciencia limpia no tienen precio.

Todos los gestos amables importan

Los que somos fuertes en la fe debemos aceptar como nuestras las debilidades de los que son menos fuertes, y no buscar lo que a nosotros mismos nos agrada.
Romanos 15: 1

AGNES ADORABA HACER GANCHILLO. Había sido una de sus aficiones durante años. Cuando se hizo mayor, la artritis hizo que sus manos ya no tuvieran la agilidad de antes. Aun así, ella seguía haciendo ganchillo.

Al final, la salud de Agnes se deterioró tanto que tuvo que ingresar en una residencia para recibir un cuidado especializado. Pero ella seguía haciendo ganchillo.

Justo después del Día de Acción de Gracias, Agnes decidió hacer una bufanda blanca para una de sus mejores amigas. Le pidió a su hija Mary que comprara el hilo y empezó el proyecto.

La siguiente vez que Mary fue a visitarla, vio que su madre había completado varias pasadas de la bufanda. Pero era obvio que Agnes no veía lo que hacía porque la bufanda parecía obra de un principiante.

Cuando llegó Navidad, Agnes declaró que su proyecto estaba acabado. Antes de darle la bufanda a su amiga, la sacó de la caja para mostrarla a su familia.

Mary miró a su esposo como preguntando: «¿De dónde ha salido? Es preciosa, perfecta». No era la misma bufanda que había estado tejiendo su madre.

Más tarde, después de algunas preguntas aquí y allá, Mary descubrió cómo se había transformado la bufanda. Cada noche, después de que Agnes se hubo acostado, una de las enfermeras de noche entraba a su habitación y se llevaba la bufanda al puesto de enfermería. Allí corría las puntadas mal hechas y las rehacía correctamente. Luego devolvía la bufanda a la silla de Agnes.

Cuando, al día siguiente, la anciana mujer tomaba el ganchillo, seguía trabajando en la bufanda sin darse cuenta de la transformación que se había producido mientras dormía.

Muy pocas personas tienen alguna vez la posibilidad de ser famosas, pero todos podemos hacer que el mundo sea un lugar mejor. Todo lo que se necesita es un acto de amabilidad hacia otro ser humano. ¿Ya sabes a quién puedes ayudar?

Recibes lo que das

Pero deseamos que cada uno de ustedes siga mostrando hasta el fin ese mismo entusiasmo, para que se realice completamente su esperanza. No queremos que se vuelvan perezosos.

Hebreos 6: 11, 12

EN TIEMPOS DE LOS PREDICADORES ITINERANTES, las iglesias estaban muy alejadas unas de otras, y los pastores escasos. Cada semana un pastor tenía que visitar distintas congregaciones. Por eso, para el culto, las iglesias solían tener que confiar en los miembros o en las visitas.

Una mañana de domingo, un orador invitado y su hijo llegaron a la pequeña iglesia. Después de atar el caballo a un árbol, se dirigió a la iglesia donde iba a dar el sermón. Después de la oración final, el predicador salió a despedir a la gente mientras esta se iba a casa.

Cuando hubo terminado, el predicador recordó que no se había recogido ninguna ofrenda. Buscando en el bolsillo, sacó una moneda de diez centavos y lo depositó en el cepillo junto a la puerta de entrada.

Fuera, puso a su hijo sobre el lomo del caballo. Ya estaba a punto de montar cuando el tesorero de la iglesia lo detuvo.

—Pastor, queremos agradecerle que hoy haya venido a darnos un mensaje. Es costumbre de nuestra iglesia que entreguemos al orador todas las ofrendas que se hayan recogido en el cepillo después del culto.

Y con esto, el tesorero le entregó una moneda de diez centavos.

El hijo del hombre miró a su papá y le dijo:

—Papá, si hubieses dado más, te habrían dado más, ¿verdad?

Lo que ponemos en la vida es mucho más de lo que recibimos de ella. Si somos amables, tendremos amigos. Si estudiamos tendremos mejores notas. Si participamos en actividades de la iglesia y de la escuela, sentiremos más que somos parte del grupo. Si buscamos a Dios, lo encontraremos. Durante nuestro viaje increíble, las personas que reciben más de la vida son aquellas que pusieron más.

El sacrificio definitivo

El amor más grande que uno puede tener es dar su vida por sus amigos.
JUAN 15: 13

CUANDO EL 30 DE OCTUBRE DE 1991, el avión de aprovisionamiento militar se estrelló en el Ártico, los pasajeros carecían totalmente de preparación. Cuatro murieron en los minutos que siguieron al accidente, pero otros catorce seguían con vida.

Durante las primeras horas, los que podían localizaron a los heridos, les prestaron los primeros auxilios y buscaron en la oscuridad los elementos de supervivencia que habían quedado esparcidos por el terreno nevado en dos kilómetros a la redonda.

El piloto, el capitán John Couch, que salió ileso del accidente, había podido saltar del avión antes de que explotara. Reunió a los supervivientes en la sección de cola del avión, lo único que había quedado de la nave. Los sacos de dormir y la ropa se dividieron. El propio capitán Couch dio su pesada chaqueta a uno de los heridos.

Mientras los supervivientes se apelotonaban unos contra otros con la intención de mantenerse calientes, el capitán Couch yacía sobre la nieve, fuera de la sección de cola. Llevaba solo una chaqueta ligera y tenía las manos desnudas porque no había guantes para todos.

Pasaron 32 horas antes de que el equipo de rescate compuesto por seis hombres llegara en paracaídas y llevara a los supervivientes al hospital más cercano.

Cuando el oficial de enlace Arnie MacCauley llegó al escenario del accidente, descubrió que el capitán Couch yacía muerto en la nieve. Pero los otros trece seguían vivos. El capitán dio su vida para que los demás pudieran vivir.

Los héroes no tienen por qué ser apuestos o bellos. No tienen que salir en las portadas de las revistas. No tienen que ser deportistas profesionales ni grabar un CD superventas. Los verdaderos héroes son gente que está dispuesta a ponerse a un lado y hacer la obra de Jesús sirviendo a los demás.

Quizá salves tu propia vida

Hay más dicha en dar que en recibir.

HECHOS 20: 35

¿TE HAS DADO CUENTA? Ser cristiano resulta bastante caro. Y no estoy hablando solo de dinero. Sí, Dios espera que le devolvamos al menos el diez por ciento de nuestros ingresos, pero también espera que demos una parte de nuestros talentos y nuestro tiempo para ayudar a los demás y hablarles de él.

¿Por qué querrá que demos tanto? La siguiente historia quizá responda esta pregunta.

Andrea era una mujer joven que tenía un grave problema. Una infección por estreptococos, que suele resolverse con medicación, le había afectado los riñones. Al final, tuvo que dejar de trabajar.

Buscaron entre sus familiares más allegados un posible donante de riñón para ella. Pero ninguno era compatible.

Mientras miraba un programa de televisión sobre la donación de órganos, Linda, una familiar por matrimonio, descubrió que no es preciso que los donantes de riñones tengan vínculos de consanguinidad con el receptor. Así que ella y su esposo se sometieron a las pruebas. Linda era una donante perfecta.

Poco después de que empezara la operación, el cirujano descubrió un aneurisma en el riñón que Linda estaba a punto de donar. Los aneurismas, vasos sanguíneos debilitados, son como bombas de relojería escondidas que pueden explotar en cualquier momento y acabar con la muerte del paciente. Si Linda hubiese caído antes de la operación, la arteria debilitada podría haberse reventado y Linda habría muerto antes de que nadie pudiera ayudarla.

Pero los médicos pudieron solucionar el problema y completar el trasplante. Hoy, Linda y Andrea viven una vida normal y saludable.

Al entregarse, Linda salvó la vida. Cuando damos tiempo y dinero, recibimos un beneficio similar. Sí, otros reciben ayuda en el proceso, pero nosotros también.

Cuando hacemos actos abnegados, Dios no nos da puntos extra. Ni siquiera dar todo tu dinero te salvaría. Pero cuando hacemos la obra de Dios nos parecemos cada vez más a él. A fin de cuentas, ¿ser cristiano no se trata de eso?

Paquetes feos

Yo soy el Señor, el Dios de todo ser viviente. Nada hay imposible para mí.
Jeremías 32: 27

EL AÑO PASADO, justo antes de la fiesta de Navidad de la escuela, los alumnos empezaron a traer los regalos para intercambiárselos. La mayoría estaban envueltos en papel de colores y atados con cintas del mismo color. Pero había un regalo que destacaba del resto.

Destacaba porque no estaba envuelto. Alguien había puesto el regalo en una bolsa de papel marrón y la había cerrado con grapas. Nadie dijo nada de ese regalo tan feo, pero se podría decir que todos pensaban: «Espero que el regalo de la bolsa no sea para mí».

El envoltorio suele indicar qué lleva dentro. Un envoltorio bonito, un regalo bonito. Un envoltorio mugriento, un regalo mugriento. Pero a veces las apariencias engañan.

Eso es particularmente cierto cuando se trata de los regalos que vienen de Dios. A veces, vienen envueltos con un papel muy feo. Los paquetes feos son acontecimientos o situaciones que son desagradables: un divorcio, una enfermedad, un suspenso, el rechazo, el temor, la soledad, la muerte y los defectos físicos.

Si se nos permitiera, nunca los escogeríamos. Pero Dios es tan inteligente, tan increíblemente poderoso, que puede hacer que la peor de las situaciones se vuelva en la mayor de las bendiciones.

Aquí tienes algunos paquetes feos. ¿Qué buenos resultados pueden salir de ellos?

- Scout sacó un insuficiente en el examen de Historia.
- Staci, la mejor amiga de Tiffany, se mudó.
- La familia de Brad no puede pagarle los estudios.
- Gina estaba muy excitada con la idea de ir al campamento de verano. Pero unos días antes de ir contrajo la varicela.
- Ricardo quería el papel protagonista de la obra de teatro de Navidad, pero no se lo dieron.

Cuando en la vida surgen problemas, es muy bueno saber que Dios puede sacar algo bueno de la peor situación. Nada escapa a su control.

Un círculo cerrado

Ama al Señor tu Dios con todo tu corazón y con toda tu alma y con todas tus fuerzas. Grábate en el corazón estas palabras que hoy te mando.

Deuteronomio 6: 5, 6, NVI

EN LOS DÍAS EN QUE LAS FAMILIAS adornaban el árbol de Navidad, las luces solían estar en circuito. Si una bombilla se fundía, ninguna otra alumbraba.

Por eso, todos los miembros de la familia contenían la respiración cuando conectaban las luces. Si la cuerda se encendía, todos suspiraban aliviados. Pero la mayoría de las veces había una bombilla que se había fundido. Por eso papá sacaba una bombilla nueva y probaba uno por uno los portalámparas. Si solo había una bombilla fundida, al final conseguía descubrir cuál era y, tan pronto como la nueva bombilla ocupaba su lugar, las luces se encendían.

Pero si había más de una bombilla fundida, era casi imposible descubrir cuál de ellas era. Era más fácil sustituir todas las bombillas y esperar a que las próximas Navidades todavía funcionasen.

Los Diez mandamientos son como una cuerda de bombillas. Aunque guardemos nueve mandamientos, con uno que quebrantemos, quebrantamos toda la ley. Jesús quiere que guardemos toda la ley. Pero no quiere que lo intentemos solamente con nuestra propia fuerza.

Los escribas y los fariseos se esforzaban mucho por obedecer la ley. Creían que guardar la ley era lo más importante que podían hacer. Creían que si se esforzaban lo suficiente, podrían vivir según lo que les había ordenado Dios. Pero vino Jesús y les dijo que amar a Dios es más importante aún.

Los Diez mandamientos no son una lista de normas que hay que guardar antes de ir al cielo. Son una descripción de cómo será la vida cuando le pidamos a Jesús que ocupe el lugar más privilegiado del corazón.

24 DICIEMBRE

Hoy está y mañana no está

Para que todo el que cree en él tenga vida eterna.

JUAN 3: 15

CADA AÑO, UN JUGUETE OCUPA EL LUGAR del regalo imprescindible en las listas de los niños. Hace unos años, en los Estados Unidos, ese juguete era la muñeca *Cabbage Patch*. Venía con un nombre y un certificado de nacimiento. De repente, los adultos y los niños de todas partes querían tener una.

El fabricante no daba abasto. Así que cuando se acercaron las fiestas navideñas, la oferta no podía suplir la demanda. Las centralitas de los grandes almacenes estaban saturadas con llamadas de gente que quería saber cuándo llegaría la siguiente remesa de muñecas. Un día yo estaba de compras cuando un mozo de almacén trajo un carro lleno de muñecas *Cabbage Patch*. Un grupo de mujeres se abalanzó sobre las muñecas, agarrándolas por los brazos. Pero el cliente más exagerado del que tengo noticia es un hombre que voló de Europa a los Estados Unidos para que su hija tuviera su muñeca el día de Navidad por la mañana.

Si hoy fueses a una tienda de juguetes quizá tendrías dificultades para encontrar una muñeca *Cabbage Patch*. No porque todo el mundo quiera una, sino porque la gente ha perdido todo interés por ella.

Un filósofo de la antigüedad tenía razón al decir: «Todo lo que sube, baja».

Este año, los automóviles deportivos más vendidos acabarán como chatarra. Los héroes de la NFL (Liga Nacional de Fútbol Americano) serán sustituidos por jugadores más jóvenes. Miss Universo será abuela.

Todo tiene un fin, excepto Dios y todo lo que esté relacionado con él. Cuando nos damos a Dios tenemos vida eterna. Quizá muramos, pero la muerte será solo una pequeña interrupción.

No tenemos que ser como las muñecas *Cabbage Patch*, que hoy están y mañana no. Dios tiene grandes planes para nuestro futuro, un futuro que durará para siempre.

Y el regalo continúa

Den gracias a Dios por todo, porque esto es lo que él quiere de ustedes como creyentes en Cristo Jesús.

1 Tesalonicenses 5: 18

DESPUÉS DE PASAR UN VERANO enseñando inglés en Japón, nos disponíamos a regresar a los Estados Unidos. Dos días antes de emprender el viaje, mi esposo tuvo un accidente. Su automóvil se metió en la trasera de un taxi.

Nadie salió herido, pero unos amigos sugirieron que le hiciéramos un regalo al taxista. Era una manera de pedir disculpas por el accidente. Así que compramos una caja de caramelos y bombones para regalar y la llevamos a su casa.

El hombre no estaba en casa, pero su esposa aceptó la caja y nos pidió que esperásemos un momento. Mi primer pensamiento fue: «Espero que no me saque los papeles del abogado diciendo que nos van a demandar».

En lugar de eso, volvió con un regalo para nosotros, una hermosa pintura japonesa de un niño volando una cometa. Aprendimos que a los japoneses les encanta hacer regalos, incluso a la gente que causa accidentes.

El día de Navidad pensamos más en los regalos que cualquier otro día del año. Pero para un cristiano, dar y recibir regalos dura todo el año.

Cada día que vivimos es un regalo de Dios. Cuando nos despertamos por la mañana, nuestra primera respuesta tendría que ser de agradecimiento por otro día de vida. La segunda respuesta debería ser: «¿Qué regalo puedo dar yo a cambio?»

Lo que Dios desea más que nada es tu amor. No hay mejor manera de demostrarle que lo amas que permitir que su amor fluya de ti hacia alguien. De eso tratan los dos mayores mandamientos, el amor a Dios y el amor al prójimo.

En este día especial para dar regalos, busca maneras de dar uno a Dios bendiciendo la vida de alguien.

26 DICIEMBRE

Tarjetas de regalo

Busquen al Señor mientras puedan encontrarlo.

ISAÍAS 55: 6

AYER, DECENAS DE MILLARES DE PERSONAS de todo el país recibieron un regalo que jamás usarán. ¿Qué regalo es ese? Una tarjeta de felicitación.

Cada año, cuando se acerca la temporada navideña, la gente busca los regalos adecuados para las personas de su lista de Navidad. Algunos son fáciles de satisfacer. Otros no. Para esas personas están las tarjetas de regalo.

Las tarjetas de regalo son una combinación de certificado de regalo y tarjeta de crédito. Cuando una persona compra una en una tienda paga 35 dólares al cajero y el cajero carga la tarjeta de regalo con 35 dólares de crédito. La persona que recibe la tarjeta como regalo puede llevarla a la tienda y usarla para adquirir un regalo que ella misma escoge.

A mucha gente le gusta recibir tarjetas de regalo. Así tienen la posibilidad de divertirse comprando un objeto especial sin tener que pagar por él. Seguro que es mejor que hacer cola el día después de Navidad para devolver un objeto que no nos gusta.

El problema de las tarjetas de regalo es que la gente las pierde o se olvida de usarlas. Se calcula que un total de mil millones de dólares en tarjetas de ese tipo quedan pendientes de cambio. La gente que las recibió nunca las aprovechó.

¿No sucede lo mismo con la salvación? Hace dos mil años Jesús murió para salvarnos de la paga del pecado. Cuando dijo: «Está consumado» pagó el precio para que todos nosotros recibiésemos la salvación gratis. Pero por desgracia, como algunas tarjetas de regalo, su regalo de salvación es dejado de lado y jamás será utilizado.

Jesús te dio una tarjeta de regalo. Con su vida pagó el precio por tus pecados y te hizo un lugar en el cielo. Todo lo que tienes que hacer es estar de acuerdo con la transacción.

¿Por qué no lo haces hoy? En todo el universo no hay mejor regalo.

Tu vida importa

Mis ojos están puestos en ti. Yo te daré instrucciones, te daré consejos, te enseñaré el camino que debes seguir.

Salmo 32: 8

Q*UÉ BELLO ES VIVIR* ES UNA DE LAS PELÍCULAS MÁS FAMOSAS. En la historia, George, el protagonista, siente que es un fracasado. La empresa de seguros que dirige está a punto de ir a la bancarrota y se siente responsable. Decide saltar de un puente y poner fin a su vida. Por lo que a él se refiere, su familia estaría mejor si estuviera muerto.

Justo antes de saltar, interviene un ángel. (Si has visto la película sabrás que los guionistas no sabían mucho de ángeles. Pero si podemos pasar por alto las imprecisiones de la historia, podemos aprovechar las importantes lecciones que contiene). Volvamos a la historia.

El ángel intenta animarlo, pero George está tan deprimido que piensa que habría sido mejor que no hubiera nacido. Por eso el ángel lleva a George en un viaje en el tiempo para mostrarle cómo sería la vida de las personas si George hubiese conseguido su deseo.

El ángel le muestra a George que si no hubiese nacido, no habría podido salvar a su hermano menor de morir ahogado. Y su hermano jamás habría crecido para ser un héroe de la Segunda Guerra Mundial. Si George no hubiese impedido al farmacéutico que le diera una medicina equivocada a un cliente, el hombre habría acabado en prisión. Después de ver lo diferentes que habría sido la vida de los demás, George se da cuenta de que su vida sí importaba y que vivir es bello.

Si tuvieses que escribir una lista con los nombres de todas las personas con las que has estado en contacto durante la semana, ¿cuántos nombres tendría? ¿Cincuenta? ¿Cien? ¿Quinientos? Aun cuando solo fueran cincuenta nombres, piensa en cómo serían esas cincuenta vidas. Una palabra amable, una sonrisa o una buena acción pueden cambiar la historia.

28 DICIEMBRE

Rendición

Sin embargo, Señor, tú eres nuestro padre; nosotros somos el barro, tú nuestro alfarero; ¡todos fuimos hechos por ti mismo!

Isaías 64: 8

¿ALGUNA VEZ PIENSAS que los objetivos que Jesús tiene para ti son imposibles? Él dijo que tendríamos que amarlo a él más que nada y a los demás más que a nosotros mismos. Imposible. También llegó a decir que tenemos que amar a nuestros *enemigos* y tratarlos con amabilidad aun cuando nos hagan daño. Impensable.

Quiere que digamos la verdad aun cuando eso nos ponga en un aprieto. No parece probable.

Espera que nos conformemos en cualquier situación en que nos encontremos. Eso no quiere decir que siempre queramos más para nosotros mismos. Eso quiere decir que no nos debemos quejar cuando las cosas no salen como queríamos. Quiere decir que tenemos que estar contentos porque los demás tienen ropa más bonita, mejores notas y más habilidades atléticas. Inconcebible.

Dios nos pide demasiado. Pero lo hizo con toda la intención para que podamos ver lo inútil que es querer salvarnos por nosotros mismos.

Así que, si te has sentido desanimado porque no puedes conseguir todo cuanto Dios espera de ti, estás en el buen camino. Quiere que vayamos al lugar en que nos rindamos y pongamos nuestra confianza en él.

Tanto si tienes que apretar los dientes porque haces lo correcto, aunque en ello te vaya la vida, como si te sientes tentado a dejar de querer ser cristiano, es tiempo de pedirle a Dios que tome el control. Él ha esperado a darte las palabras, las actitudes y las acciones adecuadas. Y lo hará cuando dependas de él para todo.

Nuestra casa

Pues donde tengan ustedes su tesoro, allí estará también su corazón.

LUCAS 12: 34, NVI

EN 1988, EL SR. Y LA SRA. HUTCHINSON tuvieron la necesidad de mudarse de su casa en Nueva York a una nueva en Indianápolis. Después de discutir mucho, la pareja decidió que Oscar, el pequeño beagle no iría a Indiana con ellos. Se quedaría en Nueva York. El nieto de los Hutchinson estaba muy unido a Oscar y creyeron que Oscar sería más feliz si se podía quedar en un territorio que le era conocido.

Por eso, los Hutchinson, después de despedirse, subieron al automóvil y se fueron. Pero Oscar no estaba contento en absoluto con la nueva situación. Echaba de menos a sus amigos.

El perro de cuatro años había pasado toda su vida en su barrio. Con todo, fue a buscar a sus primeros propietarios.

Siete meses después, los Hutchinson se encontraron a Oscar ante la puerta. Después de andar más de ochocientos kilómetros había adelgazado mucho. Tenía el pelo sucio y le sangraban las patas. Pero era feliz. Había conseguido su objetivo. Estaba en casa otra vez con la gente que más amaba.

El objetivo de nuestro increíble viaje es llegar al cielo, nuestro verdadero hogar. Porque allí nos reuniremos con Jesús, el Único a quien más amamos.

Durante el viaje nos enfrentaremos a dificultades. Quizá lleguemos a sentirnos tentados a abandonar y volver al punto de partida. Pero si hacemos que el cielo sea nuestra principal prioridad, Jesús nos guiará todo el tiempo.

Después de ver el cielo en una visión, la Sra. White dijo que, por grande que sea el sacrificio que tengamos que hacer, el cielo siempre será barato.

Cuando nos marcamos objetivos a largo plazo, es útil tomar las decisiones correctas día a día. Y nos anima cuando nos enfrentamos a dificultades. ¿El cielo es tu objetivo?

30 DICIEMBRE

Una última reflexión

Que el Señor te bendiga y te proteja; que el Señor te mire con agrado y te muestre su bondad; que el Señor te mire con amor y te conceda la paz.
NÚMEROS 6: 24-26

HOY, EL PENÚLTIMO DÍA DEL AÑO, dedica un tiempo a pensar en cómo Dios os ha bendecido a ti y a tu familia durante esta parte del viaje increíble. Echa un vistazo al 31 de julio, al 31 de agosto, al 30 de septiembre al 31 de octubre y al 30 de noviembre. Lee las peticiones especiales que escribiste en esos días. ¿Cómo respondió a cada una de ellas? Recuerda, la respuesta puede ser *sí*, *no* o *espera*.

Despedida

Confía de todo corazón en el Señor y no en tu propia inteligencia. Ten presente al Señor en todo lo que hagas, y él te llevará por el camino recto (Proverbios 3: 5, 6

¿TE LO PUEDES CREER? Este es el último día del año. Esta noche millones de personas de todo el mundo empezarán la cuenta a tras para el Año Nuevo.

Algunos estarán contentos de ver que el año se acaba. Han tenido problemas y desean empezar de nuevo. Pero para otros, lo desconocido es aterrador.

Nunca sabemos qué sucederá de un día a otro. Pero no hay que tener miedo. Todo está bajo el control de Dios.

Este es un texto que da ánimos para enfrentar los días que van a venir.

> No tenemos que temer nada del futuro, excepto que olvidemos cómo nos ha guiado el Señor y sus enseñanzas en la historia pasada (*Testimonios para la iglesia*, t. 9, p. 10).

Lo único que debemos temer es que centremos toda nuestra atención en nuestras circunstancias en lugar de mirar a Jesús y recordar cómo cuidó de nosotros durante toda la vida. Una de las razones por las que el agradecimiento y la alabanza tienen que ser una parte importante de nuestro tiempo común es que nos ayuda a recordar todo lo que hizo por nosotros.

Cuando empieces el año nuevo, ten este libro a mano. Si te desanimas un poco, vuelve a mirar el último día del mes y recuerda las bendiciones que Dios te dio y las maneras como usó las circunstancias, aun las más difíciles, para que obraran en tu favor.

Ha sido agradable viajar contigo en este viaje increíble. Ahora, cuando nos decimos adiós, recuerda pasar tiempo con Jesús cada día, dale el primer lugar de tu corazón y sé agradecido.

ÍNDICE TEMÁTICO

Nuestras
28 Creencias
Para jóvenes
Seth J. Pierce
Iglesia Adventista del Séptimo Día
Nuestras 28 creencias
es un libro escrito para que los jóvenes
puedan conocer un Dios amante y cariñoso
que nos conoce mejor de lo que nosotros
mismo nos podremos llegar a conocer.
Basado en experiencias personales, el autor
comprueba que cada una de las 28 doctrinas
es una muestra de amor de Dios.
¡Una guía segura
para jóvenes!
Para jóvenes

Para mejorar tu estilo de vida
y adquirir conocimientos útiles,
ponemos en circulación
estas revistas monográficas.
Con información y consejos
prácticos para que disfrutes
de una vida plena y abundante.

TABACO
Grave amenaza para su salud
NICOTINA: la droga más adictiva
Tabaco y embarazo
Plan eficaz para dejar de fumar
"No fumo porque amo a mi familia"

HACIA UNA VIDA MEJOR
Juventud sin drogas

SEXO
mitos y realidades

SIDA
¿Qué es? ¿Cómo protegerse?
La sexualidad humana y el sida

SALUD
FÍSICA MENTAL SOCIAL

Para ti joven...
Lleno de toda
la información
que necesitas
Sexo con amor
No hay nada mejor
FÉLIX CORTÉS A.